CHV

DEUTSCHE BALLADEN

Herausgegeben von Hans Fromm

Carl Hanser Verlag

ISBN 3-446-13312-7
Hanser Bibliothek
9. Auflage 1984

Umschlag: Christian Diener unter Verwendung
eines Bildes von Alfred Kubin
Druck und Bindung: May & Co Nachf., Darmstadt
Printed in Germany

VOLKSBALLADEN

Ich wil zu Land ausreiten

»Ich wil zu Land ausreiten«, / sprach sich Meister Hiltebrand,
»Der mir die Weg tet weisen / gen Bern wol in die Land,
Die seind mir unkund gewesen / vil manchen lieben Tag:
In zwei und dreißig Jaren / Fraw Utten ich nie gesach.«

»Wilt du zu Land ausreiten«, / sprach sich Herzog Abelung,
»Was begegent dir auf der Heiden? / Ein schneller Degen jung.
Was begegent dir auf der Marke? / Der jung Herr Alebrant;
Ja, rittest du selbzwölfte, / von im wurdest angerant.«

»Ja, rennet er mich ane / in seinem Ubermut,
Ich zerhaw im seinen grünen Schild, / es tut im nimmer gut,
Ich zerhaw im sein Brinne / mit einem Schirmenschlag[1],
Und daß er seiner Mutter / ein ganz Jar zu klagen hat.«

»Das solt du nicht entun«, / sprach sich Herr Dieterich,
»Wann[2] der jung Herr Alebrant / der ist mir von Herzen lieb;
Du solt im freundlich zusprechen / wol durch den Willen mein,
Daß er dich wöl lassen reiten, / als lieb als ich im mag sein.«

Do er zum Rosengarten ausreit / wol in des Berners Marke,
Do kam er in große Arbeit[3] / von einem Helden starke,
Von einem Helden junge / da ward er angerant:
»Nun sag an, du vil Alter, / was suchst in meines Vatters Land?

[1] gewaltiger Schlag [2] denn [3] Not

Du fürst dein Harnisch lauter und rain, / recht wie du seist eins Königs Kind,
Du wilt mich jungen Helden / mit gesehenden Augen machen blind;
Du soltest da heimen bleiben / und haben gut Hausgemach[1]
Ob einer heißen Glute.« / Der Alte lachet und sprach:

»Sölt ich da heimen bleiben / und haben gut Hausgemach?
Mir ist bei allen meinen Tagen / zu raisen[2] aufgesatzt,
Zu raisen und zu fechten / bis auf mein Hinefart,
Das sag ich dir vil Jungen, / darumb grawet mir mein Bart.«

»Dein Bart will ich dir ausraufen, / das sag ich dir vil alten Man,
Daß dir dein rosenfarbes Plut / uber dein Wangen muß abgan;
Dein Harnisch und dein grünen Schild / must du mir hie aufgeben,
Darzue must mein Gefangener sein, / wilt du behalten dein Leben.«

»Mein Harnisch und mein grüner Schild, / die teten mich dick ernern[3],
Ich traw Christ vom Himel wol, / ich wil mich dein erweren.«
Sie ließen von den Worten, sie zugen zwei scharpfe Schwert,
Und was die zwen Helden begerten, / des wurden die zwen gewert.

Ich weiß nit, wie der Junge / dem Alten gab einen Schlag,
Daß sich der alte Hiltebrant / von Herzen sere erschrack.
Er sprang hinter sich zu rucke / wol siben Klafter weit:
»Nun sag an, du vil Junger, / den Streich lernet dich ein Weib!«

»Sölt ich von Weibern lernen, / das wer mir immer ein Schand,
Ich hab vil Ritter und Knechte / in meines Vatters Land,
Ich hab vil Ritter und Grafen / an meines Vatters Hof,
Und was ich nit gelernet hab, / das lerne ich aber noch.«

[1] und es dir gemütlich machen [2] auf Kriegsfahrten ausziehen
[3] oft erretten

Er erwüscht in bei der Mitte, / da er an dem schwechsten was,
Er schwang in hinder sich zu rucke / wol in das grüne Gras:
»Nun sag mir, du vil Junger, / dein Beichtvater wil ich wesen:
Bist du ein junger Wölfinger, / von mir magst du genesen.«

»Wer sich an alte Kessel reibt, / der empfahet gern Rame[1],
Also geschicht dir, vil Jungen, / wol von mir alten Manne;
Dein Beicht solt du hie aufgeben / auf diser Heiden grün,
Das sag ich dir vil eben, / du junger Helde kün.«

»Du sagst mir vil von Wölfen, / die laufen in dem Holz:
Ich bin ein edler Degen / aus Krichenlanden stolz,
Mein Mutter die heißt Fraw Utte, / ein gewaltige Herzogin,
So ist der Hiltebrant der alte / der liebste Vater mein.«

»Heißt dein Mutter Fraw Utte, ein gewaltige Herzogin,
So bin ich Hiltebrant der alte, / der liebste Vatter dein.«
Er schloß im auf sein gulden Helm / und kust in an seinen Mund:
»Nun müß es Gott gelobet sein, / wir seind noch beid gesund.«

»Ach Vater, liebster Vater, / die Wunden, die ich dir hab geschlagen,
Die wolt ich dreimal lieber / in meinem Haubte tragen.«
»Nun schweig, du lieber Sune: / der Wunden wirt gut Rat,
Seid daß uns Got all beide / zusammen gefüget hat.«

Das weret von der None / biß zu der Vesperzeit,
Biß daß der jung Her Alebrant / gen Bern einhin reit.
Was fürt er an seinem Helme? / Von Gold ein Krenzelein.
Was fürt er an der Seiten? / Den liebsten Vater sein.

Er fürt in mit im in seinen Sal / und satzt in oben an den Tisch,
Er pot im Essen und Trinken, / das daucht sein Mutter unbillich:
»Ach Sune, lieber Sune, / ist der Eren nicht zu vil,
Daß du mir ein gefangen Man / setzt oben an den Tisch?«

[1] Ruß

»Nun schweige, liebe Mutter, / ich will dir neue Meer sagen:
Er kam mir auf der Heide / und het mich nahent erschlagen;
Und höre, liebe Mutter, kein Gefangner sol er sein:
Es ist Hiltebrant der alte, / der liebste Vater mein.

Ach Mutter, liebste Mutter mein, / nun beut im Zucht und Eer!«
Do hub sie auf und schenket ein / und trug ims selber her;
Was het er in seinem Munde? / Von Gold ein Fingerlein,
Das ließ er inn Becher sinken / der liebsten Frawen sein.

Wolt ir horen fremde Mer

Wolt ir horen fremde Mer,
Die vor Zeiten und ee geschach,
Von dem edlen Moringer,
Wie er zu seiner Frauen sprach
Des Nachtes, do er bei ir lag;
Er umbfieng die zarten Fraue sein,
Der spilenden Freud er mit ir pflag.

Er sprach: »Herzliebe Frawe,
Vernempt die Rede mein furwar,
Aller Eren ich euch vertraw,
Wolt ir mein beiten[1] süben Jar?
Abenteur sint mir bekant.
Nun gept mir Urlaub, zarte Frawe,
Wan[2] ich wül in Sant Thomas Land[3].«

Do sprach die Fraw gar trawriglich,
Ser betrübet war ir Mut:
»Saget, edler Ritter reich,

[1] auf mich warten [2] denn [3] d. i. Indien

Wem bevelcht ir ewer Gut,
Das saget mir durch den Wüllen mein,
Wem bevelhet ir Land und Leut,
Wer sol nun mein treuer Pfleger sein?«

»Das thu ich, herzenliebe Frawe:
Manicher werder Dienstman,
Die von euch haben Gut und Ere,
Die sollen euch wesen[1] undertan
In treuen, als ir ie gewart.
Nun gebt mir Urlaub, zarte Frawe,
Ich wül Got volbringen sein Fart.

Im Glauben wül ich nit wenken,
Herzliebe Frawe zart,
Zum besten solt ir mein bedenken;
Ich bin auf der Hinefart,
Seit ich ach das gelopt han,
So gebt mir Urlaub, zart Frawe,
Ich wüls nit underwegen lon[2].

Got gesegen euch, edle Frawe,
In also tugendhaften Mut,
Aller Eren ich euch wol trawe,
Got hab uns in seiner Hut
Und wol auch uns beholfen sein,
Sant Thomas, der vil edel Here,
Der tue uns seiner Hilfe Schein[3].«

Und do der edel Moringer
Des Morgens aus seinem Bette gieng.
Do begegenet im sein Kamerer,
Das Gewand er von im enpfieng.

[1] sein [2] ich will es nicht ungetan sein lassen
[3] der erweise uns seine Hilfe

Ein Beckin mit Wasser bracht man dar,
Do nam er auf sein weiße Hand
Und wusch sein liechte Augen klar.

Er sprach: »Kamerer, traut Gesind,
Du allerliebster Diener mein,
Ob ich die Tugend an dir fünd,
Daß du pflegest der Frawen mein?
Ich bevilch dir s' nun süben Jar;
Kum ich immer[1] ham zu Land,
Reichlich ich dich begab zwar.«

Do sprach der Kamerer tügentlich:
»Edler Ritter, es deucht mich gut,
Ir belüpt her haim bei ewrem Reich:
Die Frawen tragen kurzen Mut.
Vernempt mich recht, was ich euch sag,
Daß ich der Frawen eben pflig
Nit lenger dan süben Tag.«

Und do dem edlen Moringer
Die fremd Red ward bekant,
Er gieng hin in großer Schwer,
Do er den Jungen von Neufen fand.
Da er in zum ersten anesach,
Und wie der edel Moringer
Gar zichtiklich[2] zu ihm sprach.

Es sprach: »Junger Her von Nifen,
Ir allerliebster Diener mein,
Ich büt euch also tugentlichen,
Daß ir pfleget der Frawen mein;
Ich bevilche euch s' an der Stat,
Als Got seine lieben Mutter tet,
Do er an das Creutz trat.«

[1] jemals [2] höflich

Do dem jungen Herren von Nifen
Dise Abenteur ward bekant:
»Al euer Sorg last euch entschleißen
Und ziecht in Sant Thomas Land.
Gelaubt ach sicherleichen furwar
Daß ich euer Frawen pflig,
Und weret ir aus dreißig Jar.«

Do dem edlen Moringer
Die gute Red ward bekant,
Vergangen was im Leid und Schwer;
Er zoch in Sant Thomas Land.
Die Aubenteur sagt man furwar,
Daß was der edel Moringer
Williglich aus süben Jar.

Do der edel Moringer
In einem Garten lag und schlief,
Dem Ritter traumet also schwer;
Ein Engel vom Himel im auf rieft:
»Entwache, Moringer, es ist Zeit:
Kumbstu heint[1] nit zu Land,
Der Jung von Nifen nimbt dein Weib.«

Do rauft der edel Moringer
Vor Laid aus sein grawen Bart:
»Mir ist laid und also schwer;
Ach Got, daß ich ie geboren ward,
Sol ich also geschaiden sein
Von Land und von meinen Leuten;
So rewet[2] mich die Frawe mein.«

Er sprach: »Sant Thomas, edler Herr,
Sei dür geklagt alles mein Laid,

[1] heute [2] betrübt

Daß mich mein Fraw wil scheiden von Eer,
Die ich hab bracht zu Wirdikeit.
Ach ich elender betrübter Man,
Nun bin ich fer in fremden Landen;
Got mags wol understan[1].«

Do der edel Moringer
Also auf zu Gotte rieft,
Im was laid und also schwer;
In seinen Sorgen er wüder entschlief.
Do er erwachet, er west nit, wo er was,
Wie der edel Moringer
Da haim vor sainer Mulen saß.

»Nun dank ich Maria und irem Kind,
Das sie mir haben geholfen her,
Das ich mein Mül so schöne find
Nach al meines Herzen Beger.«
Doch was er gar ain traurig Man,
Do er in sein Mülen gieng
Und in niemand erkennen kan.

Er sprach: »Mülner, traut Gesind,
Waist auf der Burg nit newe Mer,
Ob ich die Tugend an dir find,
Ich armer ellender Bilger?«
»Abenteur der wais ich vil,
Wie des edlen Moringers Fraw
Den von Nifen heint nemen wil.

Man spricht, der edel Moringer,
Der sei in fremden Landen tot,
Das ist mir laid und also schwer,
Got wol im helfen aus aller Not,

[1] verstehen

Got gnad dem liebsten Herren mein,
Von dem ich hab groß Gut und Eer,
Got trest die liebe Seele sein.«

Do sprach der edel Moringer,
Do er was also ain traurig Man:
»Ach Got, nun hulfstu mir ach her,
Nun raut mir[1], wie greif ich es an,
Daß ich in mein Burg hinein kem
Und von disem Hofgesind
An meinem Leib kain Schaden nem.«

Do gieng der edel Moringer
An sein aigen Burgetor,
Er klopfet an mit großem Schwer.
Der Torwart sprach: »Wer ist hie vor?«
»Sag an, Höld, der Frawen dein,
Es ist hie niden vor der Burg
Ein ellender Bilgerein[2].

Nun bin ich heut fern gegangen,
Daß ich also müd worden bin;
Tus durch Got, saum dich nit lange:
Als in die Burg stet al mein Sin.
Ich büt des Almusen also ser
Durch Got und Sant Thomas willen
Und durch des edlen Möringers Seel.«

Der Torwart tet nach seim Gebot,
Er gieng zu der edlen Frawen sein,
Er sprach: »Edle Frawe, bei Got,
Hie niden stet ein Bilgerein,
Er büt des Almusen also seer
Durch Got und Sant Thomas willen
Und durch des edlen Moringers Seel.«

[1] rate mir [2] Pilgrim

Do nun die Fraw das erhort
Von dem armen Bilgerein,
Sie sprach: »Nun schleus auf die Pfort
Und laus in zu mir herein,
Schleus im auf der Burge Tor;
Durch Got und Sant Thomas wüllen
Güb ich im zu essen ein gantz Jar.«

Do der selbige Torwart
Hin schied von der edlen Frawen sein,
Der edel Moringer ward
Gelassen in die Burg hinein:
»Ich dank dür, Herre Jhesu Crist,
Deiner Milte und deiner Güte,
Daß mir mein Burg geöffnet ist.«

Do der edel Moringer
In seiner aigen Burg eingieng,
Im was laid und also schwer,
Daß in ie kain Man enpfieng.
Er satzt sich nider auf ain Bank;
Wie dem edlen Moringer
Ein klaine Weil ward zu lank!

Hinacht gegen der Abentstunde
Die Braut solt zu dem Bette gan.
Was die Herren an in besunnen[1],
Do redet der beste Dienstman:
»Mein Her Moringer het die Jebe[2],
Daß kein Gast auf seiner Burg entschlief,
Er sang dan vor ain Hofelied[3].«

Das erhört der jung Her von Nifen,
Der dan Breutigang solt sein:

[1] ihm gegenüber erwogen [2] Gewohnheit
[3] der nicht vorher ... sänge

»Höret auf mit Lauten und mit Pfeifen,
Her Gast, singet mir ain Liedlein;
Gefelt es dan den Leuten wol,
So glaubt auch sicherlich furwar,
Eerlich ich euch begaben[1] sol.«

»Ein langes Schweigen hab ich bedacht,
So wül ich aber singen als ee,
Darzu haben mich die schön Frawen bracht,
Die mögen mir wol helfen mee,
So pit ich dich, du junger Man,
Rich[2] mich an der alten Braut
Und schlach mit Sumerlaten[3] an.

Was ich schaff, so bin ich alt[4],
Davon so junget si nit vil;
Daß mir mein Bart ist so graw gestalt,
Des[5] si ain Jungen haben wül.
Vor was ich Her, nun bin ich Knecht,
Des ist mir auf düser Hochzeit
Ain alte Schüssel worden recht.«[6]

Do die Frawe nun das erhort,
Betriebt waren ir Augen klar;
Zuhand ain guldin Becher zart,
Den satzt si dem Bilgrain dar,
Darein schenkt man den klaren Wein,
Darein der edel Moringer
Von rotem Gold senkt sein Fingerlein[7].

[1] belohnen [2] räche [3] mit Ruten
[4] was ich auch tu, ich bin eben alt
[5] daher [6] das hoveliet benutzt abgewandelt einige Strophen Walthers von der Vogelweide
[7] Ring

Das zoch er ab von seiner Hende,
Es war lauter und auch klar,
Alles sein Laid wolt sich wenden,
Und was ich sing, das ist war.
Er warf es in den Becher drat[1],
Da mit im sein allerliebste Fraw
Zum erstenmal gemähelt ward.

Er sprach: »Weinschenk, trauter Gesell,
Du allerliebster Diener mein,
Wiltu tun, und was ich wül,
So trag das fur die Frawen dein.
Ich gelob dir nun sicherlich,
Würd mein Ding immer besser,
Wol wil ich dich machen reich.«

»Ja«, sprach der Weinschenk tugendlich,
»Ir liebster Bilgrain, all zuhand[2].«
Er trug in fur die Frawen reich,
Er gab ir den Becher in die Hand:
»Ach Frawe, liebste Frawe fein,
Das lasset euch nit verschmachen,
Es sendet euch der Bilgerein.«

Do des edlen Ritters Frawe
Das Fingerlein im Becher sach,
Si begund es eben schawen;
Nun mugt ir heren, wie si sprach:
»Mein Her der Morunger ist hie!«
Auf stund die Fraw gar zuchtiklich
Und füel für in auf ire Knüe.

»Seid mir wilkum, mein lieber Her,
Wann ir seid alles Laides vol;

[1] schnell [2] sofort

Wo seid ir gewesen so lang und fer?
Ir sollent euch gehaben wol[1];
Lasset euer Trauren sein
Und gedenkt euch kaines Laides:
Noch hab ich die Ere mein.

Die hab ich gehalten also vest,
Edler Her, gar sicherlich;
Das dunket mich das aller best,
Auch dank ich Got von Himelreich.
Ob ich wol Unrecht hab getan,
Zerbrochen mein frawlich Gelüpt,
Da sölt ir mich vermauren lan.«

Do dem jungen Herren von Nifen
Dise Abenteuer ward bekant,
Al sein Freud ward im entschlifen[2];
Er gieng, da er sein Herren fand:
»Herre, liebster Herre mein,
Gebrochen hab ich Trew und Aide,
Darumb schlacht[3] mir ab das Haubt mein.«

Do sprach der edel Moringer:
»Her von Nifen, es sol nit sein,
Vergest ain Tail der ewern Schwer,
Und habet euch die Tochter mein
Und lasset mir die alten Braut:
Mit der kan ich mich wol verrichten[4],
Ich wül ir selber peren ir Haut[5].«

[1] nun soll es euch wohlergehen
[2] war seine ganze Freude dahin [3] schlagt
[4] Die werde ich in rechter Weise behandeln
[5] das Fell gerben

Et wassen twee Künigeskinner

Et wassen twee Künigeskinner,
De hadden eenander so leef,
De konnen ton anner nich kummen:
Dat Water was vil to breed.

»Leef Herte, kanst du der nich swemmen?
Leef Herte, so swemme to mi!
Ik will di twe Keskes[1] upsteken,
Un de söllt löchten to di!«

Dat horde ne falske Nunne
Up ere Slopkammer, o we!
Se dey de Keskes utdömpen[2]:
Leef Herte bleef in de See.

Et was up en Sundage Morgen,
De Lüde wören alle so fro;
Nich so de Künigesdochter,
De Augen de seten ehr to.

»O Moder«, säde se, »Moder,
Mine Augen doht mi der so we;
Mag ik der nich gohn spatzeren
An de Kant von de ruskende See?«

»O Dochter«, säde se, »Dochter,
Allene kanst du der nich gohn;
Weck up dine jüngste Süster,
Un de sall met di gohn.«

[1] Kerzen [2] auslöschen

»Mine allerjüngste Süster
Is noch so'n unnüsel[1] Kind,
Se plücket wol alle de Blömkes,
De an de Seekante sind.«

»Un plückt se auk men[2] de wilden
Un lätt de tammen stohn,
So segget doch alle de Lüde:
Dat het dat Künigskind dohn!«

»O Moder«, sede se, »Moder,
Mine Augen daht mi der so we;
Mag ik der nich gohn spatzeren
An de Kant von de ruskende See?«

»O Dochter«, sede se, »Dochter,
Allene sast du[3] der nich gohn;
Weck up dinen jüngsten Broder,
Un de sall met di gohn.«

»Min allerjüngsten Broder
Is noch so'n unnüsel Kind,
He schütt wull alle de Vügel,
De up de Seekante sind.«

»Und schütt he auk men de wilden
Un lätt de tammen gohn,
So segget doch alle Lüde:
Dat het dat Künigskind dohn.«

»O Moder«, sede se, »Moder,
Min Herte doht mi der so we,
Laet andere gohn tor Kerken
Ik bed' an de ruskende See!«

[1] einfältig [2] nur [3] darfst du

Da sat[1] de Künigesdochter
Up't Hoefd ere goldene Kron,
Se stack up eren Finger
En Rink von Demanten so schon.

De Moder genk to de Kerken,
De Dochter genk en de Seekant,
Se genk der so lange spatzeren,
Bes se enen Fisker fand.

»O Fisker, leeveste Fisker,
Ji könnt verdeenen grot Lohn:
Settet jue[2] Netkes to Water,
Fisket mi den Künigessohn!«

He sette sin Netkes to Water,
De Lotkes sünken to Grund,
He fiskde und fiskde so lange,
De Künigssohn wurde sin Fund.

Do nam de Künigesdochter
Von Hoefd ere goldene Kron:
»Sü do, woledele Fisker,
Dat is ju verdeende Lohn.«

Se trock[3] von eren Finger
Den Rink von Demanten so schon:
»Sü do, woledele Fisker,
Dat is ju verdeende Lohn.«

Se namm in ere blanke Arme
Den Künigssohn, o we!
Se sprank met em in de Wellen:
»O Vader un Moder, ade!«

[1] setzte [2] eure [3] zog

Wer mir zu trinken gäbe

Wer mir zu trinken gäbe,
Ich sänge ihm ein neues Lied:
Wohl von der Frau von Weißenburg,
Wie sie ihren Herren verriet.

Sie täte ein Brieflein schreiben
Gar fern ins Niederland
Zu Friedrich, ihrem Buhlen,
Daß er käme zuhand.

Er sprach zu seinem Knechte:
»Nun sattelt mir mein Pferd:
Zu der Weißenburg wolln wir reiten,
Der Weg ist reitens wert.«

Als sie zu der Weißenburg kamen
Wohl vor das hohe Haus,
Da lag die edle Fraue
Wohl zu der Zinnen heraus.

»Gott grüße euch, edele Fraue,
Gott gebe euch guten Tag;
Wo ist mein edeler Herre,
Dem ich zu dienen pflag?«

»Wollt ihr mich nicht melden,
So will ichs euch wohl sagen:
Er ritt gestern so spate
Zu der Grünbach aus jagen.«

Er sprach zu seinem Knechte:
»Nun sattelt mir mein Pferd:

Zu der Grünbach will ich reiten,
Der Weg ist reitens wert.«

Als sie zu der Grünbach kamen
Unter eine Linden,
Da lag der edele Herre
Mit seinen Winden.

»Gott grüße euch, edeler Herre,
Gott gebe euch guten Tag;
Ihr sollt nicht leben länger
Dann diesen halben Tag.«

»Sollt ich nicht leben länger
Dann diesen halben Tag,
So klag ichs Gott von Himmel,
Daß ich je mein Frauen sah.«

Er sprach zu seinem Knechte:
»Spannt euren Bogen gut
Und schießt den edelen Herren
Wohl in seins Herzen Blut.«

»Warum sollt ich ihn schießen,
Warum sollt ich ihn schlan?
Ich bin zu seiner Tafel
Wohl sieben Jahr gegan.«

Er zog aus seiner Scheide
Von Golde ein Schwert so rot
Und stach den edelen Herren
Unter der Linden tot.

Er sprach zu seinem Knechte:
»Nun sattelt mir mein Pferd:

Zu der Weißenburg wolln wir reiten,
Der Weg ist reitens wert.«

Als sie zu der Weißenburg kamen
Wohl vor das hohe Haus,
Da lag die falsche Fraue
Wohl zu der Zinnen aus.

»Gott grüße euch, edele Fraue,
Gebet mir das Botenbrot:
Euer Will der ist ergangen,
Euer edeler Herre ist tot.«

»Ist mir mein Wille ergangen,
Mein edeler Herre tot,
So will ichs eh nicht glauben,
Ich sehe sein Blut so rot.«

Er zog aus seiner Scheide
Von Blute ein Schwert so rot:
»Sehet dar, ihr edele Fraue,
Eurs edelen Herren Tod.«

Sie zog wohl von ihr'm Halse
Von Perlen ein Kränzelein:
»Sehet dar, mein liebster Buhle,
Das ist die Treue mein.«

»Ich will nicht eure Treue,
Ich will sie nicht empfahn,
Ihr möget mich auch verraten,
Gleich ihr eurem Herren getan.«

Er zog aus seiner Maue[1]
Ein seiden Schnürlein fein:

[1] weiter Ärmel

»Sehet dar, ihr falsche Fraue,
Ihr sollt betrogen sein.«

Die Burg die heißet Weißenburg,
Da schenkt man kühlen Wein;
Da mußt die falsche Fraue
Ihres Herren Verräterin sein.

Es reit der Herr von Falkenstein

Es reit der Herr von Falkenstein
Wohl über ein breite Haide.
Was sieht er an dem Wege stehn?
Ein Maidel mit weißem Kleide.

»Wohin, wonaus, du schöne Magd,
Was machen ihr hier alleine?
Wollen ihr die Nacht mein Schlafbule sein,
So reiten ihr mit mir heime.«

»Mit euch heimreiten das tu ich nicht,
Kann euch doch nicht erkennen.«
»Ich bin der Herr von Falkenstein,
Und tu mich selber nennen.«

»Seid ihr Herr von Falkenstein,
Derselbe edle Herre,
So will ich euch beten um 'en Gefangnen mein,
Den will ich haben zur Ehe.«

»Den Gefangnen mein, den geb ich dir nicht,
Im Turn muß er verfaulen;

Zu Falkenstein steht ein tiefer Turn
Wohl zwischen zwo hohen Mauern.«

»Steht zu Falkenstein ein tiefer Turn
Wohl zwischen zwei hohen Mauern,
So will ich an die Mauern stehn
Und will ihm helfen trauern.«

Sie ging den Turn wohl um und wieder um:
»Feinslieb, bist du darinnen?
Und wenn ich dich nicht sehen kann,
So komm ich von meinen Sinnen.«

Sie ging den Turn wohl um und wieder um,
Den Turn wollt sie aufschließen:
»Und wenn die Nacht ein Jahr lang wär,
Keine Stund tät mich verdrießen.

Ei, dürft ich scharfe Messer tragen,
Wie unsers Herrn sein Knechten,
So tät ich mi'm Herrn von Falkenstein
Um meinen Herzliebsten fechten.«

»Mit einer Jungfrau fecht ich nicht,
Das wär mir immer ein Schande;
Ich will dir deinen Gefangenen geben,
Zieh mit ihm aus dem Lande!«

»Wohl aus dem Land da zieh ich nicht,
Hab niemand was gestohlen,
Und wenn ich was hab liegen lahn,
So darf ichs wieder holen.«

Es wollt ein schwarzbrauns Mägdelein

Es wollt ein schwarzbrauns Mägdelein
Zum roten kühlen Wein
Zu Strasburg wohl über die Straßen,
Ja, Straßen.

Was begegnet ihr allda?
Ein wunderschöner Knab:
»Feins Mägdlein, wollt ihr euch lassen,
Ja, lassen?«

»Lasset ab, lasset ab,
Mein wunderschöner Knab!
Mein Mütterlein das tät mich schelten,
Ja, schelten.«

»Ei, warum verschüttst du mir
Den roten, kühlen Wein
Und bringst mich wohl um das Gelde,
Ja, Gelde?«

»Ja nicht um das Geld
Und den roten, kühlen Wein,
Dafür darfst du nicht sorgen,
Ja, sorgen:

Ist uns der Herr Wirt
Der allerbeste Freund,
Der tut uns ein Kännlein borgen,
Ja, borgen.

Und wenn er uns
Nicht borgen will,

So wollen wir ihn bezahlen,
Ja, bezahlen

Mit lauter Silber,
Mit lauter Gold,
Mit lauter dicken Talern,
Ja, Talern.«

Es hat das schwarzbraun Mägdelein
Ihr Pantöffelein verloren,
Sie kann es nicht mehr finden,
Ja, finden.

Sie suchts wohl hin, sie suchts wohl her,
Und da sie es gefunden hat,
Vor Freuden tät sie springen,
Ja, springen.

Über zwei Berg und auch tiefe Tal
Da läuft ein schnelles Wasser,
Und wer sein Liebelein nicht länger haben will,
Der kanns ja lassen,
Ja, lassen.

Es freit' ein wilder Wassermann

Es freit' ein wilder Wassermann,
Von dem Berge bis über die See,
Er freit' um die Königin von Engelland,
Um die schöne Dorothee.

Er ließ ein Brück von Golde baun,
Von dem Berge bis über die See,
Darauf sie sollte spazieren gehn,
Die schöne Dorothee.

Die ging die Brücke wohl auf und ab,
Von dem Berge bis über die See,
Bis daß er sie in das Wasser nahm,
Die schöne Dorothee.

Im Wasser lebte sie sieben Jahr,
Von dem Berge bis über die See,
Bis daß sie sieben junge Söhne gebar,
Die schöne Dorothee.

Und als sie an der Wiege stand,
Von dem Berge bis über die See,
Da hörte sie die Glocken von Engelland,
Die schöne Dorothee.

Sie frug den wilden Wassermann,
Von dem Berge bis über die See,
Ob sie könnt nach Eng'land in die Kirche gehn,
Die schöne Dorothee.

»Willst du nach Eng'land in die Kirche gehn,
Von dem Berge bis über die See,
So mußt du deine sieben jungen Söhne mitnehmen,
Du schöne Dorothee.«

Und als sie in die Kirche kam,
Von dem Berge bis über die See,
Da neigte sich alles, was in der Kirche war,
Vor der schönen Dorothee.

»Ach Leute, liebe Leute mein,
Warum neigt ihr euch alle vor mir?
Ich bin ja nur das wilde, wilde Wasserweib,
Ich arme Dorothee.«

Und als sie aus der Kirche kam,
Von dem Berge bis über die See,
Da stand der wilde, wilde Wassermann
Wohl in der Kirchentür.

»Willst du mit mir ins Wasser gehn,
Von dem Berge bis über die See,
Oder willst du hier lieber auf dem Kirchhof bleiben,
Du schöne Dorothee?«

»Eh ich mit dir ins Wasser geh,
Von dem Berge bis über die See,
Viel lieber will ich hier auf dem Kirchhof bleiben,
Ich arme Dorothee.«

Er zog ein Schwert aus seiner Scheid,
Von dem Berge bis über die See,
Und stach nach dem wilden, wilden Wasserweib,
Nach der schönen Dorothee.

Und wo ein Tropfen Blut hinsprang,
Von dem Berge bis über die See,
Da stand alle Morgen ein Engel und sang
Von der schönen Dorothee.

Ach Schiffmann, du fein gütiger Mann

»Ach Schiffmann, du fein gütiger Mann,
Halte du dein Schifflein, solange du kannst;
Ich habe einen Vater, der liebet mich,
Der erlöset wieder mich wohl aus dies schöne Schiff.«
Der Vater kam daher gegangen
Und sah seine Tochter im Schiff gefangen.
»Ach Vater, versetze dein schwarzes Roß
Und erlöse wieder mich wohl aus dies schöne Schiff.«
»Mein schwarzes Roß versetz ich nicht,
Dein junges Leben errett ich nicht.«
»Ach Schiffmann, laß versinken,
Die schöne Floria, sie soll ertrinken!«

»Ach Schiffmann, du fein gütiger Mann,
Halte du dein Schifflein, solange du kannst;
Ich habe eine Mutter, die liebet mich,
Die erlöst wieder mich wohl aus dies schöne Schiff.«
Die Mutter kam daher gegangen
Und sah ihre Tochter im Schiff gefangen.
»Ach Mutter, versetze dein seidnes Kleid
Und erlöse wieder mich wohl aus dies schöne Schiff.«
»Mein seidnes Kleid versetz ich nicht,
Dein junges Leben errett ich nicht.«
»Ach Schiffmann, laß versinken,
Die schöne Floria, sie soll ertrinken!«

»Ach Schiffmann, du fein gütiger Mann,
Halte du dein Schifflein, solange du kannst;
Ich hab einen Bruder, der liebet mich,
Der erlöset wieder mich wohl aus dies schöne Schiff.«
Der Bruder kam daher gegangen
Und sah seine Schwester im Schiff gefangen.

»Ach Bruder, versetze dein blankes Schwert
Und erlöse wieder mich wohl aus dies schöne Schiff.«
»Mein blankes Schwert versetz ich nicht,
Dein junges Leben errett ich nicht.«
»Ach Schiffmann, laß versinken,
Die schöne Floria, sie soll ertrinken!«

»Ach Schiffmann, du fein gütiger Mann,
Halte du dein Schifflein, solange du kannst;
Ich hab eine Schwester, die liebet mich,
Die erlöset wieder mich wohl aus dies schöne Schiff.«
Die Schwester kam daher gegangen,
Und sah ihre Schwester im Schiff gefangen.
»Ach Schwester, versetze deinen Perlenkranz
Und erlöse wieder mich wohl aus dies schöne Schiff.«
»Mein' Perlenkranz versetz ich nicht,
Dein junges Leben errett ich nicht.«
»Ach Schiffmann, laß versinken,
Die schöne Floria, sie soll ertrinken!«

»Ach Schiffmann, du fein gütiger Mann,
Halte du dein Schifflein, solange du kannst;
Ich hab einen Liebsten, der liebet mich,
Der erlöset wieder mich wohl aus dies schöne Schiff.«
Der Liebste kam daher gegangen
Und sah sein Liebchen im Schiff gefangen.
»Ach Liebster, versetze deinen goldnen Ring
Und erlöse wieder mich wohl aus dies schöne Schiff.«
»Meinen goldnen Ring versetz ich wohl,
Dein junges Leben errett ich schon.«
»Ach Schiffmann, fahr zu Lande,
Die schöne Floria, die soll zu Lande.«

Mutter, Mutter, es hungert mich!

»Mutter, Mutter! Es hungert mich,
Gib mir Brot, sonst stirb ich!«
»Warte nur, mein liebes Kind!
Morgen wollen wir säen.«
Als es nun gesäet war,
Sprach das Kind noch immerdar:

»Mutter, Mutter! Es hungert mich,
Gib mir Brot, sonst stirb ich!«
»Warte nur, mein liebes Kind!
Morgen wollen wir schneiden.«
Als es nun geschnitten war,
Sprach das Kind noch immerdar:

»Mutter, Mutter! Es hungert mich,
Gib mir Brot, sonst stirb ich!«
»Warte nur, mein liebes Kind!
Morgen wollen wir dreschen.«
Als es nun gedroschen war,
Sprach das Kind noch immerdar:

»Mutter, Mutter! Es hungert mich,
Gib mir Brot, sonst stirb ich!«
»Warte nur, mein liebes Kind!
Morgen wollen wir mahlen.«
Als es nun gemahlen war,
Sprach das Kind noch immerdar:

»Mutter, Mutter! Es hungert mich,
Gib mir Brot, sonst stirb ich!«
»Warte nur, mein liebes Kind!
Morgen wollen wir backen.«

Als es nun gebacken war,
Lag das Kind auf der Totenbahr.

Erlkönigs Tochter

Herr Oluf reitet spät und weit,
Zu bieten auf seine Hochzeitleut.

Da tanzen die Elfen auf grünem Land,
Erlkönigs Tochter reicht ihm die Hand.

»Willkommen, Herr Oluf, was eilst von hier?
Tritt her in den Reihen und tanz mit mir.«

»Ich darf nicht tanzen, nicht tanzen ich mag,
Frühmorgen ist mein Hochzeittag.«

»Hör an, Herr Oluf, tritt tanzen mit mir,
Zwei güldne Sporne schenk ich dir!

Ein Hemd von Seide so weiß und fein,
Meine Mutter bleichts mit Mondenschein.«

»Ich darf nicht tanzen, nicht tanzen ich mag,
Frühmorgen ist mein Hochzeittag.«

»Hör an, Herr Oluf, tritt tanzen mit mir,
Einen Haufen Goldes schenk ich dir.«

»Einen Haufen Goldes nähm ich wohl;
Doch tanzen ich nicht darf noch soll.«

»Und willt, Herr Oluf, nicht tanzen mit mir,
Soll Seuch und Krankheit folgen dir.«

Sie tät einen Schlag ihm auf sein Herz,
Noch nimmer fühlt' er solchen Schmerz.

Sie hob ihn bleichend auf sein Pferd:
»Reit heim zu dein'm Fräulein wert.«

Und als er kam vor Hauses Tür,
Seine Mutter zitternd stand dafür.

»Hör an, mein Sohn, sag an mir gleich,
Wie ist dein Farbe blaß und bleich?«

»Und sollt sie nicht sein blaß und bleich,
Ich traf in Erlenkönigs Reich.«

»Hör an, mein Sohn, so lieb und traut,
Was soll ich nun sagen deiner Braut?«

»Sagt ihr, ich sei im Wald zur Stund,
Zu proben da mein Pferd und Hund.«

Frühmorgen und als es Tag kaum war,
Da kam die Braut mit der Hochzeitschar.

Sie schenkten Met, sie schenkten Wein;
»Wo ist Herr Oluf, der Bräut'gam mein?«

»Herr Oluf, er ritt in Wald zur Stund,
Er probt allda sein Pferd und Hund.«

Die Braut hob auf den Scharlach rot,
Da lag Herr Oluf, und er war tot.

Edward

»Dein Schwert, wie ists von Blut so rot?
Edward, Edward!
Dein Schwert, wie ists von Blut so rot,
Und gehst so traurig her? – O!«
»O ich hab geschlagen meinen Geier tot,
Mutter, Mutter!
O ich hab geschlagen meinen Geier tot,
Und keinen hab ich wie er – O!«

»Dein's Geiers Blut ist nicht so rot,
Edward, Edward!
Dein's Geiers Blut ist nicht so rot,
Mein Sohn, bekenn mir frei – O!«
»O ich hab geschlagen mein Rotroß tot,
Mutter, Mutter!
O ich hab geschlagen mein Rotroß tot.
Und's war so stolz und treu – O!«

»Dein Roß war alt und hasts nicht not,
Edward, Edward!
Dein Roß war alt und hasts nicht not,
Dich drückt ein andrer Schmerz – O!«
»O ich hab geschlagen meinen Vater tot,
Mutter, Mutter!
O ich hab geschlagen meinen Vater tot,
Und weh, weh ist mein Herz – O!«

»Und was für Buße willt du nun tun?
Edward, Edward!
Und was für Buße willt du nun tun?
Mein Sohn, bekenn mir mehr – O!«

»Auf Erden soll mein Fuß nicht ruhn,
Mutter, Mutter!
Auf Erden soll mein Fuß nicht ruhn,
Will gehn fern übers Meer – O!«

»Und was soll werden dein Hof und Hall?
Edward, Edward!
Und was soll werden dein Hof und Hall?
So herrlich sonst und schön – O!«
»Ich laß es stehn, bis es sink' und fall',
Mutter, Mutter!
Ich laß es stehn, bis es sink' und fall',
Mag nie es wieder sehn – O!«

»Und was soll werden dein Weib und Kind?
Edward, Edward!
Und was soll werden dein Weib und Kind,
Wann du gehst übers Meer? – O!«
»Die Welt ist groß, laß sie betteln drin,
Mutter, Mutter!
Die Welt ist groß, laß sie betteln drin,
Ich seh sie nimmermehr – O!«

»Und was willt du lassen deiner Mutter teu'r?
Edward, Edward!
Und was willt du lassen deiner Mutter teu'r?
Mein Sohn, das sage mir – O!«
»Fluch will ich Euch lassen und höllisch Feu'r,
Mutter, Mutter!
Fluch will ich Euch lassen und höllisch Feu'r,
Denn Ihr, Ihr rietets mir! – O!«

GOTTFRIED AUGUST BÜRGER

Lenore

Lenore fuhr ums Morgenrot
Empor aus schweren Träumen:
»Bist untreu, Wilhelm, oder tot?
Wie lange willst du säumen?« –
Er war mit König Friedrichs Macht
Gezogen in die Prager Schlacht
Und hatte nicht geschrieben,
Ob er gesund geblieben.

Der König und die Kaiserin,
Des langen Haders müde,
Erweichten ihren harten Sinn
Und machten endlich Friede;
Und jedes Heer, mit Sing und Sang,
Mit Paukenschlag und Kling und Klang,
Geschmückt mit grünen Reisern,
Zog heim zu seinen Häusern.

Und überall, allüberall,
Auf Wegen und auf Stegen,
Zog alt und jung dem Jubelschall
Der Kommenden entgegen.
»Gottlob!« rief Kind und Gattin laut,
»Willkommen!« manche frohe Braut.
Ach! aber für Lenoren
War Gruß und Kuß verloren.

Sie frug den Zug wohl auf und ab
Und frug nach allen Namen;
Doch keiner war, der Kundschaft gab,
Von allen, so da kamen.
Als nun das Heer vorüber war,
Zerraufte sie ihr Rabenhaar
Und warf sich hin zur Erde
Mit wütiger Gebärde.

Die Mutter lief wohl hin zu ihr:
»Ach, daß sich Gott erbarme!
Du trautes Kind, was ist mit dir?«
Und schloß sie in die Arme. –
»O Mutter, Mutter! hin ist hin!
Nun fahre Welt und alles hin!
Bei Gott ist kein Erbarmen.
O weh, o weh mir Armen!« –

»Hilf Gott, hilf! Sieh uns gnädig an!
Kind, bet ein Vaterunser!
Was Gott tut, das ist wohlgetan,
Gott, Gott erbarmt sich unser!« –
»O Mutter, Mutter! eitler Wahn!
Gott hat an mir nicht wohlgetan!
Was half, was half mein Beten?
Nun ists nicht mehr vonnöten.« –

»Hilf Gott, hilf! Wer den Vater kennt,
Der weiß, er hilft den Kindern.
Das hochgelobte Sakrament
Wird deinen Jammer lindern.« –
»O Mutter, Mutter, was mich brennt,
Das lindert mir kein Sakrament!
Kein Sakrament mag Leben
Den Toten wiedergeben.« –

»Hör, Kind! Wie, wenn der falsche Mann
Im fernen Ungerlande
Sich seines Glaubens abgetan
Zum neuen Ehebande?
Laß fahren, Kind, sein Herz dahin!
Er hat es nimmermehr Gewinn!
Wann Seel und Leib sich trennen,
Wird ihn sein Meineid brennen.« –

»O Mutter, Mutter! hin ist hin!
Verloren ist verloren!
Der Tod, der Tod ist mein Gewinn!
O wär ich nie geboren!
Lisch aus, mein Licht, auf ewig aus!
Stirb hin, stirb hin in Nacht und Graus!
Bei Gott ist kein Erbarmen;
O weh, o weh mir Armen!« –

»Hilf Gott, hilf! Geh nicht ins Gericht
Mit deinem armen Kinde!
Sie weiß nicht, was die Zunge spricht;
Behalt ihr nicht die Sünde!
Ach, Kind, vergiß dein irdisch Leid
Und denk an Gott und Seligkeit,
So wird doch deiner Seelen
Der Bräutigam nicht fehlen.« –

»O Mutter! was ist Seligkeit?
O Mutter! was ist Hölle?
Bei ihm, bei ihm ist Seligkeit,
Und ohne Wilhelm Hölle! –
Lisch aus, mein Licht, auf ewig aus!
Stirb hin, stirb hin in Nacht und Graus!
Ohn ihn mag ich auf Erden,
Mag dort nicht selig werden.« –

So wütete Verzweifelung
Ihr in Gehirn und Adern.
Sie fuhr mit Gottes Vorsehung
Vermessen fort zu hadern,
Zerschlug den Busen und zerrang
Die Hand bis Sonnenuntergang,
Bis auf am Himmelsbogen
Die goldnen Sterne zogen.

Und außen, horch! gings trapp trapp trapp,
Als wie von Rosseshufen,
Und klirrend stieg ein Reiter ab
An des Geländers Stufen.
Und horch! und horch! den Pfortenring
Ganz lose, leise, klinglingling!
Dann kamen durch die Pforte
Vernehmlich diese Worte:

»Holla, holla! Tu auf, mein Kind!
Schläfst, Liebchen, oder wachst du?
Wie bist noch gegen mich gesinnt?
Und weinest oder lachst du?« –
»Ach, Wilhelm, du? ... So spät bei Nacht?
Geweinet hab ich und gewacht;
Ach, großes Leid erlitten!
Wo kommst du hergeritten?« –

»Wir satteln nur um Mitternacht.
Weit ritt ich her von Böhmen.
Ich habe spät mich aufgemacht
Und will dich mit mir nehmen.« –
»Ach, Wilhelm, erst herein geschwind!
Den Hagedorn durchsaust der Wind,
Herein, in meinen Armen,
Herzliebster, zu erwarmen!« –

»Laß sausen durch den Hagedorn;
Laß sausen, Kind, laß sausen!
Der Rappe scharrt; es klirrt der Sporn.
Ich darf allhier nicht hausen.
Komm, schürze, spring und schwinge dich
Auf meinen Rappen hinter mich!
Muß heut noch hundert Meilen
Mit dir ins Brautbett eilen.« –

»Ach, wolltest hundert Meilen noch
Mich heut ins Brautbett tragen?
Und horch, es brummt die Glocke noch,
Die elf schon angeschlagen.« –
»Sieh hin, sieh her! der Mond scheint hell.
Wir und die Toten reiten schnell.
Ich bringe dich, zur Wette,
Noch heut ins Hochzeitbette.« –

»Sag an, wo ist dein Kämmerlein?
Wo? wie dein Hochzeitbettchen?« –
»Weit, weit von hier! ... Still, kühl und klein! ...
Sechs Bretter und zwei Brettchen!« –
»Hats Raum für mich?« – »Für dich und mich!
Komm, schürze, spring und schwinge dich!
Die Hochzeitgäste hoffen;
Die Kammer steht uns offen.«

Schön Liebchen schürzte, sprang und schwang
Sich auf das Roß behende;
Wohl um den trauten Reiter schlang
Sie ihre Lilienhände;
Und hurre hurre, hopp hopp hopp!
Gings fort in sausendem Galopp,
Daß Roß und Reiter schnoben
Und Kies und Funken stoben.

Zur rechten und zur linken Hand,
Vorbei vor ihren Blicken,
Wie flogen Anger, Heid und Land!
Wie donnerten die Brücken!
»Graut Liebchen auch? ... Der Mond scheint hell!
Hurra! Die Toten reiten schnell!
Graut Liebchen auch vor Toten?«
»Ach nein! ... Doch laß die Toten!«

Was klang dort für Gesang und Klang?
Was flatterten die Raben? ...
Horch, Glockenklang! Horch, Totensang:
»Laßt uns den Leib begraben!«
Und näher zog ein Leichenzug,
Der Sarg und Totenbahre trug.
Das Lied war zu vergleichen
Dem Unkenruf in Teichen.

»Nach Mitternacht begrabt den Leib
Mit Klang und Sang und Klage!
Jetzt führ ich heim mein junges Weib;
Mit, mit zum Brautgelage!
Komm, Küster, hier! komm mit dem Chor
Und gurgle mir das Brautlied vor!
Komm, Pfaff, und sprich den Segen,
Eh wir zu Bett uns legen!« –

Still Klang und Sang ... Die Bahre schwand ...
Gehorsam seinem Rufen,
Kams hurre hurre! nachgerannt
Hart hinters Rappen Hufen.
Und immer weiter, hopp hopp hopp!
Gings fort in sausendem Galopp,
Daß Roß und Reiter schnoben
Und Kies und Funken stoben.

Wie flogen rechts, wie flogen links
Gebirge, Bäum und Hecken!
Wie flogen links und rechts und links
Die Dörfer, Städt und Flecken! –
»Graut Liebchen auch? ... Der Mond scheint hell!
Hurra! Die Toten reiten schnell!
Graut Liebchen auch vor Toten?« –
»Ach! Laß sie ruhn, die Toten.« –

Sieh da! sieh da! Am Hochgericht
Tanzt' um des Rades Spindel,
Halb sichtbarlich bei Mondenlicht,
Ein luftiges Gesindel.
»Sasa! Gesindel, hier! Komm hier!
Gesindel, komm und folge mir!
Tanz uns den Hochzeitreigen,
Wann wir zu Bette steigen!« –

Und das Gesindel husch husch husch!
Kam hinten nachgeprasselt,
Wie Wirbelwind am Haselbusch
Durch dürre Blätter rasselt.
Und weiter, weiter, hopp hopp hopp!
Gings fort in sausendem Galopp,
Daß Roß und Reiter schnoben
Und Kies und Funken stoben.

Wie flog, was rund der Mond beschien,
Wie flog es in die Ferne!
Wie flogen oben überhin
Der Himmel und die Sterne! –
»Graut Liebchen auch ... Der Mond scheint hell!
Hurra! Die Toten reiten schnell! –
Graut Liebchen auch vor Toten?« –
»O weh! Laß ruhn die Toten!« – – –

»Rapp! Rapp! mich dünkt, der Hahn schon ruft ...
Bald wird der Sand verrinnen ...
Rapp! Rapp! ich wittre Morgenluft ...
Rapp! tummle dich von hinnen!
Vollbracht, vollbracht ist unser Lauf!
Das Hochzeitbette tut sich auf!
Die Toten reiten schnelle!
Wir sind, wir sind zur Stelle.«—

Rasch auf ein eisern Gittertor
Gings mit verhängtem Zügel;
Mit schwanker Gert ein Schlag davor
Zersprengte Schloß und Riegel.
Die Flügel flogen klirrend auf,
Und über Gräber ging der Lauf;
Es blinkten Leichensteine
Rundum im Mondenscheine.

Ha sieh! Ha sieh! Im Augenblick,
Huhu! ein gräßlich Wunder!
Des Reiters Koller, Stück für Stück,
Fiel ab wie mürber Zunder.
Zum Schädel, ohne Zopf und Schopf,
Zum nackten Schädel ward sein Kopf,
Sein Körper zum Gerippe
Mit Stundenglas und Hippe.

Hoch bäumte sich, wild schnob der Rapp
Und sprühte Feuerfunken;
Und hui! wars unter ihr hinab
Verschwunden und versunken.
Geheul! Geheul! aus hoher Luft,
Gewinsel kam aus tiefer Gruft.
Lenorens Herz mit Beben
Rang zwischen Tod und Leben.

Nun tanzten wohl bei Mondenglanz
Rundum herum im Kreise
Die Geister einen Kettentanz
Und heulten diese Weise:
»Geduld, Geduld! Wenns Herz auch bricht!
Mit Gott im Himmel hadre nicht!
Des Leibes bist du ledig;
Gott sei der Seele gnädig!«

JOHANN WOLFGANG GOETHE

Der König in Thule

Es war ein König in Thule
Gar treu bis an das Grab,
Dem sterbend seine Buhle
Einen goldnen Becher gab.

Es ging ihm nichts darüber,
Er leert' ihn jeden Schmaus;
Die Augen gingen ihm über,
So oft er trank daraus.

Und als er kam zu sterben,
Zählt' er seine Städt im Reich,
Gönnt' alles seinem Erben,
Den Becher nicht zugleich.

Er saß beim Königsmahle,
Die Ritter um ihn her,
Auf hohem Vätersaale
Dort auf dem Schloß am Meer.

Dort stand der alte Zecher,
Trank letzte Lebensglut,
Und warf den heilgen Becher
Hinunter in die Flut.

Er sah ihn stürzen, trinken
Und sinken tief ins Meer.
Die Augen täten ihm sinken;
Trank nie einen Tropfen mehr.

JOHANN WOLFGANG GOETHE

Der Fischer

Das Wasser rauscht', das Wasser schwoll,
Ein Fischer saß daran,
Sah nach dem Angel ruhevoll,
Kühl bis ans Herz hinan.
Und wie er sitzt und wie er lauscht,
Teilt sich die Flut empor;
Aus dem bewegten Wasser rauscht
Ein feuchtes Weib hervor.

Sie sang zu ihm, sie sprach zu ihm:
»Was lockst du meine Brut
Mit Menschenwitz und Menschenlist
Hinauf in Todesglut?
Ach, wüßtest du, wie's Fischlein ist
So wohlig auf dem Grund,
Du stiegst herunter, wie du bist,
Und würdest erst gesund.

Labt sich die liebe Sonne nicht,
Der Mond sich nicht im Meer?
Kehrt wellenatmend ihr Gesicht
Nicht doppelt schöner her?
Lockt dich der tiefe Himmel nicht,
Das feuchtverklärte Blau?
Lockt dich dein eigen Angesicht
Nicht her in ewgen Tau?«

Das Wasser rauscht', das Wasser schwoll,
Netzt' ihm den nackten Fuß;
Sein Herz wuchs ihm so sehnsuchtsvoll,
Wie bei der Liebsten Gruß.
Sie sprach zu ihm, sie sang zu ihm;

Da wars um ihn geschehn:
Halb zog sie ihn, halb sank er hin,
Und ward nicht mehr gesehn.

Der untreue Knabe

Es war ein Buhle frech genung,
War erst aus Frankreich kommen,
Der hat ein armes Maidel jung
Gar oft in Arm genommen,
Und liebgekost und liebgeherzt,
Als Bräutigam herumgescherzt,
Und endlich sie verlassen.

Das arme Maidel das erfuhr,
Vergingen ihr die Sinnen,
Sie lacht' und weint' und bet' und schwur –
So fuhr die Seel von hinnen.
Die Stund, da sie verschieden war,
Wird bang dem Buben, graust sein Haar,
Es treibt ihn fort zu Pferde.

Er gab die Sporen kreuz und quer
Und ritt auf alle Seiten,
Herüber, nüber, hin und her,
Kann keine Ruh erreiten;
Reit' sieben Tag und sieben Nacht –
Es blitzt und donnert, stürmt und kracht,
Die Fluten reißen über;

Und reit' im Blitz und Wetterschein
Gemäuerwerk entgegen,

Bindts Pferd hauß an und kriecht hinein
Und duckt sich vor dem Regen.
Und wie er tappt und wie er fühlt,
Sich unter ihm die Erd erwühlt:
Er stürzt wohl hundert Klafter.

Und als er sich ermannt vom Schlag,
Sieht er drei Lichtlein schleichen.
Er rafft sich auf und krapelt nach,
Die Lichtlein ferne weichen,
Irrführen ihn die Quer und Läng,
Treppauf treppab durch enge Gäng,
Verfallne wüste Keller.

Auf einmal steht er hoch im Saal,
Sieht sitzen hundert Gäste,
Hohlaugig grinsen allzumal
Und winken ihm zum Feste.
Er sieht sein Schätzel unten an
Mit weißen Tüchern angetan,
Die wendt sich –

Erlkönig

Wer reitet so spät durch Nacht und Wind?
Es ist der Vater mit seinem Kind;
Er hat den Knaben wohl in dem Arm,
Er faßt ihn sicher, er hält ihn warm.

»Mein Sohn, was birgst du so bang dein Gesicht?« –
»Siehst, Vater, du den Erlkönig nicht?
Den Erlenkönig mit Kron und Schweif?« –
»Mein Sohn, es ist ein Nebelstreif.« –

›Du liebes Kind, komm, geh mit mir!
Gar schöne Spiele spiel ich mit dir;
Manch bunte Blumen sind an dem Strand,
Meine Mutter hat manch gülden Gewand.‹

»Mein Vater, mein Vater, und hörest du nicht,
Was Erlenkönig mir leise verspricht?« –
»Sei ruhig, bleibe ruhig, mein Kind:
In dürren Blättern säuselt der Wind.« –

›Willst, feiner Knabe, du mit mir gehn?
Meine Töchter sollen dich warten schön;
Meine Töchter führen den nächtlichen Reihn
Und wiegen und tanzen und singen dich ein.‹

»Mein Vater, mein Vater, und siehst du nicht dort
Erlkönigs Töchter am düstern Ort?« –
»Mein Sohn, mein Sohn, ich seh es genau:
Es scheinen die alten Weiden so grau.« –

›Ich liebe dich, mich reizt deine schöne Gestalt;
Und bist du nicht willig, so brauch ich Gewalt.‹
»Mein Vater, mein Vater, jetzt faßt er mich an!
Erlkönig hat mir ein Leids getan!« –

Dem Vater grausets, er reitet geschwind,
Er hält in Armen das ächzende Kind,
Erreicht den Hof mit Mühe und Not:
In seinen Armen das Kind war tot.

JOHANN WOLFGANG GOETHE

Der Zauberlehrling

Hat der alte Hexenmeister
Sich doch einmal wegbegeben!
Und nun sollen seine Geister
Auch nach meinem Willen leben.
Seine Wort' und Werke
Merkt ich und den Brauch,
Und mit Geistesstärke
Tu ich Wunder auch.
  Walle! walle
  Manche Strecke,
  Daß, zum Zwecke,
  Wasser fließe
  Und mit reichem, vollem Schwalle
  Zu dem Bade sich ergieße.

Und nun komm, du alter Besen!
Nimm die schlechten Lumpenhüllen!
Bist schon lange Knecht gewesen:
Nun erfülle meinen Willen!
Auf zwei Beinen stehe,
Oben sei ein Kopf,
Eile nun und gehe
Mit dem Wassertopf!
  Walle! walle
  Manche Strecke,
  Daß, zum Zwecke,
  Wasser fließe
  Und mit reichem, vollem Schwalle
  Zu dem Bade sich ergieße.

Seht, er läuft zum Ufer nieder!
Wahrlich! ist schon an dem Flusse,

Und mit Blitzesschnelle wieder
Ist er hier mit raschem Gusse.
Schon zum zweiten Male!
Wie das Becken schwillt!
Wie sich jede Schale
Voll mit Wasser füllt!
  Stehe! stehe!
  Denn wir haben
  Deiner Gaben
  Vollgemessen! –
  Ach, ich merk es! Wehe! wehe!
  Hab ich doch das Wort vergessen!

Ach, das Wort, worauf am Ende
Er das wird, was er gewesen.
Ach, er läuft und bringt behende!
Wärst du doch der alte Besen!
Immer neue Güsse
Bringt er schnell herein,
Ach, und hundert Flüsse
Stürzen auf mich ein.
  Nein, nicht länger
  Kann ichs lassen;
  Will ihn fassen.
  Das ist Tücke!
  Ach, nun wird mir immer bänger!
  Welche Miene! welche Blicke!

O, du Ausgeburt der Hölle!
Soll das ganze Haus ersaufen?
Seh ich über jede Schwelle
Doch schon Wasserströme laufen.
Ein verruchter Besen,
Der nicht hören will!
Stock, der du gewesen,

Steh doch wieder still!
  Willsts am Ende
  Gar nicht lassen?
  Will dich fassen,
  Will dich halten,
  Und das alte Holz behende
  Mit dem scharfen Beile spalten.

Seht, da kommt er schleppend wieder!
Wie ich mich nur auf dich werfe,
Gleich, o Kobold, liegst du nieder;
Krachend trifft die glatte Schärfe.
Wahrlich! brav getroffen!
Seht, er ist entzwei!
Und nun kann ich hoffen,
Und ich atme frei!
  Wehe! wehe!
  Beide Teile
  Stehn in Eile
  Schon als Knechte
  Völlig fertig in die Höhe!
  Helft mir, ach! ihr hohen Mächte!

Und sie laufen! Naß und nässer
Wirds im Saal und auf den Stufen:
Welch entsetzliches Gewässer!
Herr und Meister! hör mich rufen! –
Ach, da kommt der Meister!
Herr, die Not ist groß!
Die ich rief, die Geister,
Werd ich nun nicht los.
  »In die Ecke,
  Besen! Besen!
  Seids gewesen.
  Denn als Geister

Ruft euch nur, zu seinem Zwecke,
Erst hervor der alte Meister.«

Die Braut von Korinth

Nach Korinthus von Athen gezogen
Kam ein Jüngling, dort noch unbekannt.
Einen Bürger hofft' er sich gewogen;
Beide Väter waren gastverwandt,
Hatten frühe schon
Töchterchen und Sohn
Braut und Bräutigam voraus genannt.

Aber wird er auch willkommen scheinen,
Wenn er teuer nicht die Gunst erkauft?
Er ist noch ein Heide mit den Seinen,
Und sie sind schon Christen und getauft.
Keimt ein Glaube neu,
Wird oft Lieb und Treu
Wie ein böses Unkraut ausgerauft.

Und schon lag das ganze Haus im stillen,
Vater, Töchter, – nur die Mutter wacht;
Sie empfängt den Gast mit bestem Willen,
Gleich ins Prunkgemach wird er gebracht.
Wein und Essen prangt,
Eh er es verlangt:
So versorgend wünscht sie gute Nacht.

Aber bei dem wohlbestellten Essen
Wird die Lust der Speise nicht erregt;
Müdigkeit läßt Speis' und Trank vergessen,
Daß er angekleidet sich aufs Bette legt;

Und er schlummert fast,
Als ein seltner Gast
Sich zur offnen Tür herein bewegt.

Denn er sieht, bei seiner Lampe Schimmer
Tritt, mit weißem Schleier und Gewand
Sittsam still ein Mädchen in das Zimmer,
Um die Stirn ein schwarz- und goldnes Band.
Wie sie ihn erblickt,
Hebt sie, die erschrickt,
Mit Erstaunen eine weiße Hand.

»Bin ich«, rief sie aus, »so fremd im Hause,
Daß ich von dem Gaste nichts vernahm?
Ach, so hält man mich in meiner Klause!
Und nun überfällt mich hier die Scham.
Ruhe nur so fort
Auf dem Lager dort,
Und ich gehe schnell, so wie ich kam.«

»Bleibe, schönes Mädchen!« ruft der Knabe,
Rafft von seinem Lager sich geschwind:
»Hier ist Ceres', hier ist Bacchus' Gabe,
Und du bringst den Amor, liebes Kind!
Bist vor Schrecken blaß!
Liebe, komm und laß,
Laß uns sehn, wie froh die Götter sind!«

»Ferne bleib, o Jüngling! bleibe stehen;
Ich gehöre nicht den Freuden an.
Schon der letzte Schritt ist, ach! geschehen
Durch der guten Mutter kranken Wahn,
Die genesend schwur:
Jugend und Natur
Sei dem Himmel künftig untertan.

Und der alten Götter bunt Gewimmel
Hat sogleich das stille Haus geleert.
Unsichtbar wird Einer nur im Himmel,
Und ein Heiland wird am Kreuz verehrt;
Opfer fallen hier,
Weder Lamm noch Stier,
Aber Menschenopfer unerhört!«

Und er fragt und wäget alle Worte,
Deren keines seinem Geist entgeht.
»Ist es möglich, daß am stillen Orte
Die geliebte Braut hier vor mir steht?
Sei die Meine nur!
Unsrer Väter Schwur
Hat vom Himmel Segen uns erfleht.«

»Mich erhältst du nicht, du gute Seele!
Meiner zweiten Schwester gönnt man dich.
Wenn ich mich in stiller Klause quäle,
Ach! in ihren Armen denk an mich.
Die an dich nur denkt,
Die sich liebend kränkt;
In die Erde bald verbirgt sie sich.«

»Nein! bei dieser Flamme sei's geschworen,
Gütig zeigt sie Hymen uns voraus;
Bist der Freude nicht und mir verloren,
Kommst mit mir in meines Vaters Haus.
Liebchen, bleibe hier!
Feire gleich mit mir
Unerwartet unsern Hochzeitschmaus.«

Und schon wechseln sie der Treue Zeichen;
Golden reicht sie ihm die Kette dar,

Und er will ihr eine Schale reichen,
Silbern, künstlich, wie nicht eine war.
»Die ist nicht für mich;
Doch, ich bitte dich,
Eine Locke gib von deinem Haar!«

Eben schlug die dumpfe Geisterstunde,
Und nun schien es ihr erst wohl zu sein.
Gierig schlürfte sie mit blassem Munde
Nun den dunkel blutgefärbten Wein;
Doch vom Weizenbrot,
Das er freundlich bot,
Nahm sie nicht den kleinsten Bissen ein.

Und dem Jüngling reichte sie die Schale,
Der, wie sie, nun hastig lüstern trank.
Liebe fordert er beim stillen Mahle;
Ach, sein armes Herz war liebekrank!
Doch sie widersteht,
Wie er immer fleht,
Bis er weinend auf das Bette sank.

Und sie kommt und wirft sich zu ihm nieder:
»Ach, wie ungern seh ich dich gequält!
Aber, ach! berührst du meine Glieder,
Fühlst du schaudernd, was ich dir verhehlt.
Wie der Schnee so weiß,
Aber kalt wie Eis
Ist das Liebchen, das du dir erwählt.«

Heftig faßt er sie mit starken Armen,
Von der Liebe Jugendkraft durchmannt:
»Hoffe doch, bei mir noch zu erwarmen,
Wärst du selbst mir aus dem Grab gesandt!

Wechselhauch und Kuß!
Liebesüberfluß!
Brennst du nicht und fühlest mich entbrannt?«

Liebe schließet fester sie zusammen,
Tränen mischen sich in ihre Lust;
Gierig saugt sie seines Mundes Flammen,
Eins ist nur im andern sich bewußt.
Seine Liebeswut
Wärmt ihr starres Blut,
Doch es schlägt kein Herz in ihrer Brust.

Unterdessen schleichet auf dem Gange
Häuslich spät die Mutter noch vorbei,
Horchet an der Tür und horchet lange,
Welch ein sonderbarer Ton es sei:
Klag- und Wonnelaut
Bräutigams und Braut
Und des Liebestammelns Raserei.

Unbeweglich bleibt sie an der Türe,
Weil sie erst sich überzeugen muß,
Und sie hört die höchsten Liebesschwüre,
Lieb- und Schmeichelworte mit Verdruß –
»Still! der Hahn erwacht!« –
»Aber morgen nacht
Bist du wieder da?« – und Kuß auf Kuß.

Länger hält die Mutter nicht das Zürnen,
Öffnet das bekannte Schloß geschwind: –
»Gibt es hier im Hause solche Dirnen,
Die dem Fremden gleich zu Willen sind?« –
So zur Tür hinein.
Bei der Lampe Schein
Sieht sie – Gott! sie sieht ihr eigen Kind.

Und der Jüngling will im ersten Schrecken
Mit des Mädchens eignem Schleierflor,
Mit dem Teppich die Geliebte decken;
Doch sie windet gleich sich selbst hervor.
Wie mit Geists Gewalt
Hebet die Gestalt
Lang und langsam sich im Bett empor.

»Mutter! Mutter!« spricht sie hohle Worte,
»So mißgönnt Ihr mir die schöne Nacht!
Ihr vertreibt mich von dem warmen Orte,
Bin ich zur Verzweiflung nur erwacht?
Ists Euch nicht genug,
Daß ins Leichentuch,
Daß Ihr früh mich in das Grab gebracht?

Aber aus der schwerbedeckten Enge
Treibet mich ein eigenes Gericht.
Eurer Priester summende Gesänge
Und ihr Segen haben kein Gewicht;
Salz und Wasser kühlt
Nicht, wo Jugend fühlt:
Ach! die Erde kühlt die Liebe nicht!

Dieser Jüngling war mir erst versprochen,
Als noch Venus' heitrer Tempel stand.
Mutter, habt Ihr doch das Wort gebrochen,
Weil ein fremd, ein falsch Gelübd Euch band!
Doch kein Gott erhört,
Wenn die Mutter schwört,
Zu versagen ihrer Tochter Hand.

Aus dem Grabe werd ich ausgetrieben,
Noch zu suchen das vermißte Gut,
Noch den schon verlornen Mann zu lieben

Und zu saugen seines Herzens Blut.
Ists um den geschehn,
Muß nach andern gehn,
Und das junge Volk erliegt der Wut.

Schöner Jüngling! kannst nicht länger leben!
Du versiechest nun an diesem Ort.
Meine Kette hab ich dir gegeben;
Deine Locke nehm ich mit mir fort.
Sieh sie an genau!
Morgen bist du grau,
Und nur braun erscheinst du wieder dort.

Höre, Mutter, nun die letzte Bitte:
Einen Scheiterhaufen schichte du,
Öffne meine bange, kleine Hütte,
Bring in Flammen Liebende zur Ruh!
Wenn der Funke sprüht,
Wenn die Asche glüht,
Eilen wir den alten Göttern zu.«

Der Gott und die Bajadere

Indische Legende

Mahadöh, der Herr der Erde,
Kommt herab zum sechsten Mal,
Daß er unsersgleichen werde,
Mitzufühlen Freud und Qual.
Er bequemt sich, hier zu wohnen,
Läßt sich alles selbst geschehn.
Soll er strafen oder schonen,
Muß er Menschen menschlich sehn.

Und hat er die Stadt sich als Wandrer betrachtet,
Die Großen belauert, auf Kleine geachtet,
Verläßt er sie abends, um weiterzugehn.

Als er nun hinausgegangen,
Wo die letzten Häuser sind,
Sieht er, mit gemalten Wangen,
Ein verlornes schönes Kind.
»Grüß dich, Jungfrau!« – »Dank der Ehre!
Wart, ich komme gleich hinaus.« –
»Und wer bist du?« – »Bajadere,
Und dies ist der Liebe Haus.«
Sie rührt sich, die Zimbeln zum Tanze zu schlagen,
Sie weiß sich so lieblich im Kreise zu tragen,
Sie neigt sich und biegt sich und reicht ihm den Strauß.

Schmeichelnd zieht sie ihn zur Schwelle,
Lebhaft ihn ins Haus hinein:
»Schöner Fremdling, lampenhelle
Soll sogleich die Hütte sein.
Bist du müd, ich will dich laben,
Lindern deiner Füße Schmerz.
Was du willst, das sollst du haben,
Ruhe, Freuden oder Scherz.«
Sie lindert geschäftig geheuchelte Leiden.
Der Göttliche lächelt; er siehet mit Freuden
Durch tiefes Verderben ein menschliches Herz.

Und er fordert Sklavendienste;
Immer heitrer wird sie nur,
Und des Mädchens frühe Künste
Werden nach und nach Natur.
Und so stellet auf die Blüte
Bald und bald die Frucht sich ein;
Ist Gehorsam im Gemüte,
Wird nicht fern die Liebe sein.

Aber, sie schärfer und schärfer zu prüfen,
Wählet der Kenner der Höhen und Tiefen
Lust und Entsetzen und grimmige Pein.

Und er küßt die bunten Wangen,
Und sie fühlt der Liebe Qual,
Und das Mädchen steht gefangen,
Und sie weint zum erstenmal,
Sinkt zu seinen Füßen nieder,
Nicht um Wollust noch Gewinst,
Ach! und die gelenken Glieder,
Sie versagen allen Dienst.
Und so zu des Lagers vergnüglicher Feier
Bereiten den dunklen, behaglichen Schleier
Die nächtlichen Stunden, das schöne Gespinst.

Spät entschlummert unter Scherzen,
Früh erwacht nach kurzer Rast,
Findet sie an ihrem Herzen
Tot den vielgeliebten Gast.
Schreiend stürzt sie auf ihn nieder;
Aber nicht erweckt sie ihn,
Und man trägt die starren Glieder
Bald zur Flammengrube hin.
Sie höret die Priester, die Totengesänge,
Sie raset und rennet und teilet die Menge.
»Wer bist du? Was drängt zu der Grube dich hin?«

Bei der Bahre stürzt sie nieder,
Ihr Geschrei durchdringt die Luft:
»Meinen Gatten will ich wieder!
Und ich such ihn in der Gruft.
Soll zu Asche mir zerfallen
Dieser Glieder Götterpracht?

Mein! er war es, mein vor allen!
Ach, nur Eine süße Nacht!«
Es singen die Priester: »Wir tragen die Alten,
Nach langem Ermatten und spätem Erkalten,
Wir tragen die Jugend, noch eh sie's gedacht.

Höre deiner Priester Lehre:
Dieser war dein Gatte nicht.
Lebst du doch als Bajadere,
Und so hast du keine Pflicht.
Nur dem Körper folgt der Schatten
In das stille Totenreich;
Nur die Gattin folgt dem Gatten:
Das ist Pflicht und Ruhm zugleich. –
Ertöne, Drommete, zu heiliger Klage!
O nehmet, ihr Götter! die Zierde der Tage,
O nehmet den Jüngling in Flammen zu euch!«

So das Chor, das ohn Erbarmen
Mehret ihres Herzens Not;
Und mit ausgestreckten Armen
Springt sie in den heißen Tod.
Doch der Götterjüngling hebet
Aus der Flamme sich empor,
Und in seinen Armen schwebet
Die Geliebte mit hervor.
Es freut sich die Gottheit der reuigen Sünder;
Unsterbliche heben verlorene Kinder
Mit feurigen Armen zum Himmel empor.

JOHANN WOLFGANG GOETHE

Hochzeitlied

Wir singen und sagen vom Grafen so gern,
Der hier in dem Schlosse gehauset,
Da, wo ihr den Enkel des seligen Herrn,
Den heute vermählten, beschmauset.
Nun hatte sich jener im heiligen Krieg
Zu Ehren gestritten durch mannigen Sieg,
Und als er zu Hause vom Rösselein stieg,
Da fand er sein Schlösselein oben;
Doch Diener und Habe zerstoben.

Da bist du nun, Gräflein, da bist du zu Haus:
Das Heimische findest du schlimmer!
Zum Fenster, da ziehen die Winde hinaus,
Sie kommen durch alle die Zimmer.
»Was wäre zu tun in der herbstlichen Nacht?
So hab ich doch manche noch schlimmer vollbracht,
Der Morgen hat alles wohl besser gemacht.
Drum rasch bei der mondlichen Helle
Ins Bett, in das Stroh, ins Gestelle!«

Und als er im willigen Schlummer so lag,
Bewegt es sich unter dem Bette.
»Die Ratte, die raschle, solange sie mag!
Ja, wenn sie ein Bröselein hätte!«
Doch siehe! da stehet ein winziger Wicht,
Ein Zwerglein so zierlich mit Ampelenlicht,
Mit Rednergebärden und Sprechergewicht,
Zum Fuß des ermüdeten Grafen,
Der, schläft er nicht, möcht er doch schlafen.

»Wir haben uns Feste hier oben erlaubt,
Seitdem du die Zimmer verlassen,

Und weil wir dich weit in der Ferne geglaubt,
So dachten wir eben zu prassen.
Und wenn du vergönnest und wenn dir nicht graut,
So schmausen die Zwerge, behaglich und laut,
Zu Ehren der reichen, der niedlichen Braut.«
Der Graf im Behagen des Traumes:
»Bedienet euch immer des Raumes!«

Da kommen drei Reiter, sie reiten hervor,
Die unter dem Bette gehalten;
Dann folget ein singendes, klingendes Chor
Possierlicher, kleiner Gestalten;
Und Wagen auf Wagen mit allem Gerät,
Daß einem so Hören als Sehen vergeht,
Wie's nur in den Schlössern der Könige steht;
Zuletzt auf vergoldetem Wagen
Die Braut und die Gäste getragen.

So rennet nun alles in vollem Galopp
Und kürt sich im Saale sein Plätzchen;
Zum Drehen und Walzen und lustigen Hopp
Erkieset sich jeder ein Schätzchen.
Da pfeift es und geigt es und klinget und klirrt,
Da ringelts und schleift es und rauschet und wirrt,
Da pisperts und knisterts und flisterts und schwirrt;
Das Gräflein, es blicket hinüber,
Es dünkt ihn, als läg er im Fieber.

Nun dappelts und rappelts und klapperts im Saal
Von Bänken und Stühlen und Tischen,
Da will nun ein jeder am festlichen Mahl
Sich neben dem Liebchen erfrischen;
Sie tragen die Würste, die Schinken so klein
Und Braten und Fisch und Geflügel herein,
Es kreiset beständig der köstliche Wein;

Das toset und koset so lange,
Verschwindet zuletzt mit Gesange. –

Und sollen wir singen, was weiter geschehn,
So schweige das Toben und Tosen!
Denn was er, so artig, im Kleinen gesehn,
Erfuhr er, genoß er im Großen.
Trompeten und klingender, singender Schall
Und Wagen und Reiter und bräutlicher Schwall,
Sie kommen und zeigen und neigen sich all,
Unzählige, selige Leute.
So ging es und geht es noch heute.

Wirkung in die Ferne

Die Königin steht im hohen Saal,
Da brennen der Kerzen so viele;
Sie spricht zum Pagen: »Du läufst einmal
Und holst mir den Beutel zum Spiele.
Er liegt zur Hand
Auf meines Tisches Rand.«
Der Knabe, der eilt so behende,
War bald an des Schlosses Ende.

Und neben der Königin schlürft zur Stund
Sorbet die schönste der Frauen.
Da brach ihr die Tasse so hart an dem Mund,
Es war ein Greuel zu schauen.
Verlegenheit! Scham!
Ums Prachtkleid ists getan!
Sie eilt und fliegt so behende
Entgegen des Schlosses Ende.

Der Knabe zurück zu laufen kam
Entgegen der Schönen in Schmerzen;
Es wußt es niemand, doch beide zusamm,
Sie hegten einander im Herzen;
Und o des Glücks,
Des günstigen Geschicks!
Sie warfen mit Brust sich zu Brüsten
Und herzten und küßten nach Lüsten.

Doch endlich beide sich reißen los;
Sie eilt in ihre Gemächer,
Der Page drängt sich zur Königin groß
Durch alle die Degen und Fächer.
Die Fürstin entdeckt
Das Westchen befleckt:
Für sie war nichts unerreichbar,
Der Königin von Saba vergleichbar.

Und sie die Hofmeisterin rufen läßt:
»Wir kamen doch neulich zu Streite,
Und Ihr behauptetet steif und fest,
Nicht reiche der Geist in die Weite;
Die Gegenwart nur,
Die lasse wohl Spur,
Doch niemand wirk in die Ferne,
Sogar nicht die himmlischen Sterne.

Nun seht! Soeben ward mir zur Seit
Der geistige Süßtrank verschüttet,
Und gleich darauf hat er dort hinten so weit
Dem Knaben die Weste zerrüttet. –
Besorg dir sie neu!
Und weil ich mich freu,
Daß sie mir zum Beweise gegolten,
Ich zahl sie! sonst wirst du gescholten.«

JOHANN WOLFGANG GOETHE

Der getreue Eckart

»O wären wir weiter, o wär ich zu Haus!
Sie kommen; da kommt schon der nächtliche Graus;
Sie sinds, die unholdigen Schwestern.
Sie streifen heran, und sie finden uns hier,
Sie trinken das mühsam geholte, das Bier,
Und lassen nur leer uns die Krüge.«

So sprechen die Kinder und drücken sich schnell;
Da zeigt sich vor ihnen ein alter Gesell:
»Nur stille, Kind! Kinderlein, stille!
Die Hulden, sie kommen von durstiger Jagd,
Und laßt ihr sie trinken, wie's jeder behagt,
Dann sind sie euch hold, die Unholden.«

Gesagt, so geschehn! und da naht sich der Graus
Und siehet so grau und so schattenhaft aus,
Doch schlürft es und schlampft es aufs beste.
Das Bier ist verschwunden, die Krüge sind leer;
Nun saust es und braust es, das wütige Heer,
Ins weite Getal und Gebirge.

Die Kinderlein ängstlich gen Hause so schnell,
Gesellt sich zu ihnen der fromme Gesell:
»Ihr Püppchen, nur seid mir nicht traurig.« –
»Wir kriegen nun Schelten und Streich' bis aufs Blut.« –
»Nein, keineswegs, alles geht herrlich und gut,
Nur schweiget und horchet wie Mäuslein.

Und der es euch anrät und der es befiehlt,
Er ist es, der gern mit den Kindelein spielt,
Der alte Getreue, der Eckart.
Vom Wundermann hat man euch immer erzählt,

Nur hat die Bestätigung jedem gefehlt;
Die habt ihr nun köstlich in Händen.«

Sie kommen nach Hause, sie setzen den Krug
Ein jedes den Eltern bescheiden genug
Und harren der Schläg und der Schelten.
Doch siehe, man kostet: ein herrliches Bier!
Man trinkt in die Runde schon dreimal und vier,
Und noch nimmt der Krug nicht ein Ende.

Das Wunder, es dauert zum morgenden Tag.
Doch fraget, wer immer zu fragen vermag:
»Wie ists mit den Krügen ergangen?«
Die Mäuslein, sie lächeln, im stillen ergetzt;
Sie stammeln und stottern und schwatzen zuletzt,
Und gleich sind vertrocknet die Krüge.

Und wenn euch, ihr Kinder, mit treuem Gesicht
Ein Vater, ein Lehrer, ein Aldermann spricht,
So horchet und folget ihm pünktlich!
Und liegt auch das Zünglein in peinlicher Hut,
Verplaudern ist schädlich, verschweigen ist gut;
Dann füllt sich das Bier in den Krügen.

Der Totentanz

Der Türmer, der schaut zumitten der Nacht
Hinab auf die Gräber in Lage;
Der Mond, der hat alles ins Helle gebracht,
Der Kirchhof, er liegt wie am Tage.
Da regt sich ein Grab und ein anderes dann:
Sie kommen hervor, ein Weib da, ein Mann,
In weißen und schleppenden Hemden.

Das reckt nun, es will sich ergetzen sogleich,
Die Knöchel zur Runde, zum Kranze,
So arm und so jung, und so alt und so reich;
Doch hindern die Schleppen am Tanze.
Und weil hier die Scham nun nicht weiter gebeut,
Sie schütteln sich alle: da liegen zerstreut
Die Hemdelein über den Hügeln.

Nun hebt sich der Schenkel, nun wackelt das Bein,
Gebärden da gibt es vertrackte;
Dann klipperts und klapperts mitunter hinein,
Als schlüg man die Hölzlein zum Takte.
Das kommt nun dem Türmer so lächerlich vor;
Da raunt ihm der Schalk, der Versucher, ins Ohr:
»Geh, hole dir einen der Laken!«

Getan wie gedacht! und er flüchtet sich schnell
Nun hinter geheiligte Türen.
Der Mond, und noch immer er scheinet so hell
Zum Tanz, den sie schauderlich führen.
Doch endlich verlieret sich dieser und der,
Schleicht eins nach dem andern gekleidet einher,
Und husch ist es unter dem Rasen.

Nur einer, der trippelt und stolpert zuletzt
Und tappet und grapst an den Grüften;
Doch hat kein Geselle so schwer ihn verletzt;
Er wittert das Tuch in den Lüften.
Er rüttelt die Turmtür, sie schlägt ihn zurück,
Geziert und gesegnet, dem Türmer zum Glück;
Sie blinkt von metallenen Kreuzen.

Das Hemd muß er haben, da rastet er nicht,
Da gilt auch kein langes Besinnen,
Den gotischen Zierat ergreift nun der Wicht

Und klettert von Zinne zu Zinnen.
Nun ists um den armen, den Türmer, getan!
Er ruckt sich von Schnörkel zu Schnörkel hinan,
Langbeinigen Spinnen vergleichbar.

Der Türmer erbleichet, der Türmer erbebt,
Gern gäb er ihn wieder, den Laken.
Da häkelt – jetzt hat er am längsten gelebt –
Den Zipfel ein eiserner Zacken.
Schon trübet der Mond sich verschwindenden Scheins,
Die Glocke, sie donnert ein mächtiges Eins,
Und unten zerschellt das Gerippe.

Paria · Legende

Wasser holen geht die reine
Schöne Frau des hohen Brahmen,
Des verehrten, fehlerlosen,
Ernstester Gerechtigkeit.
Täglich von dem heiligen Flusse
Holt sie köstlichstes Erquicken; –
Aber wo ist Krug und Eimer?
Sie bedarf derselben nicht.
Seligem Herzen, frommen Händen
Ballt sich die bewegte Welle
Herrlich zu kristallner Kugel;
Diese trägt sie, frohen Busens,
Reiner Sitte, holden Wandelns,
Vor den Gatten in das Haus.

Heute kommt die morgendliche
Im Gebet zu Ganges' Fluten,

Beugt sich zu der klaren Fläche –
Plötzlich überraschend spiegelt
Aus des höchsten Himmels Breiten
Über ihr vorübereilend
Allerlieblichste Gestalt
Hehren Jünglings, den des Gottes
Uranfänglich-schönes Denken
Aus dem ewgen Busen schuf;
Solchen schauend fühlt ergriffen
Von verwirrenden Gefühlen
Sie das innere tiefste Leben,
Will verharren in dem Anschaun,
Weist es weg, da kehrt es wieder,
Und verworren strebt sie flutwärts,
Mit unsichrer Hand zu schöpfen;
Aber ach! sie schöpft nicht mehr!
Denn des Wassers heilige Welle
Scheint zu fliehn, sich zu entfernen,
Sie erblickt nur hohler Wirbel
Grause Tiefen unter sich.

Arme sinken, Tritte straucheln,
Ists denn auch der Pfad nach Hause?
Soll sie zaudern? soll sie fliehen?
Will sie denken, wo Gedanke,
Rat und Hülfe gleich versagt? –
Und so tritt sie vor den Gatten;
Er erblickt sie, Blick ist Urteil,
Hohen Sinns ergreift das Schwert er,
Schleppt sie zu dem Totenhügel,
Wo Verbrecher büßend bluten.
Wüßte sie zu widerstreben?
Wüßte sie sich zu entschuld'gen,
Schuldig, keiner Schuld bewußt?

Und er kehrt mit blutigem Schwerte
Sinnend zu der stillen Wohnung;
Da entgegnet ihm der Sohn:
»Wessen Bluts ists? Vater! Vater!« –
»Der Verbrecherin!« – »Mitnichten!
Denn es starret nicht am Schwerte
Wie verbrecherische Tropfen,
Fließt wie aus der Wunde frisch.
Mutter, Mutter! tritt heraus her!
Ungerecht war nie der Vater,
Sage, was er jetzt verübt.« –
»Schweige! Schweige! 's ist das ihre!« –
»Wessen ist es?« – »Schweige! Schweige!« –
»Wäre meiner Mutter Blut!
Was geschehen? was verschuldet?
Her das Schwert! ergriffen hab ichs;
Deine Gattin magst du töten,
Aber meine Mutter nicht!
In die Flammen folgt die Gattin
Ihrem einzig Angetrauten,
Seiner einzig teuren Mutter
In das Schwert der treue Sohn.«

»Halt, o halte!« rief der Vater,
»Noch ist Raum, enteil, enteile!
Füge Haupt dem Rumpfe wieder,
Du berührest mit dem Schwerte,
Und lebendig folgt sie dir.«

Eilend, atemlos erblickt er
Staunend zweier Frauen Körper
Überkreuzt und so die Häupter;
Welch Entsetzen! welche Wahl!
Dann der Mutter Haupt erfaßt er,

Küßt es nicht, das tot erblaßte,
Auf des nächsten Rumpfes Lücke
Setzt ers eilig, mit dem Schwerte
Segnet er das fromme Werk.

Aufersteht ein Riesenbildnis. –
Von der Mutter teuren Lippen,
Göttlich-unverändert-süßen,
Tönt das grausenvolle Wort:
»Sohn, o Sohn! welch Übereilen!
Deiner Mutter Leichnam dorten,
Neben ihm das freche Haupt
Der Verbrecherin, des Opfers
Waltender Gerechtigkeit!
Mich nun hast du ihrem Körper
Eingeimpft auf ewige Tage;
Weisen Wollens, wilden Handelns
Werd ich unter Göttern sein.
Ja des Himmelsknaben Bildnis
Webt so schön vor Stirn und Auge;
Senkt sichs in das Herz herunter,
Regt es tolle Wutbegier.

Immer wird es wiederkehren,
Immer steigen, immer sinken,
Sich verdüstern, sich verklären,
So hat Brahma dies gewollt.
Er gebot ja buntem Fittich,
Klarem Antlitz, schlanken Gliedern,
Göttlich-einzigem Erscheinen,
Mich zu prüfen, zu verführen;
Denn von oben kommt Verführung,
Wenns den Göttern so beliebt.
Und so soll ich, die Brahmane,
Mit dem Haupt im Himmel weilend,

Fühlen, Paria, dieser Erde
Niederziehende Gewalt.

Sohn, ich sende dich dem Vater!
Tröste! – Nicht ein traurig Büßen,
Stumpfes Harren, stolz Verdienen
Halt euch in der Wildnis fest;
Wandert aus durch alle Welten,
Wandelt hin durch alle Zeiten
Und verkündet auch Geringstem:
Daß ihn Brahma droben hört!

Ihm ist keiner der Geringste.
Wer sich mit gelähmten Gliedern,
Sich mit wild zerstörtem Geiste,
Düster ohne Hülf und Rettung,
Sei er Brahma, sei er Paria,
Mit dem Blick nach oben kehrt,
Wirds empfinden, wirds erfahren:
Dort erglühen tausend Augen,
Ruhend lauschen tausend Ohren,
Denen nichts verborgen bleibt.

Heb ich mich zu seinem Throne,
Schaut er mich, der Grausenhafte,
Die er gräßlich umgeschaffen,
Muß er ewig mich bejammern,
Euch zugute komme das.
Und ich werd ihn freundlich mahnen,
Und ich werd ihm wütend sagen,
Wie es mir der Sinn gebietet,
Wie es mir im Busen schwellet.
Was ich denke, was ich fühle –
Ein Geheimnis bleibe das.«

JOHANN WOLFGANG GOETHE

Ballade

»Herein, o du Guter! du Alter, herein!
Hier unten im Saale, da sind wir allein,
Wir wollen die Pforte verschließen.
Die Mutter, sie betet, der Vater im Hain
Ist gangen, die Wölfe zu schießen.
O sing uns ein Märchen, o sing es uns oft,
Daß ich und der Bruder es lerne;
Wir haben schon längst einen Sänger gehofft – «
Die Kinder, sie hören es gerne.

»Im nächtlichen Schrecken, im feindlichen Graus
Verläßt er das hohe, das herrliche Haus,
Die Schätze, die hat er vergraben.
Der Graf nun so eilig zum Pförtchen hinaus,
Was mag er im Arme denn haben?
Was birget er unter dem Mantel geschwind?
Was trägt er so rasch in die Ferne?
Ein Töchterlein ist es; da schläft nun das Kind – «
Die Kinder, sie hören es gerne.

»Nun hellt sich der Morgen, die Welt ist so weit,
In Tälern und Wäldern die Wohnung bereit,
In Dörfern erquickt man den Sänger.
So schreitet und heischt er undenkliche Zeit,
Der Bart wächst ihm länger und länger;
Doch wächst in dem Arme das liebliche Kind,
Wie unter dem glücklichsten Sterne,
Geschützt in dem Mantel vor Regen und Wind – «
Die Kinder, sie hören es gerne.

»Und immer sind weiter die Jahre gerückt,
Der Mantel entfärbt sich, der Mantel zerstückt,

Er könnte sie länger nicht fassen.
Der Vater, er schaut sie, wie ist er beglückt!
Er kann sich vor Freude nicht lassen;
So schön und so edel erscheint sie zugleich,
Entsprossen aus tüchtigem Kerne,
Wie macht sie den Vater, den teuren, so reich – «
Die Kinder, sie hören es gerne.

»Da reitet ein fürstlicher Ritter heran,
Sie recket die Hand aus, der Gabe zu nahn;
Almosen will er nicht geben.
Er fasset das Händchen so kräftiglich an:
›Die will ich‹, so ruft er, ›aufs Leben!‹
›Erkennst du‹, erwidert der Alte, ›den Schatz,
Erhebst du zur Fürstin sie gerne;
Sie sei dir verlobet auf grünendem Platz – ‹ «
Die Kinder, sie hören es gerne.

»Sie segnet der Priester am heiligen Ort;
Mit Lust und mit Unlust nun ziehet sie fort,
Sie möchte vom Vater nicht scheiden.
Der Alte, der wandelt nun hier und bald dort,
Er träget in Freuden sein Leiden.
So hab ich mir Jahre die Tochter gedacht,
Die Enkelein wohl in der Ferne;
Sie segn' ich bei Tage, sie segn' ich bei Nacht – «
Die Kinder, sie hören es gerne.

Er segnet die Kinder; da polterts am Tor.
Der Vater, da ist er! Sie springen hervor,
Sie können den Alten nicht bergen –
»Was lockst du die Kinder? du Bettler! du Tor!
Ergreift ihn, ihr eisernen Schergen!
Zum tiefsten Verlies den Verwegenen fort!«
Die Mutter vernimmts in der Ferne;

Sie eilet, sie bittet mit schmeichelndem Wort –
Die Kinder, sie hören es gerne.

Die Schergen, sie lassen den Würdigen stehn,
Und Mutter und Kinder, sie bitten so schön;
Der fürstliche Stolze verbeißet
Die grimmige Wut; ihn entrüstet das Flehn,
Bis endlich sein Schweigen zerreißet:
»Du niedrige Brut! du vom Bettlergeschlecht!
Verfinsterung fürstlicher Sterne!
Ihr bringt mir Verderben! Geschieht mir doch recht – «
Die Kinder, sie hörens nicht gerne.

Noch stehet der Alte mit herrlichem Blick,
Die eisernen Schergen, sie treten zurück,
Es wächst nur das Toben und Wüten.
»Schon lange verflucht ich mein ehliches Glück,
Das sind nun die Früchte der Blüten!
Man leugnete stets, und man leugnet mit Recht,
Daß je sich der Adel erlerne;
Die Bettlerin zeugte mir Bettlergeschlecht – «
Die Kinder, sie hörens nicht gerne.

»Und wenn euch der Gatte, der Vater verstößt,
Die heiligsten Bande verwegentlich löst,
So kommt zu dem Vater, dem Ahnen!
Der Bettler vermag, so ergraut und entblößt,
Euch herrliche Wege zu bahnen.
Die Burg, die ist meine! Du hast sie geraubt,
Mich trieb dein Geschlecht in die Ferne.
Wohl bin ich mit köstlichen Siegeln beglaubt! – «
Die Kinder, sie hören es gerne.

»Rechtmäßiger König, er kehret zurück,
Den Treuen verleiht er entwendetes Glück,
Ich löse die Siegel der Schätze.« –
So rufet der Alte mit freundlichem Blick:
»Euch künd ich die milden Gesetze.
Erhole dich, Sohn! Es entwickelt sich gut,
Heut einen sich selige Sterne;
Die Fürstin, sie zeugte dir fürstliches Blut –«
Die Kinder, sie hören es gerne.

FRIEDRICH SCHILLER

Die Kraniche des Ibykus

Zum Kampf der Wagen und Gesänge,
Der auf Korinthus' Landesenge
Der Griechen Stämme froh vereint,
Zog Ibykus, der Götterfreund.
Ihm schenkte des Gesanges Gabe,
Der Lieder süßen Mund Apoll;
So wandert er, an leichtem Stabe,
Aus Rhegium, des Gottes voll.

Schon winkt auf hohem Bergesrücken
Akrokorinth des Wandrers Blicken,
Und in Poseidons Fichtenhain
Tritt er mit frommem Schauder ein.
Nichts regt sich um ihn her, nur Schwärme
Von Kranichen begleiten ihn,
Die fernhin nach des Südens Wärme
In graulichtem Geschwader ziehn.

»Seid mir gegrüßt, befreundte Scharen,
Die mir zur See Begleiter waren!
Zum guten Zeichen nehm ich euch,
Mein Los, es ist dem euren gleich:
Von fern her kommen wir gezogen
Und flehen um ein wirtlich Dach.
Sei uns der Gastliche gewogen,
Der von dem Fremdling wehrt die Schmach!«

Und munter fördert er die Schritte
Und sieht sich in des Waldes Mitte –
Da sperren, auf gedrangem Steg,
Zwei Mörder plötzlich seinen Weg.
Zum Kampfe muß er sich bereiten,
Doch bald ermattet sinkt die Hand,
Sie hat der Leier zarte Saiten,
Doch nie des Bogens Kraft gespannt.

Er ruft die Menschen an, die Götter,
Sein Flehen dringt zu keinem Retter,
Wie weit er auch die Stimme schickt,
Nichts Lebendes wird hier erblickt.
»So muß ich hier verlassen sterben,
Auf fremdem Boden, unbeweint,
Durch böser Buben Hand verderben,
Wo auch kein Rächer mir erscheint!«

Und schwer getroffen sinkt er nieder,
Da rauscht der Kraniche Gefieder,
Er hört, schon kann er nicht mehr sehn,
Die nahen Stimmen furchtbar krähn.
»Von euch, ihr Kraniche dort oben,
Wenn keine andre Stimme spricht,
Sei meines Mordes Klag erhoben!«
Er ruft es, und sein Auge bricht.

Der nackte Leichnam wird gefunden,
Und bald, obgleich entstellt von Wunden,
Erkennt der Gastfreund in Korinth
Die Züge, die ihm teuer sind.
»Und muß ich so dich wiederfinden,
Und hoffte mit der Fichte Kranz
Des Sängers Schläfe zu umwinden,
Bestrahlt von seines Ruhmes Glanz!«

Und jammernd hörens alle Gäste,
Versammelt bei Poseidons Feste,
Ganz Griechenland ergreift der Schmerz,
Verloren hat ihn jedes Herz.
Und stürmend drängt sich zum Prytanen
Das Volk, es fordert seine Wut,
Zu rächen des Erschlagnen Manen,
Zu sühnen mit des Mörders Blut.

Doch wo die Spur, die aus der Menge,
Der Völker flutendem Gedränge,
Gelocket von der Spiele Pracht,
Den schwarzen Täter kenntlich macht?
Sinds Räuber, die ihn feig erschlagen?
Tats neidisch ein verborgner Feind?
Nur Helios vermags zu sagen,
Der alles Irdische bescheint.

Er geht vielleicht mit frechem Schritte
Jetzt eben durch der Griechen Mitte,
Und während ihn die Rache sucht,
Genießt er seines Frevels Frucht.
Auf ihres eignen Tempels Schwelle
Trotzt er vielleicht den Göttern, mengt
Sich dreist in jene Menschenwelle,
Die dort sich zum Theater drängt.

Denn Bank an Bank gedränget sitzen,
Es brechen fast der Bühne Stützen,
Herbeigeströmt von fern und nah,
Der Griechen Völker wartend da;
Dumpfbrausend wie des Meeres Wogen,
Von Menschen wimmelnd wächst der Bau
In weiter stets geschweiftem Bogen
Hinauf bis in des Himmels Blau.

Wer zählt die Völker, nennt die Namen,
Die gastlich hier zusammenkamen?
Von Theseus' Stadt, von Aulis' Strand,
Von Phocis, vom Spartanerland,
Von Asiens entlegner Küste,
Von allen Inseln kamen sie
Und horchen von dem Schaugerüste
Des Chores grauser Melodie,

Der, streng und ernst, nach alter Sitte,
Mit langsam abgemeßnem Schritte
Hervortritt aus dem Hintergrund,
Umwandelnd des Theaters Rund.
So schreiten keine irdschen Weiber,
Die zeugete kein sterblich Haus!
Es steigt das Riesenmaß der Leiber
Hoch über menschliches hinaus.

Ein schwarzer Mantel schlägt die Lenden,
Sie schwingen in entfleischten Händen
Der Fackel düsterrote Glut,
In ihren Wangen fließt kein Blut;
Und wo die Haare lieblich flattern,
Um Menschenstirnen freundlich wehn,
Da sieht man Schlangen hier und Nattern
Die giftgeschwollnen Bäuche blähn.

Und schauerlich gedreht im Kreise
Beginnen sie des Hymnus Weise,
Der durch das Herz zerreißend dringt,
Die Bande um den Sünder schlingt.
Besinnungraubend, herzbetörend
Schallt der Erinnyen Gesang,
Er schallt, des Hörers Mark verzehrend,
Und duldet nicht der Leier Klang:

»Wohl dem, der frei von Schuld und Fehle
Bewahrt die kindlich reine Seele!
Ihm dürfen wir nicht rächend nahn,
Er wandelt frei des Lebens Bahn.
Doch wehe, wehe, wer verstohlen
Des Mordes schwere Tat vollbracht!
Wir heften uns an seine Sohlen,
Das furchtbare Geschlecht der Nacht.

Und glaubt er fliehend zu entspringen,
Geflügelt sind wir da, die Schlingen
Ihm werfend um den flüchtgen Fuß,
Daß er zu Boden fallen muß.
So jagen wir ihn ohn Ermatten,
Versöhnen kann uns keine Reu,
Ihn fort und fort bis zu den Schatten,
Und geben ihn auch dort nicht frei.«

So singend, tanzen sie den Reigen,
Und Stille wie des Todes Schweigen
Liegt überm ganzen Hause schwer,
Als ob die Gottheit nahe wär.
Und feierlich, nach alter Sitte,
Umwandelnd des Theaters Rund,
Mit langsam abgemeßnem Schritte
Verschwinden sie im Hintergrund.

Und zwischen Trug und Wahrheit schwebet
Noch zweifelnd jede Brust und bebet
Und huldiget der furchtbarn Macht,
Die richtend im Verborgnen wacht,
Die unerforschlich, unergründet
Des Schicksals dunkeln Knäuel flicht,
Dem tiefen Herzen sich verkündet,
Doch fliehet vor dem Sonnenlicht.

Da hört man auf den höchsten Stufen
Auf einmal eine Stimme rufen:
»Sieh da! Sieh da, Timotheus,
Die Kraniche des Ibykus!«
Und finster plötzlich wird der Himmel,
Und über dem Theater hin
Sieht man, in schwärzlichtem Gewimmel,
Ein Kranichheer vorüberziehn.

»Des Ibykus!« – Der teure Name
Rührt jede Brust mit neuem Grame,
Und wie im Meere Well auf Well,
So läufts von Mund zu Munde schnell:
»Des Ibykus, den wir beweinen,
Den eine Mörderhand erschlug!
Was ists mit dem? Was kann er meinen?
Was ists mit diesem Kranichzug?«

Und lauter immer wird die Frage,
Und ahnend fliegts mit Blitzesschlage
Durch alle Herzen: »Gebet acht,
Das ist der Eumeniden Macht!
Der fromme Dichter wird gerochen,
Der Mörder bietet selbst sich dar.
Ergreift ihn, der das Wort gesprochen,
Und ihn, an dens gerichtet war!«

Doch dem war kaum das Wort entfahren,
Möcht ers im Busen gern bewahren;
Umsonst! Der schreckenbleiche Mund
Macht schnell die Schuldbewußten kund.
Man reißt und schleppt sie vor den Richter,
Die Szene wird zum Tribunal,
Und es gestehn die Bösewichter,
Getroffen von der Rache Strahl.

FRIEDRICH SCHILLER

Der Ring des Polykrates

Er stand auf seines Daches Zinnen,
Er schaute mit vergnügten Sinnen
Auf das beherrschte Samos hin.
»Dies alles ist mir untertänig,«
Begann er zu Ägyptens König,
»Gestehe, daß ich glücklich bin.«

»Du hast der Götter Gunst erfahren!
Die vormals deinesgleichen waren,
Sie zwingt jetzt deines Zepters Macht.
Doch einer lebt noch, sie zu rächen,
Dich kann mein Mund nicht glücklich sprechen,
Solang des Feindes Auge wacht.«

Und eh der König noch geendet,
Da stellt sich, von Milet gesendet,
Ein Bote dem Tyrannen dar:
»Laß, Herr, des Opfers Düfte steigen,
Und mit des Lorbeers muntern Zweigen
Bekränze dir dein festlich Haar.

Getroffen sank dein Feind vom Speere,
Mich sendet mit der frohen Märe
Dein treuer Feldherr Polydor – «
Und nimmt aus einem schwarzen Becken,
Noch blutig, zu der beiden Schrecken,
Ein wohlbekanntes Haupt hervor.

Der König tritt zurück mit Grauen:
»Doch warn ich dich, dem Glück zu trauen«,
Versetzt er mit besorgtem Blick.

»Bedenk, auf ungetreuen Wellen,
Wie leicht kann sie der Sturm zerschellen,
Schwimmt deiner Flotte zweifelnd Glück.«

Und eh er noch das Wort gesprochen,
Hat ihn der Jubel unterbrochen,
Der von der Reede jauchzend schallt.
Mit fremden Schätzen reich beladen
Kehrt zu den heimischen Gestaden
Der Schiffe mastenreicher Wald.

Der königliche Gast erstaunet:
»Dein Glück ist heute gut gelaunet,
Doch fürchte seinen Unbestand.
Der Kreter waffenkundge Scharen
Bedräuen dich mit Kriegsgefahren,
Schon nahe sind sie deinem Strand.«

Und eh ihm noch das Wort entfallen,
Da sieht mans von den Schiffen wallen,
Und tausend Stimmen rufen: »Sieg!
Von Feindesnot sind wir befreiet,
Die Kreter hat der Sturm zerstreuet,
Vorbei, geendet ist der Krieg!«

Das hört der Gastfreund mit Entsetzen.
»Fürwahr, ich muß dich glücklich schätzen,
Doch«, spricht er, »zittr' ich für dein Heil.
Mir grauet vor der Götter Neide:
Des Lebens ungemischte Freude
Ward keinem Irdischen zuteil.

Auch mir ist alles wohlgeraten,
Bei allen meinen Herrschertaten

Begleitet mich des Himmels Huld;
Doch hatt ich einen teuren Erben,
Den nahm mir Gott, ich sah ihn sterben,
Dem Glück bezahlt ich meine Schuld.

Drum, willst du dich vor Leid bewahren,
So flehe zu den Unsichtbaren,
Daß sie zum Glück den Schmerz verleihn.
Noch keinen sah ich fröhlich enden,
Auf den mit immer vollen Händen
Die Götter ihre Gaben streun.

Und wenns die Götter nicht gewähren,
So acht auf eines Freundes Lehren
Und rufe selbst das Unglück her,
Und was von allen deinen Schätzen
Dein Herz am höchsten mag ergötzen,
Das nimm und wirfs in dieses Meer!«

Und jener spricht, von Furcht beweget:
»Von allem, was die Insel heget,
Ist dieser Ring mein höchstes Gut.
Ihn will ich den Erinnen weihen,
Ob sie mein Glück mir dann verzeihen –«
Und wirft das Kleinod in die Flut.

Und bei des nächsten Morgens Lichte,
Da tritt mit fröhlichem Gesichte
Ein Fischer vor den Fürsten hin:
»Herr, diesen Fisch hab ich gefangen,
Wie keiner noch ins Netz gegangen,
Dir zum Geschenke bring ich ihn.«

Und als der Koch den Fisch zerteilet,
Kommt er bestürzt herbeigeeilet

Und ruft mit hocherstauntem Blick:
»Sieh, Herr, den Ring, den du getragen,
Ihn fand ich in des Fisches Magen,
O, ohne Grenzen ist dein Glück!«

Hier wendet sich der Gast mit Grausen:
»So kann ich hier nicht ferner hausen,
Mein Freund kannst du nicht weiter sein.
Die Götter wollen dein Verderben –
Fort eil ich, nicht mit dir zu sterben.«
Und sprachs und schiffte schnell sich ein.

Der Taucher

»Wer wagt es, Rittersmann oder Knapp,
Zu tauchen in diesen Schlund?
Einen goldnen Becher werf ich hinab,
Verschlungen schon hat ihn der schwarze Mund.
Wer mir den Becher kann wieder zeigen,
Er mag ihn behalten, er ist sein eigen.«

Der König spricht es und wirft von der Höh
Der Klippe, die schroff und steil
Hinaushängt in die unendliche See,
Den Becher in der Charybde Geheul.
»Wer ist der Beherzte, ich frage wieder,
Zu tauchen in diese Tiefe nieder?«

Und die Ritter, die Knappen um ihn her
Vernehmens und schweigen still,
Sehen hinab in das wilde Meer,
Und keiner den Becher gewinnen will.

Und der König zum drittenmal wieder fraget:
»Ist keiner, der sich hinunter waget?«

Doch alles noch stumm bleibt wie zuvor,
Und ein Edelknecht, sanft und keck,
Tritt aus der Knappen zagendem Chor,
Und den Gürtel wirft er, den Mantel weg,
Und alle die Männer umher und Frauen
Auf den herrlichen Jüngling verwundert schauen.

Und wie er tritt an des Felsen Hang
Und blickt in den Schlund hinab,
Die Wasser, die sie hinunterschlang,
Die Charybde jetzt brüllend wiedergab,
Und wie mit des fernen Donners Getose
Entstürzen sie schäumend dem finstern Schoße.

Und es wallet und siedet und brauset und zischt,
Wie wenn Wasser mit Feuer sich mengt,
Bis zum Himmel spritzet der dampfende Gischt,
Und Flut auf Flut sich ohn Ende drängt,
Und will sich nimmer erschöpfen und leeren,
Als wollte das Meer noch ein Meer gebären.

Doch endlich, da legt sich die wilde Gewalt,
Und schwarz aus dem weißen Schaum
Klafft hinunter ein gähnender Spalt,
Grundlos, als gings in den Höllenraum,
Und reißend sieht man die brandenden Wogen
Hinab in den strudelnden Trichter gezogen.

Jetzt schnell, eh die Brandung wiederkehrt,
Der Jüngling sich Gott befiehlt,
Und – ein Schrei des Entsetzens wird rings gehört,
Und schon hat ihn der Wirbel hinweggespült,

Und geheimnisvoll über dem kühnen Schwimmer
Schließt sich der Rachen, er zeigt sich nimmer.

Und stille wirds über dem Wasserschlund,
In der Tiefe nun brauset es hohl,
Und bebend hört man von Mund zu Mund:
»Hochherziger Jüngling, fahre wohl!«
Und hohler und hohler hört mans heulen,
Und es harrt noch mit bangem, mit schrecklichem Weilen.

Und wärfst du die Krone selber hinein
Und sprächst: wer mir bringet die Kron,
Er soll sie tragen und König sein –
Mich gelüstete nicht nach dem teuren Lohn.
Was die heulende Tiefe da unten verhehle,
Das erzählt keine lebende glückliche Seele.

Wohl manches Fahrzeug, vom Strudel gefaßt,
Schoß gäh in die Tiefe hinab,
Doch zerschmettert nur rangen sich Kiel und Mast
Hervor aus dem alles verschlingenden Grab. –
Und heller und heller, wie Sturmes Sausen,
Hört mans näher und immer näher brausen.

Und es wallet und siedet und brauset und zischt,
Wie wenn Wasser mit Feuer sich mengt,
Bis zum Himmel spritzet der dampfende Gischt,
Und Well auf Well sich ohn Ende drängt,
Und wie mit des fernen Donners Getose
Entstürzt es brüllend dem finstern Schoße.

Und sieh! aus dem finster flutenden Schoß
Da hebet sichs schwanenweiß,
Und ein Arm und ein glänzender Nacken wird bloß,
Und es rudert mit Kraft und mit emsigem Fleiß,

Und er ists, und hoch in seiner Linken
Schwingt er den Becher mit freudigem Winken.

Und atmete lang und atmete tief
Und begrüßte das himmlische Licht.
Mit Frohlocken es einer dem andern rief:
»Er lebt! Er ist da! Es behielt ihn nicht!
Aus dem Grab, aus der strudelnden Wasserhöhle
Hat der Brave gerettet die lebende Seele.«

Und er kommt, es umringt ihn die jubelnde Schar,
Zu des Königs Füßen er sinkt,
Den Becher reicht er ihm kniend dar,
Und der König der lieblichen Tochter winkt,
Die füllt ihn mit funkelndem Wein bis zum Rande,
Und der Jüngling sich also zum König wandte:

»Lang lebe der König! Es freue sich,
Wer da atmet im rosigten Licht!
Da unten aber ists fürchterlich,
Und der Mensch versuche die Götter nicht
Und begehre nimmer und nimmer zu schauen,
Was sie gnädig bedecken mit Nacht und Grauen.

Es riß mich hinunter blitzesschnell –
Da stürzt' mir aus felsigtem Schacht
Wildflutend entgegen ein reißender Quell:
Mich packte des Doppelstroms wütende Macht,
Und wie einen Kreisel mit schwindelndem Drehen
Trieb michs um, ich konnte nicht widerstehen.

Da zeigte mir Gott, zu dem ich rief
In der höchsten schrecklichen Not,
Aus der Tiefe ragend ein Felsenriff,
Das erfaßt ich behend und entrann dem Tod –

Und da hing auch der Becher an spitzen Korallen,
Sonst wär er ins Bodenlose gefallen.

Denn unter mir lags noch, bergetief,
In purpurner Finsternis da,
Und obs hier dem Ohre gleich ewig schlief,
Das Auge mit Schaudern hinuntersah,
Wie's von Salamandern und Molchen und Drachen
Sich regt' in dem furchtbaren Höllenrachen.

Schwarz wimmelten da, in grausem Gemisch,
Zu scheußlichen Klumpen geballt,
Der stachligte Roche, der Klippenfisch,
Des Hammers greuliche Ungestalt,
Und dräuend wies mir die grimmigen Zähne
Der entsetzliche Hai, des Meeres Hyäne.

Und da hing ich und wars mir mit Grausen bewußt,
Von der menschlichen Hilfe so weit,
Unter Larven die einzige fühlende Brust,
Allein in der gräßlichen Einsamkeit,
Tief unter dem Schall der menschlichen Rede
Bei den Ungeheuern der traurigen Öde.

Und schaudernd dacht ich, da krochs heran,
Regte hundert Gelenke zugleich,
Will schnappen nach mir – in des Schreckens Wahn
Laß ich los der Koralle umklammerten Zweig;
Gleich faßt mich der Strudel mit rasendem Toben,
Doch es war mir zum Heil, er riß mich nach oben.«

Der König darob sich verwundert schier
Und spricht: »Der Becher ist dein,
Und diesen Ring noch bestimm ich dir,
Geschmückt mit dem köstlichsten Edelgestein,

Versuchst du's noch einmal und bringst mir Kunde,
Was du sahst auf des Meeres tiefunterstem Grunde.«

Das hörte die Tochter mit weichem Gefühl,
Und mit schmeichelndem Munde sie fleht:
»Laßt, Vater, genug sein das grausame Spiel!
Er hat Euch bestanden, was keiner besteht,
Und könnt Ihr des Herzens Gelüsten nicht zähmen,
So mögen die Ritter den Knappen beschämen.«

Drauf der König greift nach dem Becher schnell,
In den Strudel ihn schleudert hinein:
»Und schaffst du den Becher mir wieder zur Stell,
So sollst du der trefflichste Ritter mir sein
Und sollst sie als Ehgemahl heut noch umarmen,
Die jetzt für dich bittet mit zartem Erbarmen.«

Da ergreifts ihm die Seele mit Himmelsgewalt,
Und es blitzt aus den Augen ihm kühn,
Und er siehet erröten die schöne Gestalt
Und sieht sie erbleichen und sinken hin –
Da treibts ihn, den köstlichen Preis zu erwerben,
Und stürzt hinunter auf Leben und Sterben.

Wohl hört man die Brandung, wohl kehrt sie zurück,
Sie verkündigt der donnernde Schall –
Da bückt sichs hinunter mit liebendem Blick:
Es kommen, es kommen die Wasser all,
Sie rauschen herauf, sie rauschen nieder,
Den Jüngling bringt keines wieder.

FRIEDRICH SCHILLER

Der Handschuh

Vor seinem Löwengarten,
Das Kampfspiel zu erwarten,
Saß König Franz,
Und um ihn die Großen der Krone,
Und rings auf hohem Balkone,
Die Damen in schönem Kranz.

Und wie er winkt mit dem Finger,
Auftut sich der weite Zwinger,
Und hinein mit bedächtigem Schritt
Ein Löwe tritt
Und sieht sich stumm
Rings um,
Mit langem Gähnen
Und schüttelt die Mähnen
Und streckt die Glieder
Und legt sich nieder.

Und der König winkt wieder,
Da öffnet sich behend
Ein zweites Tor,
Daraus rennt
Mit wildem Sprunge
Ein Tiger hervor.
Wie der den Löwen erschaut,
Brüllt er laut,
Schlägt mit dem Schweif
Einen furchtbaren Reif
Und recket die Zunge,
Und im Kreise scheu
Umgeht er den Leu
Grimmig schnurrend;

Drauf streckt er sich murrend
Zur Seite nieder.

Und der König winkt wieder,
Da speit das doppelt geöffnete Haus
Zwei Leoparden auf einmal aus,
Die stürzen mit mutiger Kampfbegier
Auf das Tigertier;
Das packt sie mit seinen grimmigen Tatzen,
Und der Leu mit Gebrüll
Richtet sich auf, da wirds still;
Und herum im Kreis,
Von Mordsucht heiß,
Lagern die greulichen Katzen.

Da fällt von des Altans Rand
Ein Handschuh von schöner Hand
Zwischen den Tiger und den Leun
Mitten hinein.

Und zu Ritter Delorges, spottender Weis,
Wendet sich Fräulein Kunigund:
»Herr Ritter, ist Eure Lieb so heiß,
Wie Ihr mirs schwört zu jeder Stund,
Ei so hebt mir den Handschuh auf!«

Und der Ritter in schnellem Lauf
Steigt hinab in den furchtbarn Zwinger
Mit festem Schritte,
Und aus der Ungeheuer Mitte
Nimmt er den Handschuh mit keckem Finger.

Und mit Erstaunen und mit Grauen
Sehens die Ritter und Edelfrauen,
Und gelassen bringt er den Handschuh zurück.

Da schallt ihm sein Lob aus jedem Munde,
Aber mit zärtlichem Liebesblick –
Er verheißt ihm sein nahes Glück –
Empfängt ihn Fräulein Kunigunde.
Und er wirft ihr den Handschuh ins Gesicht:
»Den Dank, Dame, begehr ich nicht!«
Und verläßt sie zur selben Stunde.

Die Bürgschaft

Zu Dionys, dem Tyrannen, schlich
Damon, den Dolch im Gewande;
Ihn schlugen die Häscher in Bande.
»Was wolltest du mit dem Dolche, sprich!«
Entgegnet ihm finster der Wüterich.
»Die Stadt vom Tyrannen befreien!« –
»Das sollst du am Kreuze bereuen.« –

»Ich bin«, spricht jener, »zu sterben bereit
Und bitte nicht um mein Leben;
Doch willst du Gnade mir geben,
Ich flehe dich um drei Tage Zeit,
Bis ich die Schwester dem Gatten gefreit;
Ich lasse den Freund dir als Bürgen –
Ihn magst du, entrinn ich, erwürgen.«

Da lächelt der König mit arger List
Und spricht nach kurzem Bedenken:
»Drei Tage will ich dir schenken.
Doch wisse, wenn sie verstrichen, die Frist,
Eh du zurück mir gegeben bist,
So muß er statt deiner erblassen,
Doch dir ist die Strafe erlassen.«

Und er kommt zum Freunde: »Der König gebeut,
Daß ich am Kreuz mit dem Leben
Bezahle das frevelnde Streben;
Doch will er mir gönnen drei Tage Zeit,
Bis ich die Schwester dem Gatten gefreit.
So bleib du dem König zum Pfande,
Bis ich komme, zu lösen die Bande.«

Und schweigend umarmt ihn der treue Freund
Und liefert sich aus dem Tyrannen,
Der andere ziehet von dannen.
Und ehe das dritte Morgenrot scheint,
Hat er schnell dem Gatten die Schwester vereint,
Eilt heim mit sorgender Seele,
Damit er die Frist nicht verfehle.

Da gießt unendlicher Regen herab,
Von den Bergen stürzen die Quellen,
Und die Bäche, die Ströme schwellen.
Und er kommt ans Ufer mit wanderndem Stab –
Da reißet die Brücke der Strudel hinab,
Und donnernd sprengen die Wogen
Des Gewölbes krachenden Bogen.

Und trostlos irrt er an Ufers Rand;
Wie weit er auch spähet und blicket
Und die Stimme, die rufende, schicket –
Da stößet kein Nachen vom sichern Strand,
Der ihn setze an das gewünschte Land,
Kein Schiffer lenket die Fähre,
Und der wilde Strom wird zum Meere.

Da sinkt er ans Ufer und weint und fleht,
Die Hände zum Zeus erhoben:

»O hemme des Stromes Toben!
Es eilen die Stunden, im Mittag steht
Die Sonne, und wenn sie niedergeht
Und ich kann die Stadt nicht erreichen,
So muß der Freund mir erbleichen.«

Doch wachsend erneut sich des Stromes Wut,
Und Welle auf Welle zerrinnet,
Und Stund an Stunde entrinnet.
Da treibt ihn die Angst, da faßt er sich Mut
Und wirft sich hinein in die brausende Flut,
Und teilt mit gewaltigen Armen
Den Strom, und ein Gott hat Erbarmen.

Und gewinnt das Ufer und eilet fort
Und danket dem rettenden Gotte;
Da stürzet die raubende Rotte
Hervor aus des Waldes nächtlichem Ort,
Den Pfad ihm sperrend, und schnaubet Mord
Und hemmet des Wanderers Eile
Mit drohend geschwungener Keule.

»Was wollt ihr?« ruft er, vor Schrecken bleich,
»Ich habe nichts als mein Leben,
Das muß ich dem Könige geben!«
Und entreißet die Keule dem nächsten gleich:
»Um des Freundes willen erbarmet euch!«
Und drei mit gewaltigen Streichen
Erlegt er, die andern entweichen.

Und die Sonne versendet glühenden Brand,
Und von der unendlichen Mühe
Ermattet sinken die Kniee:
»O hast du mich gnädig aus Räuberhand,

Aus dem Strom mich gerettet ans heilige Land,
Und soll hier verschmachtend verderben,
Und der Freund mir, der liebende, sterben!«

Und horch! da sprudelt es silberhell
Ganz nahe, wie rieselndes Rauschen,
Und stille hält er, zu lauschen;
Und sieh, aus dem Felsen, geschwätzig, schnell,
Springt murmelnd hervor ein lebendiger Quell,
Und freudig bückt er sich nieder
Und erfrischet die brennenden Glieder.

Und die Sonne blickt durch der Zweige Grün
Und malt auf den glänzenden Matten
Der Bäume gigantische Schatten;
Und zwei Wanderer sieht er die Straße ziehn,
Will eilenden Laufes vorüber fliehn,
Da hört er die Worte sie sagen:
»Jetzt wird er ans Kreuz geschlagen.«

Und die Angst beflügelt den eilenden Fuß,
Ihn jagen der Sorge Qualen;
Da schimmern in Abendrots Strahlen
Von ferne die Zinnen von Syrakus,
Und entgegen kommt ihm Philostratus,
Des Hauses redlicher Hüter,
Der erkennet entsetzt den Gebieter:

»Zurück! du rettest den Freund nicht mehr,
So rette das eigene Leben!
Den Tod erleidet er eben.
Von Stunde zu Stunde gewartet' er
Mit hoffender Seele der Wiederkehr,
Ihm konnte den mutigen Glauben
Der Hohn des Tyrannen nicht rauben.« –

»Und ist es zu spät, und kann ich ihm nicht,
Ein Retter, willkommen erscheinen,
So soll mich der Tod ihm vereinen.
Des rühme der blutge Tyrann sich nicht,
Daß der Freund dem Freunde gebrochen die Pflicht,
Er schlachte der Opfer zweie
Und glaube an Liebe und Treue!«

Und die Sonne geht unter, da steht er am Tor
Und sieht das Kreuz schon erhöhet,
Das die Menge gaffend umstehet;
An dem Seile schon zieht man den Freund empor,
Da zertrennt er gewaltig den dichten Chor:
»Mich, Henker!« ruft er, »erwürget!
Da bin ich, für den er gebürget!«

Und Erstaunen ergreift das Volk umher,
In den Armen liegen sich beide
Und weinen vor Schmerzen und Freude.
Da sieht man kein Auge tränenleer,
Und zum König bringt man die Wundermär;
Der fühlt ein menschliches Rühren,
Läßt schnell vor den Thron sie führen.

Und blicket sie lange verwundert an;
Drauf spricht er: »Es ist euch gelungen,
Ihr habt das Herz mir bezwungen,
Und die Treue, sie ist doch kein leerer Wahn –
So nehmet auch mich zum Genossen an.
Ich sei, gewährt mir die Bitte,
In eurem Bunde der Dritte.«

Der Alpenjäger

Willst du nicht das Lämmlein hüten?
Lämmlein ist so fromm und sanft,
Nährt sich von des Grases Blüten,
Spielend an des Baches Ranft.
»Mutter, Mutter, laß mich gehen
Jagen nach des Berges Höhen!«

Willst du nicht die Herde locken
Mit des Hornes munterm Klang?
Lieblich tönt der Schall der Glocken
In des Waldes Lustgesang.
»Mutter, Mutter, laß mich gehen
Schweifen auf den wilden Höhen!«

Willst du nicht der Blümlein warten,
Die im Beete freundlich stehn?
Draußen ladet dich kein Garten,
Wild ists auf den wilden Höhn.
»Laß die Blümlein, laß sie blühen!
Mutter, Mutter, laß mich ziehen!«

Und der Knabe ging zu jagen,
Und es treibt und reißt ihn fort,
Rastlos fort mit blindem Wagen
An des Berges finstern Ort;
Vor ihm her mit Windesschnelle
Flieht die zitternde Gazelle.

Auf der Felsen nackte Rippen
Klettert sie mit leichtem Schwung,
Durch den Riß geborstner Klippen

Trägt sie der gewagte Sprung;
Aber hinter ihr verwogen
Folgt er mit dem Todesbogen.

Jetzo auf den schroffen Zinken
Hängt sie, auf dem höchsten Grat,
Wo die Felsen jäh versinken
Und verschwunden ist der Pfad –
Unter sich die steile Höhe,
Hinter sich des Feindes Nähe.

Mit des Jammers stummen Blicken
Fleht sie zu dem harten Mann,
Fleht umsonst, denn loszudrücken
Legt er schon den Bogen an.
Plötzlich aus der Felsenspalte
Tritt der Geist, der Bergesalte.

Und mit seinen Götterhänden
Schützt er das gequälte Tier.
»Mußt du Tod und Jammer senden«,
Ruft er, »bis herauf zu mir?
Raum für alle hat die Erde –
Was verfolgst du meine Herde?«

CLEMENS BRENTANO

Lore Lay

Zu Bacharach am Rheine
Wohnt' eine Zauberin,
Sie war so schön und feine
Und riß viel Herzen hin.

Und brachte viel' zu Schanden
Der Männer ringsumher,
Aus ihren Liebesbanden
War keine Rettung mehr.

Der Bischof ließ sie laden
Vor geistliche Gewalt –
Und mußte sie begnaden,
So schön war ihr' Gestalt.

Er sprach zu ihr gerühret:
»Du arme Lore Lay!
Wer hat dich denn verführet
Zu böser Zauberei?« –

»Herr Bischof, laßt mich sterben,
Ich bin des Lebens müd,
Weil jeder muß verderben,
Der meine Augen sieht.

Die Augen sind zwei Flammen,
Mein Arm ein Zauberstab –
O legt mich in die Flammen!
O brechet mir den Stab!« –

»Ich kann dich nicht verdammen,
Bis du mir erst bekennt,
Warum in deinen Flammen
Mein eignes Herz schon brennt!

Den Stab kann ich nicht brechen,
Du schöne Lore Lay!
Ich müßte denn zerbrechen
Mein eigen Herz entzwei!« –

»Herr Bischof, mit mir Armen
Treibt nicht so bösen Spott,
Und bittet um Erbarmen
Für mich den lieben Gott!

Ich darf nicht länger leben,
Ich liebe keinen mehr –
Den Tod sollt Ihr mir geben,
Drum kam ich zu Euch her!

Mein Schatz hat mich betrogen,
Hat sich von mir gewandt,
Ist fort von hier gezogen,
Fort in ein fremdes Land.

Die Augen sanft und wilde,
Die Wangen rot und weiß,
Die Worte still und milde,
Das ist mein Zauberkreis.

Ich selbst muß drin verderben,
Das Herz tut mir so weh;
Vor Schmerzen möcht ich sterben,
Wenn ich mein Bildnis seh.

Drum laßt mein Recht mich finden,
Mich sterben wie ein Christ!
Denn alles muß verschwinden,
Weil er nicht bei mir ist!«

Drei Ritter läßt er holen:
»Bringt sie ins Kloster hin!
Geh Lore! – Gott befohlen
Sei dein berückter Sinn!

Du sollst ein Nönnchen werden,
Ein Nönnchen schwarz und weiß,
Bereite dich auf Erden
Zu deines Todes Reis'!«

Zum Kloster sie nun ritten,
Die Ritter alle drei,
Und traurig in der Mitten
Die schöne Lore Lay.

»O Ritter, laßt mich gehen
Auf diesen Felsen groß,
Ich will noch einmal sehen
Nach meines Lieben Schloß.

Ich will noch einmal sehen
Wohl in den tiefen Rhein,
Und dann ins Kloster gehen
Und Gottes Jungfrau sein.«

Der Felsen ist so jähe,
So steil ist seine Wand,
Doch klimmt sie in die Höhe,
Bis daß sie oben stand.

Es binden die drei Reiter
Die Rosse unten an,
Und klettern immer weiter
Zum Felsen auch hinan.

Die Jungfrau sprach: »Da gehet
Ein Schifflein auf dem Rhein,
Der in dem Schifflein stehet,
Der soll mein Liebster sein!

Mein Herz wird mir so munter,
Er muß mein Liebster sein!« –
Da lehnt sie sich hinunter
Und stürzet in den Rhein.

Die Ritter mußten sterben,
Sie konnten nicht hinab;
Sie mußten all verderben,
Ohn Priester und ohn Grab.

Wer hat dies Lied gesungen?
Ein Schiffer auf dem Rhein,
Und immer hat geklungen
Von dem Dreiritterstein:
    Lore Lay!
    Lore Lay!
    Lore Lay!
Als wären es meiner drei!

Die Gottesmauer

Drauß bei Schleswig vor der Pforte
Wohnen armer Leute viel.
Ach, des Feindes wilder Horde
Werden sie das erste Ziel.
Waffenstillstand ist gekündet,
Dänen ziehen ab zur Nacht.
Russen, Schweden sind verbündet,
Brechen her mit wilder Macht.
Drauß bei Schleswig, weit vor allen,
Steht ein Häuslein ausgesetzt.

Drauß bei Schleswig in der Hütte
Singt ein frommes Mütterlein:
»Herr, in deinen Schoß ich schütte
Alle meine Angst und Pein.«
Doch ihr Enkel, ohn Vertrauen,
Zwanzigjährig, neuster Zeit,
Will nicht auf den Herren bauen,
Meint, der liebe Gott wohnt weit.
Drauß bei Schleswig in der Hütte
Singt ein frommes Mütterlein.

»Eine Mauer um uns baue«,
Singt das fromme Mütterlein,
»Daß dem Feinde vor uns graue,
Hüll in deine Burg uns ein.« –
»Mutter«, spricht der Weltgesinnte,
»Eine Mauer uns ums Haus
Kriegt unmöglich so geschwinde
Euer lieber Gott heraus.« –
»Eine Mauer um uns baue«,
Singt das fromme Mütterlein.

»Enkel, fest ist mein Vertrauen.
Wenns dem lieben Gott gefällt,
Kann er uns die Mauer bauen.
Was er will, ist wohl bestellt.«
Trommeln romdidom rings prasseln,
Die Trompeten schmettern drein,
Rosse wiehern, Wagen rasseln,
Ach, nun bricht der Feind herein.
»Eine Mauer um uns baue«,
Singt das fromme Mütterlein.

Rings in alle Hütten brechen
Schwed und Russe mit Geschrei,
Lärmen, fluchen, drängen, zechen,
Doch dies Haus ziehn sie vorbei.
Und der Enkel spricht in Sorgen:
»Mutter, uns verrät das Lied«,
Aber sieh, das Heer vom Morgen
Bis zur Nacht vorüberzieht.
»Eine Mauer um uns baue«,
Singt das fromme Mütterlein.

Und am Abend tobt der Winter,
An das Fenster stürmt der Nord,
»Schließt den Laden, liebe Kinder«,
Spricht die Alte und singt fort.
Aber mit den Flocken fliegen
Vier Kosakenpulke an,
Rings in allen Hütten liegen
Sechzig, auch wohl achtzig Mann.
»Eine Mauer um uns baue«,
Singt das fromme Mütterlein.

Bange Nacht voll Kriegsgetöse;
Wie es wiehert, brüllet, schwirrt,

Kantschuhhiebe, Kolbenstöße,
Weh! des Nachbarn Fenster klirrt.
Hurra, Stupai, Boschka, Kurwa,
Schnaps und Branntwein, Rum und Rack,
Schreit und flucht und plackt die Turba,
Erst am Morgen zieht der Pack.
»Eine Mauer um uns baue«,
Singt das fromme Mütterlein.

»Eine Mauer um uns baue«,
Singt sie fort die ganze Nacht;
Morgens wird es still: »O schaue,
Enkel, was der Nachbar macht.«
Auf nach innen geht die Türe,
Nimmer käm er sonst hinaus;
Daß er Gottes Allmacht spüre,
Lag der Schnee wohl mannshoch drauß.
»Eine Mauer um uns baue«,
Sang das fromme Mütterlein.

»Ja, der Herr kann Mauern bauen,
Liebe, fromme Mutter, komm,
Gottes Mauer anzuschauen!«
Rief der Enkel und ward fromm.
Achtzehnhundertvierzehn war es,
Als der Herr die Mauer baut'.
In der fünften Nacht des Jahres.
Selig, wer dem Herrn vertraut!
»Eine Mauer um uns baue«,
Sang das fromme Mütterlein.

LUDWIG UHLAND

Die Rache

Der Knecht hat erstochen den edeln Herrn,
Der Knecht wär selber ein Ritter gern.

Er hat ihn erstochen im dunkeln Hain
Und den Leib versenket im tiefen Rhein.

Hat angeleget die Rüstung blank,
Auf des Herren Roß sich geschwungen frank.

Und als er sprengen will über die Brück,
Da stutzet das Roß und bäumt sich zurück.

Und als er die güldnen Sporen ihm gab,
Da schleuderts ihn wild in den Strom hinab.

Mit Arm, mit Fuß er rudert und ringt,
Der schwere Panzer ihn niederzwingt.

Graf Eberstein

Zu Speyer im Saale, da hebt sich ein Klingen,
Mit Fackeln und Kerzen ein Tanzen und Springen.
Graf Eberstein
Führet den Reihn
Mit des Kaisers holdseligem Töchterlein.

Und als er sie schwingt nun im luftigen Reigen,
Da flüstert sie leise (sie kanns nicht verschweigen):
»Graf Eberstein,
Hüte dich fein!
Heut nacht wird dein Schlößlein gefährdet sein.«

Ei, denket der Graf, Euer kaiserlich Gnaden,
So habt Ihr mich darum zum Tanze geladen!
Er sucht sein Roß,
Läßt seinen Troß
Und jagt nach seinem gefährdeten Schloß.

Um Ebersteins Feste, da wimmelts von Streitern,
Sie schleichen im Nebel mit Haken und Leitern.
Graf Eberstein
Grüßet sie fein,
Er wirft sie vom Wall in die Gräben hinein.

Als nun der Herr Kaiser am Morgen gekommen,
Da meint er, es seie die Burg schon genommen,
Doch auf dem Wall
Tanzen mit Schall
Der Graf und seine Gewappneten all:

»Herr Kaiser, beschleicht Ihr ein andermal Schlösser,
Tuts not, Ihr verstehet aufs Tanzen Euch besser.
Euer Töchterlein
Tanzet so fein,
Dem soll meine Feste geöffnet sein.«

Im Schlosse des Grafen, da hebt sich ein Klingen,
Mit Fackeln und Kerzen ein Tanzen und Springen.
Graf Eberstein
Führet den Reihn
Mit des Kaisers holdseligem Töchterlein.

Und als er sie schwingt nun im bräutlichen Reigen,
Da flüstert er leise, nicht kann ers verschweigen:
»Schön Jungfräulein,
Hüte dich fein!
Heut nacht wird ein Schlößlein gefährdet sein.«

Das Schloß am Meer

»Hast du das Schloß gesehen,
Das hohe Schloß am Meer?
Golden und rosig wehen
Die Wolken drüber her.

Es möchte sich niederneigen
In die spiegelklare Flut,
Es möchte streben und steigen
In der Abendwolken Glut.«

»Wohl hab ich es gesehen,
Das hohe Schloß am Meer,
Und den Mond darüber stehen
Und Nebel weit umher.«

»Der Wind und des Meeres Wallen,
Gaben sie frischen Klang?
Vernahmst du aus hohen Hallen
Saiten und Festgesang?«

»Die Winde, die Wogen alle
Lagen in tiefer Ruh;
Einem Klagelied aus der Halle
Hört ich mit Tränen zu.«

»Sahest du oben gehen
Den König und sein Gemahl,
Der roten Mäntel Wehen,
Der goldnen Kronen Strahl?

Führten sie nicht mit Wonne
Eine schöne Jungfrau dar,
Herrlich wie eine Sonne,
Strahlend im goldnen Haar?«

»Wohl sah ich die Eltern beide,
Ohne der Kronen Licht,
Im schwarzen Trauerkleide;
Die Jungfrau sah ich nicht.«

Schwäbische Kunde

Als Kaiser Rotbart lobesam
Zum heilgen Land gezogen kam,
Da mußt er mit dem frommen Heer
Durch ein Gebirge wüst und leer.
Daselbst erhub sich große Not,
Viel Steine gabs und wenig Brot.
Und mancher deutsche Reitersmann
Hat dort den Trunk sich abgetan;
Den Pferden wars so schwach im Magen,
Fast mußt der Reiter die Mähre tragen.
Nun war ein Herr aus Schwabenland,
Von hohem Wuchs und starker Hand,
Des Rößlein war so krank und schwach,
Er zog es nur am Zaume nach;
Er hätt es nimmer aufgegeben,

Und kostets ihn das eigne Leben.
So blieb er bald ein gutes Stück
Hinter dem Heereszug zurück;
Da sprengten plötzlich in die Quer
Fünfzig türkische Reiter daher.
Die huben an, auf ihn zu schießen,
Nach ihm zu werfen mit den Spießen.
Der wackre Schwabe forcht sich nit,
Ging seines Weges Schritt vor Schritt,
Ließ sich den Schild mit Pfeilen spicken
Und tät nur spöttlich um sich blicken,
Bis einer, dem die Zeit zu lang,
Auf ihn den krummen Säbel schwang.
Da wallt dem Deutschen auch sein Blut,
Er trifft des Türken Pferd so gut,
Er haut ihm ab mit einem Streich
Die beiden Vorderfüß' zugleich.
Als er das Tier zu Fall gebracht,
Da faßt er erst sein Schwert mit Macht,
Er schwingt es auf des Reiters Kopf,
Haut durch bis auf den Sattelknopf,
Haut auch den Sattel noch in Stücken
Und tief noch in des Pferdes Rücken;
Zur Rechten sieht man wie zur Linken
Einen halben Türken heruntersinken.
Da packt die andern kalter Graus;
Sie fliehen in alle Welt hinaus,
Und jedem ists, als würd ihm mitten
Durch Kopf und Leib hindurchgeschnitten.
Drauf kam des Wegs 'ne Christenschar,
Die auch zurückgeblieben war;
Die sahen nun mit gutem Bedacht,
Was Arbeit unser Held gemacht.
Von denen hats der Kaiser vernommen.
Er ließ den Schwaben vor sich kommen;

Er sprach: »Sag an, mein Ritter wert,
Wer hat dich solche Streich gelehrt?«
Der Held bedacht sich nicht zu lang:
»Die Streiche sind bei uns im Schwang;
Sie sind bekannt im ganzen Reiche,
Man nennt sie halt nur Schwabenstreiche.«

Bertran de Born

Droben auf dem schroffen Steine
Raucht in Trümmern Autafort,
Und der Burgherr steht gefesselt
Vor des Königs Zelte dort:
»Kamst du, der mit Schwert und Liedern
Aufruhr trug von Ort zu Ort,
Der die Kinder aufgewiegelt
Gegen ihres Vaters Wort?

Steht vor mir, der sich gerühmet
In vermeßner Prahlerei,
Daß ihm nie mehr als die Hälfte
Seines Geistes nötig sei?
Nun der halbe dich nicht rettet,
Ruf den ganzen doch herbei,
Daß er neu dein Schloß dir baue,
Deine Ketten brech entzwei!«

»Wie du sagst, mein Herr und König,
Steht vor dir Bertran de Born,
Der mit einem Lied entflammte
Perigord und Ventadorn,
Der dem mächtigen Gebieter

Stets im Auge war ein Dorn,
Dem zuliebe Königskinder
Trugen ihres Vaters Zorn.

Deine Tochter saß im Saale,
Festlich, eines Herzogs Braut,
Und da sang vor ihr mein Bote,
Dem ein Lied ich anvertraut,
Sang, was einst ihr Stolz gewesen,
Ihres Dichters Sehnsuchtlaut,
Bis ihr leuchtend Brautgeschmeide
Ganz von Tränen war betaut.

Aus des Ölbaums Schlummerschatten
Fuhr dein bester Sohn empor,
Als mit zorngen Schlachtgesängen
Ich bestürmen ließ sein Ohr.
Schnell war ihm das Roß gegürtet,
Und ich trug das Banner vor,
Jenem Todespfeil entgegen,
Der ihn traf vor Montforts Tor.

Blutend lag er mir im Arme;
Nicht der scharfe, kalte Stahl –
Daß er sterb' in deinem Fluche,
Das war seines Sterbens Qual.
Strecken wollt er dir die Rechte
Über Meer, Gebirg und Tal;
Als er deine nicht erreichet,
Drückt' er meine noch einmal.

Da, wie Autafort dort oben,
Ward gebrochen meine Kraft;
Nicht die ganze, nicht die halbe
Blieb mir, Saite nicht, noch Schaft.

Leicht hast du den Arm gebunden,
Seit der Geist mir liegt in Haft;
Nur zu einem Trauerliede
Hat er sich noch aufgerafft.«

Und der König senkt die Stirne:
»Meinen Sohn hast du verführt,
Hast der Tochter Herz verzaubert,
Hast auch meines nun gerührt.
Nimm die Hand, du Freund des Toten,
Die, verzeihend, ihm gebührt!
Weg die Fesseln! Deines Geistes
Hab ich einen Hauch verspürt!«

JOSEPH VON EICHENDORFF

Die Hochzeitsnacht

Nachts durch die stille Runde
Rauschte des Rheines Lauf,
Ein Schifflein zog im Grunde,
Ein Ritter stand darauf.

Die Blicke irre schweifen
Von seines Schiffes Rand.
Ein blutigroter Streifen
Sich um das Haupt ihm wand.

Der sprach: »Da oben stehet
Ein Schlößlein überm Rhein,
Die an dem Fenster stehet:
Das ist die Liebste mein.

Sie hat mir Treu versprochen,
Bis ich gekommen sei,
Sie hat die Treu gebrochen,
Und alles ist vorbei.«

Viel Hochzeitleute drehen
Sich oben laut und bunt,
Sie bleibet einsam stehen
Und lauschet in den Grund.

Und wie sie tanzen munter,
Und Schiff und Schiffer schwand,
Stieg sie vom Schloß herunter,
Bis sie im Garten stand.

Die Spielleut musizierten,
Sie sann gar mancherlei,
Die Töne sie so rührten,
Als müßt das Herz entzwei.

Da trat ihr Bräutgam süße
Zu ihr aus stiller Nacht,
So freundlich er sie grüßte,
Daß ihr das Herze lacht.

Er sprach: »Was willst du weinen,
Weil alle fröhlich sein?
Die Stern so helle scheinen,
So lustig geht der Rhein.

Das Kränzlein in den Haaren
Steht dir so wunderfein,
Wir wollen etwas fahren
Hinunter auf dem Rhein.«

Zum Kahn folgt' sie behende,
Setzt' sich ganz vorne hin,
Er setzt' sich an das Ende
Und ließ das Schifflein ziehn.

Sie sprach: »Die Töne kommen
Verworren durch den Wind,
Die Fenster sind verglommen,
Wir fahren so geschwind.

Was sind das für so lange
Gebirge weit und breit?
Mir wird auf einmal bange
In dieser Einsamkeit!

Und fremde Leute stehen
Auf mancher Felsenwand,
Und stehen still und sehen
So schwindlig übern Rand.« –

Der Bräutgam schien so traurig
Und sprach kein einzig Wort,
Schaut' in die Wellen schaurig
Und rudert' immerfort.

Sie sprach: »Schon seh ich Streifen
So rot im Morgen stehn,
Und Stimmen hör ich schweifen,
Vom Ufer Hähne krähn.

Du siehst so still und wilde,
So bleich wird dein Gesicht,
Mir graut vor deinem Bilde –
Du bist mein Bräutgam nicht!« –

Da stand er auf – das Sausen
Hielt an in Flut und Wald –
Es rührt mit Lust und Grausen
Das Herz ihr die Gestalt.

Und wie mit steinern'n Armen
Hob er sie auf voll Lust,
Drückt ihren schönen, warmen
Leib an die eis'ge Brust. –

Licht wurden Wald und Höhen,
Der Morgen schien blutrot,
Das Schifflein sah man gehen,
Die schöne Braut drin tot.

JOSEPH VON EICHENDORFF

Der Kehraus

Es fiedeln die Geigen,
Da tritt in den Reigen
Ein seltsamer Gast,
Kennt keiner den Dürren,
Galant aus dem Schwirren
Die Braut er sich faßt.

Hebt an, sich zu schwenken
In allen Gelenken.
Das Fräulein im Kranz:
»Euch knacken die Beine – «
»Bald rasseln auch deine,
Frisch auf, spielt zum Tanz!«

Die Spröde hinterm Fächer,
Der Zecher vom Becher,
Der Dichter so lind
Muß auch mit zum Tanze,
Daß die Lorbeern vom Kranze
Fliegen im Wind.

So schnurret der Reigen
Zum Saal raus ins Schweigen
Der prächtigen Nacht,
Die Klänge verwehen,
Die Hähne schon krähen,
Da verstieben sie sacht. –

So gings schon vorzeiten
Und geht es noch heute,
Und hörest du hell

Aufspielen zum Reigen,
Wer weiß, wem sie geigen –
Hüt dich, Gesell!

Waldgespräch

»Es ist schon spät, es wird schon kalt,
Was reitst du einsam durch den Wald?
Der Wald ist lang, du bist allein,
Du schöne Braut! Ich führ dich heim!«

»Groß ist der Männer Trug und List,
Vor Schmerz mein Herz gebrochen ist,
Wohl irrt das Waldhorn her und hin,
O flieh! du weißt nicht, wer ich bin.«

»So reich geschmückt ist Roß und Weib,
So wunderschön der junge Leib,
Jetzt kenn ich dich – Gott steh mir bei!
Du bist die Hexe Lorelei.«

»Du kennst mich wohl – von hohem Stein
Schaut still mein Schloß tief in den Rhein.
Es ist schon spät, es wird schon kalt,
Kommst nimmermehr aus diesem Wald!«

JOSEPH VON EICHENDORFF

Die verlorene Braut

Vater und Kind gestorben
Ruhten im Grabe tief,
Die Mutter hatt erworben
Seitdem ein ander Lieb.

Da droben auf dem Schlosse,
Da schallt das Hochzeitsfest,
Da lachts und wiehern Rosse,
Durchs Grün ziehn bunte Gäst.

Die Braut schaut' ins Gefilde
Noch einmal vom Altan,
Es sah so ernst und milde
Sie da der Abend an.

Rings waren schon verdunkelt
Die Täler und der Rhein,
In ihrem Brautschmuck funkelt'
Nur noch der Abendschein.

Sie hörte Glocken gehen
Im weiten, tiefen Tal,
Es bracht der Lüfte Wehen
Fern übern Wald den Schall.

Sie dacht: »O falscher Abend!
Wen das bedeuten mag?
Wen läuten sie zu Grabe
An meinem Hochzeitstag?«

Sie hört' im Garten rauschen
Die Brunnen immerdar,

Und durch der Wälder Rauschen
Ein Singen wunderbar.

Sie sprach: »Wie wirres Klingen
Kommt durch die Einsamkeit,
Das Lied wohl hört' ich singen
In alter, schöner Zeit.«

Es klang, als wollt sie's rufen
Und grüßen tausendmal –
So stieg sie von den Stufen,
So kühle rauscht' das Tal.

So zwischen Weingehängen
Stieg sinnend sie ins Land
Hinunter zu den Klängen,
Bis sie im Walde stand.

Dort ging sie, wie in Träumen,
Im weiten, stillen Rund,
Das Lied klang in den Bäumen,
Von Quellen rauscht' der Grund. –

Derweil von Mund zu Munde
Durchs Haus, erst heimlich sacht,
Und lauter geht die Kunde:
»Die Braut irrt in der Nacht!«

Der Bräutgam tät erbleichen,
Er hört im Tal das Lied,
Ein dunkelrotes Zeichen
Ihm von der Stirne glüht.

Und Tanz und Jubel enden,
Er und die Gäst im Saal,

Windlichter in den Händen,
Sich stürzen in das Tal.

Da schweifen rote Scheine,
Schall nun und Rosseshuf,
Es hallen die Gesteine
Rings von verwornem Ruf.

Doch einsam irrt die Fraue
Im Walde schön und bleich,
Die Nacht hat tiefes Grauen,
Das ist von Sternen so reich.

Und als sie war gelanget
Zum allerstillsten Grund,
Ein Kind am Felsenhange
Dort freundlich lächelnd stund.

Das trug in seinen Locken
Einen weißen Rosenkranz,
Sie schaut' es an erschrocken
Beim irren Mondesglanz.

»Solch Augen hat das meine,
Ach meines bist du nicht,
Das ruht ja unterm Steine,
Den niemand mehr zerbricht.

Ich weiß nicht, was mir grauset,
Blick nicht so fremd auf mich!
Ich wollt, ich wär zu Hause.« –
»Nach Hause führ ich dich.«

Sie gehn nun miteinander,
So trübe weht der Wind,

Die Fraue sprach im Wandern:
»Ich weiß nicht, wo wir sind.

Wen tragen sie beim Scheine
Der Fackeln durch die Schluft?
O Gott, der stürzt' vom Steine
Sich tot in dieser Kluft!«

Das Kind sagt: »Den sie tragen,
Dein Bräutgam heute war,
Er hat meinen Vater erschlagen,
's ist diese Stund ein Jahr.

Wir alle müssens büßen,
Bald wird es besser sein,
Der Vater läßt dich grüßen,
Mein liebes Mütterlein.«

Ihr schauerts durch die Glieder:
»Du bist mein totes Kind!
Wie funkeln die Sterne nieder,
Jetzt weiß ich, wo wir sind.« –

Da löst' sie Kranz und Spangen,
Und über ihr Angesicht
Perlen und Tränen rannen,
Man unterschied sie nicht.

Und über die Schultern nieder
Rollten die Locken sacht,
Verdunkelnd Augen und Glieder
Wie eine prächtige Nacht.

Ums Kind den Arm geschlagen,
Sank sie ins Gras hinein –

Dort hatten sie erschlagen
Den Vater im Gestein.

Die Hochzeitsgäste riefen
Im Walde auf und ab,
Die Gründe alle schliefen,
Nur Echo Antwort gab.

Und als sich leis erhoben
Der erste Morgenduft,
Hörten die Hirten droben
Ein Singen in stiller Luft.

GUSTAV SCHWAB

Der Reiter und der Bodensee

Der Reiter reitet durchs helle Tal,
Auf Schneefeld schimmert der Sonne Strahl.

Er trabet im Schweiß durch den kalten Schnee,
Er will noch heut an den Bodensee,

Noch heut mit dem Pferd in den sichern Kahn,
Will drüben landen vor Nacht noch an.

Auf schlimmem Weg, über Dorn und Stein,
Er braust auf rüstigem Roß feldein.

Aus den Bergen heraus, ins ebene Land,
Da sieht er den Schnee sich dehnen, wie Sand.

Weit hinter ihm schwinden Dorf und Stadt,
Der Weg wird eben, die Bahn wird glatt.

In weiter Fläche kein Bühl, kein Haus,
Die Bäume gingen, die Felsen aus.

So flieget er hin eine Meil, und zwei,
Er hört in den Lüften der Schneegans Schrei;

Es flattert das Wasserhuhn empor,
Nicht anderen Laut vernimmt sein Ohr.

Keinen Wandersmann sein Auge schaut,
Der ihm den rechten Pfad vertraut.

Fort gehts, wie auf Samt, auf dem weichen Schnee.
Wann rauscht das Wasser? wann glänzt der See?

Da bricht der Abend, der frühe, herein:
Von Lichtern blinket ein ferner Schein.

Es hebt aus dem Nebel sich Baum an Baum,
Und Hügel schließen den weiten Raum.

Er spürt auf dem Boden Stein und Dorn,
Dem Rosse gibt er den scharfen Sporn.

Und Hunde bellen empor am Pferd,
Und es winkt im Dorf ihm der warme Herd.

»Willkommen am Fenster, Mägdelein,
An den See, an den See, wie weit mags sein?«

Die Maid, sie staunet den Reiter an:
»Der See liegt hinter dir und der Kahn.

Und deckt' ihn die Rinde von Eis nicht zu,
Ich spräch, aus dem Nachen stiegest du.«

Der Fremde schaudert, er atmet schwer:
»Dort hinten die Ebne, die ritt ich her!«

Da recket die Magd die Arm in die Höh:
»Herr Gott! so rittest du über den See!

An den Schlund, an die Tiefe bodenlos
Hat gepocht des rasenden Hufes Stoß!

Und unter dir zürnten die Wasser nicht?
Nicht krachte hinunter die Rinde dicht?

Und du wardst nicht die Speise der stummen Brut,
Der hungrigen Hecht' in der kalten Flut?«

Sie rufet das Dorf herbei zu der Mär,
Es stellen die Knaben sich um ihn her.

Die Mütter, die Greise, sie sammeln sich:
»Glückseliger Mann, ja segne du dich!

Herein zum Ofen, zum dampfenden Tisch!
Brich mit uns das Brot und iß vom Fisch!«

Der Reiter erstarret auf seinem Pferd,
Er hat nur das erste Wort gehört.

Es stocket sein Herz, es sträubt sich sein Haar,
Dicht hinter ihm grinst noch die grause Gefahr.

Es siehet sein Blick nur den gräßlichen Schlund,
Sein Geist versinkt in den schwarzen Grund.

Im Ohr ihm donnerts wie krachend Eis,
Wie die Well umrieselt ihn kalter Schweiß.

Da seufzt er, da sinkt er vom Roß herab,
Da ward ihm am Ufer ein trocken Grab.

AUGUST GRAF VON PLATEN

Der Pilgrim vor St. Just

Nacht ists, und Stürme sausen für und für;
Hispanische Mönche, schließt mir auf die Tür!

Laßt hier mich ruhn, bis Glockenton mich weckt,
Der zum Gebet euch in die Kirche schreckt!

Bereitet mir, was euer Haus vermag,
Ein Ordenskleid und einen Sarkophag!

Gönnt mir die kleine Zelle, weiht mich ein!
Mehr als die Hälfte dieser Welt war mein.

Das Haupt, das nun der Schere sich bequemt,
Mit mancher Krone wards bediademt.

Die Schulter, die der Kutte nun sich bückt,
Hat kaiserlicher Hermelin geschmückt.

Nun bin ich vor dem Tod den Toten gleich
Und fall in Trümmer wie das alte Reich.

Harmosan

Schon war gesunken in den Staub der Sassaniden alter Thron,
Es plündert Mosleminenhand das schätzereiche Ktesiphon—:

Schon langt am Oxus Omar an, nach manchem durchgekämpften Tag,
Wo Chosrus Enkel Jesdegerd auf Leichen eine Leiche lag.

Und als die Beute mustern ging Medinas Fürst auf weitem Plan,
Ward ein Satrap vor ihn geführt, er hieß mit Namen Harmosan;
Der letzte, der im Hochgebirg dem kühnen Feind sich widersetzt;
Doch, ach, die sonst so tapfre Hand trug eine schwere Kette jetzt!

Und Omar blickt ihn finster an und spricht: »Erkennst du nun, wie sehr
Vergeblich ist vor unserm Gott der Götzendiener Gegenwehr?«
Und Harmosan erwidert ihm: »In deinen Händen ist die Macht,
Wer einem Sieger widerspricht, der widerspricht mit Unbedacht.

Nur eine Bitte wag ich noch, abwägend dein Geschick und meins:
Drei Tage focht ich ohne Trunk, laß reichen einen Becher Weins!«
Und auf des Feldherrn leisen Wink steht ihm sogleich ein Trunk bereit;
Doch Harmosan befürchtet Gift und zaudert eine kleine Zeit.

»Was zagst du«, ruft der Sarazen, »nie täuscht ein Moslem seinen Gast;
Nicht eher sollst du sterben, Freund, als bis du dies getrunken hast!«
Da greift der Perser nach dem Glas, und, statt zu trinken, schleudert hart
Zu Boden er's auf einen Stein mit rascher Geistesgegenwart.

Und Omars Mannen stürzen schon mit blankem Schwert auf ihn heran,
Zu strafen ob der Hinterlist den allzu schlauen Harmosan;
Doch wehrt der Feldherr ihnen ab und spricht sodann: »Er lebe fort!
Wenn was auf Erden heilig ist, so ist es eines Helden Wort!«

HEINRICH HEINE

Die Grenadiere

Nach Frankreich zogen zwei Grenadier,
Die waren in Rußland gefangen.
Und als sie kamen ins deutsche Quartier,
Sie ließen die Köpfe hangen.

Da hörten sie beide die traurige Mär:
Daß Frankreich verloren gegangen,
Besiegt und zerschlagen das große Heer, –
Und der Kaiser, der Kaiser gefangen.

Da weinten zusammen die Grenadier
Wohl ob der kläglichen Kunde.
Der eine sprach: »Wie weh wird mir,
Wie brennt meine alte Wunde!«

Der andre sprach: »Das Lied ist aus,
Auch ich möcht mit dir sterben,
Doch hab ich Weib und Kind zu Haus,
Die ohne mich verderben.«

»Was schert mich Weib, was schert mich Kind!
Ich trage weit beßres Verlangen;
Laß sie betteln gehn, wenn sie hungrig sind –
Mein Kaiser, mein Kaiser gefangen!«

»Gewähr mir, Bruder, eine Bitt:
Wenn ich jetzt sterben werde,

So nimm meine Leiche nach Frankreich mit,
Begrab mich in Frankreichs Erde.

Das Ehrenkreuz am roten Band
Sollst du aufs Herz mir legen;
Die Flinte gib mir in die Hand,
Und gürt mir um den Degen.

So will ich liegen und horchen still,
Wie eine Schildwach, im Grabe,
Bis einst ich höre Kanonengebrüll
Und wiehernder Rosse Getrabe.

Dann reitet mein Kaiser wohl über mein Grab,
Viel Schwerter klirren und blitzen;
Dann steig ich gewaffnet hervor aus dem Grab –
Den Kaiser, den Kaiser zu schützen!«

Belsatzar

Die Mitternacht zog näher schon;
In stummer Ruh lag Babylon.

Nur oben in des Königs Schloß,
Da flackerts, da lärmt des Königs Troß.

Dort oben in dem Königssaal
Belsatzar hielt sein Königsmahl.

Die Knechte saßen in schimmernden Reihn
Und leerten die Becher mit funkelndem Wein.

Es klirrten die Becher, es jauchzten die Knecht;
So klang es dem störrigen Könige recht.

Des Königs Wangen leuchten Glut;
Im Wein erwuchs ihm kecker Mut.

Und blindlings reißt der Mut ihn fort,
Und er lästert die Gottheit mit sündigem Wort.

Und er brüstet sich frech und lästert wild;
Die Knechtenschar ihm Beifall brüllt.

Der König rief mit stolzem Blick;
Der Diener eilt und kehrt zurück.

Er trug viel gülden Gerät auf dem Haupt;
Das war aus dem Tempel Jehovahs geraubt.

Und der König ergriff mit frevler Hand
Einen heilgen Becher, gefüllt bis am Rand.

Und er leert ihn hastig bis auf den Grund
Und rufet laut mit schäumendem Mund:

»Jehovah, dir künd ich auf ewig Hohn –
Ich bin der König von Babylon!«

Doch kaum das grause Wort verklang,
Dem König wards heimlich im Busen bang.

Das gellende Lachen verstummte zumal;
Es wurde leichenstill im Saal.

Und sieh! und sieh! an weißer Wand
Da kams hervor wie Menschenhand

Und schrieb und schrieb an weißer Wand
Buchstaben von Feuer und schrieb und schwand.

Der König stieren Blicks da saß
Mit schlotternden Knien und totenblaß.

Die Knechtenschar saß kalt durchgraut
Und saß gar still, gab keinen Laut.

Die Magier kamen, doch keiner verstand
Zu deuten die Flammenschrift an der Wand.

Belsatzar ward aber in selbiger Nacht
Von seinen Knechten umgebracht.

Ritter Olaf

I

Vor dem Dome stehn zwei Männer,
Tragen beide rote Röcke,
Und der eine ist der König,
Und der Henker ist der andre.

Und zum Henker spricht der König:
»Am Gesang der Pfaffen merk ich,
Daß vollendet schon die Trauung –
Halt bereit dein gutes Richtbeil.«

Glockenklang und Orgelrauschen,
Und das Volk strömt aus der Kirche;

Bunter Festzug, in der Mitte
Die geschmückten Neuvermählten.

Leichenblaß und bang und traurig
Schaut die schöne Königstochter;
Keck und heiter schaut Herr Olaf,
Und sein roter Mund, der lächelt.

Und mit lächelnd rotem Munde
Spricht er zu dem finstern König:
»Guten Morgen, Schwiegervater,
Heut ist dir mein Haupt verfallen.

Sterben soll ich heut – O, laß mich
Nur bis Mitternacht noch leben,
Daß ich meine Hochzeit feire
Mit Bankett und Fackeltänzen.

Laß mich leben, laß mich leben,
Bis geleert der letzte Becher,
Bis der letzte Tanz getanzt ist –
Laß bis Mitternacht mich leben!«

Und zum Henker spricht der König:
»Unserm Eidam sei gefristet
Bis um Mitternacht sein Leben –
Halt bereit dein gutes Richtbeil.«

II

Herr Olaf sitzt beim Hochzeitschmaus,
Er trinkt den letzten Becher aus.
An seine Schulter lehnt
Sein Weib und stöhnt –
Der Henker steht vor der Türe.

Der Reigen beginnt und Herr Olaf erfaßt
Sein junges Weib, mit wilder Hast
Sie tanzen beim Fackelglanz
Den letzten Tanz –
Der Henker steht vor der Türe.

Die Geigen geben so lustigen Klang,
Die Flöten seufzen so traurig und bang!
Wer die beiden tanzen sieht,
Dem erbebt das Gemüt –
Der Henker steht vor der Türe.

Und wie sie tanzen im dröhnenden Saal,
Herr Olaf flüstert zu seinem Gemahl:
»Du weißt nicht, wie lieb ich dich hab –
So kalt ist das Grab« –
Der Henker steht vor der Türe.

III

Herr Olaf, es ist Mitternacht,
Dein Leben ist verflossen!
Du hattest eines Fürstenkinds
In freier Lust genossen.

Die Mönche murmeln das Totengebet,
Der Mann im roten Rocke,
Er steht mit seinem blanken Beil
Schon vor dem schwarzen Blocke.

Herr Olaf steigt in den Hof hinab,
Da blinken viel Schwerter und Lichter.
Es lächelt des Ritters roter Mund,
Mit lächelndem Munde spricht er:

»Ich segne die Sonne, ich segne den Mond,
Und die Stern, die am Himmel schweifen;
Ich segne auch die Vögelein,
Die in den Lüften pfeifen.

Ich segne das Meer, ich segne das Land,
Und die Blumen auf der Aue;
Ich segne die Veilchen, sie sind so sanft
Wie die Augen meiner Fraue.

Ihr Veilchenaugen meiner Frau,
Durch euch verlier ich mein Leben!
Ich segne auch den Holunderbaum,
Wo du dich mir ergeben.«

Begegnung

Wohl unter der Linde erklingt die Musik,
Da tanzen die Burschen und Mädel,
Da tanzen zwei, die niemand kennt,
Sie schaun so schlank und edel.

Sie schweben auf, sie schweben ab
In seltsam fremder Weise,
Sie lachen sich an, sie schütteln das Haupt,
Das Fräulein flüstert leise:

»Mein schöner Junker, auf Eurem Hut
Schwankt eine Neckenlilje,
Die wächst nur tief in Meeresgrund –
Ihr stammt nicht aus Adams Familie.

Ihr seid der Wassermann, Ihr wollt
Verlocken des Dorfes Schönen.
Ich hab Euch erkannt, beim ersten Blick,
An Euren fischgrätigen Zähnen.«

Sie schweben auf, sie schweben ab
In seltsam fremder Weise,
Sie lachen sich an, sie schütteln das Haupt,
Der Junker flüstert leise:

»Mein schönes Fräulein, sagt mir, warum
So eiskalt Eure Hand ist?
Sagt mir, warum so naß der Saum
An Eurem weißen Gewand ist?

Ich hab Euch erkannt, beim ersten Blick,
An Eurem spöttischen Knixe –
Du bist kein irdisches Menschenkind,
Du bist mein Mühmchen, die Nixe.«

Die Geigen verstummen, der Tanz ist aus,
Es trennen sich höflich die beiden.
Sie kennen sich leider viel zu gut,
Suchen sich jetzt zu vermeiden.

Die Flucht

Die Meeresfluten blitzen,
Bestrahlt vom Mondenschein.
Im schwanken Kahne sitzen
Zwei Buhlen, die schiffen allein.

»Du wirst ja blaß und blasser,
Du Herzallerliebste mein!« –
»Geliebter! dort ruderts im Wasser,
Mein Vater holt uns ein.« –

»Wir wollen zu schwimmen versuchen,
Du Herzallerliebste mein!« –
»Geliebter! ich hör ihn schon fluchen,
Ich höre ihn toben und schrein.« –

»Halt nur den Kopf in die Höhe,
Du Herzallerliebste mein!« –
»Geliebter! Das Wasser, o wehe,
Dringt mir in die Ohren hinein.« –

»Es werden steif mir die Füße,
O Herzallerliebste mein!« –
»Geliebter! der Tod muß süße
In deinen Armen sein.«

Das Sklavenschiff

I

Der Superkargo Mynher van Koek
Sitzt rechnend in seiner Kajüte;
Er kalkuliert der Ladung Betrag
Und die probabeln Profite.

»Der Gummi ist gut, der Pfeffer ist gut,
Dreihundert Säcke und Fässer;
Ich habe Goldstaub und Elfenbein –
Die schwarze Ware ist besser.

Sechshundert Neger tauschte ich ein
Spottwohlfeil am Senegalflusse.
Das Fleisch ist hart, die Sehnen sind stramm,
Wie Eisen vom besten Gusse.

Ich hab zum Tausche Branntewein,
Glasperlen und Stahlzeug gegeben;
Gewinne daran achthundert Prozent,
Bleibt mir die Hälfte am Leben.

Bleiben mir Neger dreihundert nur
Im Hafen von Rio-Janeiro,
Zahlt dort mir hundert Dukaten per Stück
Das Haus Gonzales Perreiro.«

Da plötzlich wird Mynher van Koek
Aus seinen Gedanken gerissen;
Der Schiffschirurgius tritt herein,
Der Doktor van der Smissen.

Das ist eine klapperdürre Figur,
Die Nase voll roter Warzen –
»Nun, Wasserfeldscherer«, ruft van Koek,
»Wie gehts meinen lieben Schwarzen?«

Der Doktor dankt der Nachfrage und spricht:
»Ich bin zu melden gekommen,
Daß heute nacht die Sterblichkeit
Bedeutend zugenommen.

Im Durchschnitt starben täglich zwei,
Doch heute starben sieben,
Vier Männer, drei Frauen – Ich hab den Verlust
Sogleich in die Kladde geschrieben.

Ich inspizierte die Leichen genau;
Denn diese Schelme stellen
Sich manchmal tot, damit man sie
Hinabwirft in die Wellen.

Ich nahm den Toten die Eisen ab;
Und wie ich gewöhnlich tue,
Ich ließ die Leichen werfen ins Meer
Des Morgens in der Fruhe.

Es schossen alsbald hervor aus der Flut
Haifische, ganze Heere,
Sie lieben so sehr das Negerfleisch;
Das sind meine Pensionäre.

Sie folgten unseres Schiffes Spur,
Seit wir verlassen die Küste;
Die Bestien wittern den Leichengeruch
Mit schnupperndem Fraßgelüste.

Es ist possierlich anzusehn,
Wie sie nach den Toten schnappen!
Die faßt den Kopf, die faßt das Bein,
Die andern schlucken die Lappen.

Ist alles verschlungen, dann tummeln sie sich
Vergnügt um des Schiffes Planken
Und glotzen mich an, als wollten sie
Sich für das Frühstück bedanken.«

Doch seufzend fällt ihm in die Red
Van Koek: »Wie kann ich lindern
Das Übel? wie kann ich die Progression
Der Sterblichkeit verhindern?«

Der Doktor erwidert: »Durch eigne Schuld
Sind viele Schwarze gestorben;
Ihr schlechter Odem hat die Luft
Im Schiffsraum so sehr verdorben.

Auch starben viele durch Melancholie,
Dieweil sie sich tödlich langweilen;
Durch etwas Luft, Musik und Tanz
Läßt sich die Krankheit heilen.«

Da ruft van Koek: »Ein guter Rat!
Mein teurer Wasserfeldscherer
Ist klug wie Aristoteles,
Des Alexanders Lehrer.

Der Präsident der Sozietät
Der Tulpenveredlung im Delfte
Ist sehr gescheit, doch hat er nicht
Von Eurem Verstande die Hälfte.

Musik! Musik! Die Schwarzen solln
Hier auf dem Verdecke tanzen.
Und wer sich beim Hopsen nicht amüsiert,
Den soll die Peitsche kuranzen.«

2

Hoch aus dem blauen Himmelszelt
Viel tausend Sterne schauen,
Sehnsüchtig glänzend, groß und klug,
Wie Augen von schönen Frauen.

Sie blicken hinunter in das Meer,
Das weithin überzogen
Mit phosphorstrahlendem Purpurduft;
Wollüstig girren die Wogen.

Kein Segel flattert am Sklavenschiff,
Es liegt wie abgetakelt;
Doch schimmern Laternen auf dem Verdeck,
Wo Tanzmusik spektakelt.

Die Fiedel streicht der Steuermann,
Der Koch, der spielt die Flöte,
Ein Schiffsjung schlägt die Trommel dazu,
Der Doktor bläst die Trompete.

Wohl hundert Neger, Männer und Fraun,
Sie jauchzen und hopsen und kreisen
Wie toll herum; bei jedem Sprung
Taktmäßig klirren die Eisen.

Sie stampfen den Boden mit tobender Lust,
Und manche schwarze Schöne
Umschlingt wollüstig den nackten Genoß –
Dazwischen ächzende Töne.

Der Büttel ist maître des plaisirs,
Und hat mit Peitschenhieben
Die lässigen Tänzer stimuliert,
Zum Frohsinn angetrieben.

Und Dideldumdei und Schnedderedeng!
Der Lärm lockt aus den Tiefen
Die Ungetüme der Wasserwelt,
Die dort blödsinnig schliefen.

Schlaftrunken kommen geschwommen heran
Haifische, viele hundert;
Sie glotzen nach dem Schiff hinauf,
Sie sind verdutzt, verwundert.

Sie merken, daß die Frühstückstund
Noch nicht gekommen, und gähnen,
Aufsperrend den Rachen; die Kiefer sind
Bepflanzt mit Sägezähnen.

Und Dideldumdei und Schnedderedeng –
Es nehmen kein Ende die Tänze.
Die Haifische beißen vor Ungeduld
Sich selber in die Schwänze.

Ich glaube, sie lieben nicht die Musik,
Wie viele von ihrem Gelichter.
Trau keiner Bestie, die nicht liebt
Musik! sagt Albions großer Dichter.

Und Schnedderedeng und Dideldumdei –
Die Tänze nehmen kein Ende.
Am Fockmast steht Mynher van Koek
Und faltet betend die Hände:

»Um Christi willen verschone, o Herr,
Das Leben der schwarzen Sünder!
Erzürnten sie dich, so weißt du ja,
Sie sind so dumm wie die Rinder.

Verschone ihr Leben um Christi willn,
Der für uns alle gestorben!
Denn bleiben mir nicht dreihundert Stück,
So ist mein Geschäft verdorben.«

ANNETTE VON DROSTE-HÜLSHOFF

Der Graf von Thal

Das war der Graf von Thal,
So ritt an der Felsenwand;
Das war sein ehlich Gemahl,
Die hinter dem Steine stand.

Sie schaut' im Sonnenstrahl
Hinunter den linden Hang.
»Wo bleibt der Graf von Thal?
Ich hört ihn doch reiten entlang!

Ob das ein Hufschlag ist?
Vielleicht ein Hufschlag fern?
Ich weiß doch wohl ohne List[1],
Ich hab gehört meinen Herrn!«

Sie bog zurück den Zweig.
»Bin blind ich oder auch taub?«
Sie blinzelt in das Gesträuch
Und horcht' auf das rauschende Laub.

Öd wars, im Hohlweg leer,
Einsam im rispelnden Wald;
Doch überm Weiher, am Wehr,
Da fand sie den Grafen bald.

In seinen Schatten sie trat.
Er und seine Gesellen,
Die flüstern und halten Rat.
Viel lauter rieseln die Wellen.

[1] aufrichtig, bestimmt

Sie starrten über das Land,
Genau sie spähten, genau,
Sahn jedes Zweiglein am Strand,
Doch nicht am Wehre die Frau.

Zur Erde blickte der Graf,
So sprach der Graf von Thal:
»Seit dreizehn Jahren den Schlaf
Rachlose Schmach mir stahl.

War das ein Seufzer lind?
Gesellen, wer hats gehört?«
Sprach Kurt: »Es ist nur der Wind,
Der über das Schilfblatt fährt.« – –

»So schwör ich beim höchsten Gut,
Und wärs mein ehlich Weib,
Und wärs meines Bruders Blut,
Viel minder mein eigner Leib:

Nichts soll mir wenden den Sinn,
Daß ich die Rache ihm spar;
Der Freche soll werden inn',
Zins tragen auch dreizehn Jahr.

Bei Gott! das war ein Gestöhn!«
Sie schossen die Blicke in Hast.
Sprach Kurt: »Es ist der Föhn,
Der macht seufzen den Tannenast.« –

»Und ist sein Aug auch blind,
Und ist sein Haar auch grau,
Und mein Weib seiner Schwester Kind –«
Hier tat einen Schrei die Frau.

Wie Wetterfahnen schnell
Die dreie wendeten sich.
»Zurück, zurück, mein Gesell!
Dieses Weibes Richter bin ich.

Hast du gelauscht, Allgund?
Du schweigst, du blickst zur Erd?
Das bringt dir bittre Stund!
Allgund, was hast du gehört?« –

»Ich lausch deines Rosses Klang,
Ich späh deiner Augen Schein,
So kam ich hinab den Hang.
Nun tue, was not mag sein.« –

»O Frau!« sprach Jakob Port,
»Da habt Ihr schlimmes Spiel!
Grad sprach der Herr ein Wort,
Das sich vermaß gar viel.«

Sprach Kurt: »Ich sag es rund,
Viel lieber den Wolf im Stall,
Als eines Weibes Mund
Zum Hüter in solchem Fall.«

Da sah der Graf sie an,
Zu einem und zu zwein;
Drauf sprach zur Fraue der Mann:
»Wohl weiß ich, du bist mein.

Als du gefangen lagst
Um mich ein ganzes Jahr
Und keine Silbe sprachst:
Da ward deine Treue mir klar.

So schwöre mir denn sogleich:
Sei's wenig oder auch viel,
Was du vernahmst am Teich,
Dir sei's wie Rauch und Spiel.

Als seie nichts geschehn,
So muß ich völlig meinen;
Darf dich nicht weinen sehn,
Darfst mir nicht bleich erscheinen.

Denk nach, denk nach, Allgund!
Was zu verheißen[1] not.
Die Wahrheit spricht dein Mund,
Ich weiß, und brächt es Tod.«

Und konnte sie sich besinnen,
Verheißen[1] hätte sie's nie;
So war sie halb von Sinnen,
Sie schwur und wußte nicht wie.

*

Und als das Morgengrau
In die Kemnate sich stahl,
Da hatte die werte Frau
Geseufzt schon manches Mal;

Manch Mal gerungen die Hand,
Ganz heimlich wie ein Dieb;
Rot war ihrer Augen Rand,
Todblaß ihr Antlitz lieb.

Drei Tage kredenzt' sie den Wein
Und saß beim Mahle drei Tag,
Drei Nächte in steter Pein
In der Waldkapelle sie lag.

[1] versprechen, geloben

Wenn er die Wacht besorgt,
Der Torwart sieht sie gehn,
Im Walde steht und horcht
Der Wilddieb dem Gestöhn.

Am vierten Abend sie saß
An ihres Herren Seit,
Sie dreht' die Spindel, er las,
Dann sahn sie auf, alle beid.

»Allgund, bleich ist dein Mund!«
»Herr, 's macht der Lampe Schein.«
»Deine Augen sind rot, Allgund!«
»'s drang Rauch vom Herde hinein.

Auch macht mirs schlimmen Mut,
Daß heut vor fünfzehn Jahren
Ich sah meines Vaters Blut;
Gott mag die Seele wahren!

Lang ruht die Mutter im Dom,
Sind wen'ge mir verwandt,
Ein' Muhm noch und ein Ohm:
Sonst ist mir keins bekannt.«

Starr sah der Graf sie an:
»Es steht dem Weibe fest,
Daß um den ehlichen Mann
Sie Ohm und Vater läßt.«

»Ja, Herr! so muß es sein.
Ich gäb um Euch die zweie
Und mich noch obendrein,
Wenns sein müßt, ohne Reue.

Doch daß nun dieser Tag
Nicht gleich den andern sei,
Lest, wenn ich bitten mag,
Ein Sprüchlein oder zwei.«

Und als die Fraue klar
Darauf das heilige Buch
Bot ihrem Gatten dar,
Es auf von selber schlug.

Mit einem Blicke er maß
Der nächsten Sprüche einen;
»Mein ist die Rach«, er las;
Das will ihm seltsam scheinen.

Doch wie so fest der Mann
Auf Frau und Bibel blickt,
Die saß so still und spann,
Dort war kein Blatt geknickt.

Um ihren schönen Leib
Den Arm er düster schlang:
»So nimm die Laute, Weib,
Sing mir einen lustgen Sang!« –

»O Herr! mags Euch behagen,
Ich sing ein Liedlein wert,
Das erst vor wenig Tagen
Mich ein Minstrel[1] gelehrt.

Der kam so matt und bleich,
Wollt nur ein wenig ruhn
Und sprach: im oberen Reich
Sing man nichts anderes nun.«

[1] Sänger, Spielmann

Drauf, wie ein Schrei verhallt,
Es durch die Kammer klingt,
Als ihre Finger kalt
Sie an die Saiten bringt:

»Johann! Johann!*was dachtest du
An jenem Tag,
Als du erschlugst deine eigne Ruh
Mit einem Schlag?
Verderbtest auch mit dir zugleich
Deine drei Gesellen;
O, sieh nun ihre Glieder bleich
Am Monde schwellen!

Weh dir, was dachtest du, Johann,
Zu jener Stund?
Nun läuft von dir verlornem Mann
Durchs Reich die Kund!
Ob dich verbergen mag der Wald,
Dich wirds ereilen;
Horch nur, die Vögel singens bald,
Die Wölf es heulen!

O weh! das hast du nicht gedacht,
Johann! Johann!
Als du die Rache wahr gemacht
Am alten Mann.
Und wehe! nimmer wird der Fluch
Mit dir begraben,
Dir, der den Ohm und Herrn erschlug,
Johann von Schwaben!«

* Johann von Schwaben, gen. Parricida (1290–1313), Enkel Rudolfs von Habsburg, ermordete 1308 seinen Onkel, König Albrecht I.

Aufrecht die Fraue bleich
Vor ihrem Gatten stand,
Der nimmt die Laute gleich,
Er schlägt sie an die Wand.

Und als der Schall verklang,
Da hört man noch zuletzt,
Wie er die Hall entlang
Den zorngen Fußtritt setzt.

*

Von heut am siebenten Tag
Das war eine schwere Stund,
Als am Balkone lag
Auf ihren Knien Allgund.

Laut waren des Herzens Schläge:
»O Herr! erbarme dich mein,
Und bracht ich Böses zuwege,
Mein sei die Buß allein.«

Dann beugt sie[1] tief hinab,
Sie horcht und horcht und lauscht:
Vom Wehre tost es herab,
Vom Forste drunten es rauscht.

War das ein Fußtritt? nein!
Der Hirsch setzt über die Kluft.
Sollt ein Signal das sein?
Doch nein, der Auerhahn ruft.

»O mein Erlöser, mein Hort!
Ich bin mit Sünde beschwert,
Sei gnädig und nimm mich fort,
Eh heim mein Gatte gekehrt!

[1] beugt sie sich

Ach, wen der Böse umgarnt,
Dem alle Kraft er bricht!
Doch hab ich ja nur gewarnt,
Verraten, verraten ja nicht!

Weh! das sind Rossestritte.«
Sie sah sie fliegen durchs Tal
Mit wildem grimmigen Ritte,
Sie sah auch ihren Gemahl.

Sie sah ihn dräuen, genau,
Sie sah ihn ballen die Hand;
Da sanken die Knie der Frau,
Da rollte sie über den Rand.

Und als, zum Schlimmen entschlossen,
Der Graf sprengt' in das Tor,
Kam Blut entgegen geflossen,
Drang unterm Gitter hervor.

Und als er die Hände sah falten
Sein Weib in letzter Not,
Da konnt er den Zorn nicht halten,
Bleich ward sein Gesicht so rot.

»Weib, das den Tod sich erkor!«
»'s war nicht mein Wille«, sie sprach,
Noch eben bracht sie's hervor.
»Weib, das seine Schwüre brach!«

Wie Abendlüfte verwehen,
Noch einmal haucht' sie ihn an:
»Es mußt eine Sünd geschehen –
Ich hab sie für dich getan!«

ANNETTE VON DROSTE-HÜLSHOFF

Das Fräulein von Rodenschild

Sind denn so schwül die Nächt im April?
Oder ist so siedend jungfräulich Blut?
Sie schließt die Wimper, sie liegt so still
Und horcht des Herzens pochender Flut.
»O will es denn nimmer und nimmer tagen?
O will denn nicht endlich die Stunde schlagen?
Ich wache, und selbst der Seiger ruht!

Doch horch! es summt, eins, zwei und drei –
Noch immer fort? – sechs, sieben und acht,
Elf, zwölf – o Himmel, war das ein Schrei?
Doch nein, Gesang steigt über der Wacht,
Nun wird mirs klar, mit frommem Munde
Begrüßt das Hausgesinde die Stunde,
Anbrach die hochheilige Osternacht.«

Seitab das Fräulein die Kissen stößt
Und wie eine Hinde vom Lager setzt,
Sie hat des Mieders Schleifen gelöst,
Ins Häubchen drängt sie die Locken jetzt,
Dann leise das Fenster öffnend, leise,
Horcht sie der mählich schwellenden Weise,
Vom wimmernden Schrei der Eule durchsetzt.

O dunkel die Nacht! und schaurig der Wind!
Die Fahnen wirbeln am knarrenden Tor –
Da tritt aus der Halle das Hausgesind
Mit Blendlaternen und einzeln vor.
Der Pförtner dehnet sich, halb schon träumend,
Am Dochte zupfet der Jäger säumend,
Und wie ein Oger gähnet der Mohr.

Was ist? – Wie das auseinander schnellt!
In Reihen ordnen die Männer sich,
Und eine Wacht vor die Dirnen stellt
Die graue Zofe sich ehrbarlich.
»Ward ich gesehn an des Vorhangs Lücke?
Doch nein, zum Balkone starren die Blicke,
Nun langsam wenden die Häupter sich.

O weh, meine Augen! bin ich verrückt?
Was gleitet entlang das Treppengeländ?
Hab ich nicht so aus dem Spiegel geblickt?
Das sind meine Glieder – welch ein Geblend!
Nun hebt es die Hände, wie Zwirnes Flocken,
Das ist mein Strich über Stirn und Locken!
Weh, bin ich toll, oder nahet mein End?«

Das Fräulein erbleicht und wieder erglüht,
Das Fräulein wendet die Blicke nicht,
Und leise rührend die Stufen zieht
Am Steingelände das Nebelgesicht,
In seiner Rechten trägt es die Lampe,
Ihr Flämmchen zittert über der Rampe,
Verdämmernd, blau, wie ein Elfenlicht.

Nun schwebt es unter dem Sternendom,
Nachtwandlern gleich in Traumes Geleit,
Nun durch die Reihen zieht das Phantom,
Und jeder tritt einen Schritt zur Seit. –
Nun lautlos gleitets über die Schwelle –
Nun wieder drinnen erscheint die Helle,
Hinauf sich windend die Stiegen breit.

Das Fräulein hört das Gemurmel nicht,
Sieht nicht die Blicke, stier und verscheucht,
Fest folgt ihr Auge dem bläulichen Licht,

Wie dunstig über die Scheiben es streicht.
– Nun ists im Saale, nun im Archive –
Nun steht es still an der Nische Tiefe –
Nun matter, matter – ha! es erbleicht!

»Du sollst mir stehen! ich will dich fahn!«
Und wie ein Aal die beherzte Maid
Durch Nacht und Krümmen schlüpft ihre Bahn,
Hier droht ein Stoß, dort häkelt das Kleid,
Leis tritt sie, leise, o Geistersinne
Sind scharf! daß nicht das Gesicht entrinne!
Ja, mutig ist sie, bei meinem Eid!

Ein dunkler Rahmen, Archives Tor;
– Ha, Schloß und Riegel! – sie steht gebannt,
Sacht, sacht das Auge und dann das Ohr
Drückt zögernd sie an der Spalte Rand,
Tiefdunkel drinnen – doch einem Rauschen
Der Pergamente glaubt sie zu lauschen
Und einem Streichen entlang der Wand.

So niederkämpfend des Herzens Schlag,
Hält sie den Odem, sie lauscht, sie neigt –
Was dämmert ihr zur Seite gemach?
Ein Glühwurmleuchten – es schwillt, es steigt,
Und Arm an Arme, auf Schrittes Weite,
Lehnt das Gespenst an der Pforte Breite,
Gleich ihr zur Nachbarspalte gebeugt.

Sie fährt zurück – das Gebilde auch –
Dann tritt sie näher – so die Gestalt –
Nun stehen die beiden, Auge in Aug,
Und bohren sich an mit Vampires Gewalt.
Das gleiche Häubchen decket die Locken,

Das gleiche Linnen, wie Schnees Flocken,
Gleich ordnungslos um die Glieder wallt.

Langsam das Fräulein die Rechte streckt,
Und langsam, wie aus der Spiegelwand,
Sich Linie um Linie entgegen reckt
Mit gleichem Rubine die gleiche Hand;
Nun rührt sichs – die Lebendige spüret,
Als ob ein Luftzug schneidend sie rühret,
Der Schemen dämmert – zerrinnt – entschwand.

*

Und wo im Saale der Reihen fliegt,
Da siehst ein Mädchen du, schön und wild,
– Vor Jahren hats eine Weile gesiecht –
Das stets in den Handschuh die Rechte hüllt.
Man sagt, kalt sei sie wie Eises Flimmer,
Doch lustig die Maid, sie hieß ja immer:
»Das tolle Fräulein von Rodenschild«.

Die Schwestern

I

Sacht pochet der Käfer im morschen Schrein,
Der Mond steht über den Fichten.
»Jesus Maria, wo mag sie sein!
Hin will meine Angst mich richten.
Helene, Helene, was ließ ich dich gehn
Allein zur Stadt mit den Hunden,
Du armes Kind, das sterbend mir
Auf die Seele die Mutter gebunden!«

Und wieder rennt Gertrude den Weg
Hinauf bis über die Steige.
Hier ist ein Tobel – sie lauscht am Steg,
Ein Strauch – sie rüttelt am Zweige.
Da drunten summet es elf im Turm,
Gertrude kniet an der Halde:
»Du armes Blut, du verlassener Wurm!
Wo magst du irren im Walde!«

Und zitternd löst sie den Rosenkranz
Von ihres Gürtels Gehänge,
Ihr Auge starret in trübem Glanz,
Ob es die Dämmerung sprenge.
»Ave Maria – ein Licht, ein Licht!
Sie kommt, 's ist ihre Laterne!
– Ach Gott, es ist nur ein Hirtenfeur,
Jetzt wirft es flatternde Sterne.

Vater unser, der du im Himmel bist,
Geheiliget werde dein Name« –
Es rauscht am Hange, – »Heiliger Christ!« –
Es bricht und knistert im Brahme,
Und drüber streckt sich ein schlanker Hals,
Zwei glänzende Augen starren.
»Ach Gott, es ist eine Hinde nur,
Jetzt setzt sie über die Farren.«

Gertrude klimmt die Halde hinauf,
Sie steht an des Raines Mitte.
Da – täuscht ihr Ohr? – ein flüchtiger Lauf,
Behend galoppierende Tritte –
Und um sie springt es in wüstem Kreis
Und funkelt mit freudgem Gestöhne.
»Fidel, Fidel!« so flüstert sie leis,
Dann ruft sie schluchzend: »Helene!«

»Helene!« schallt es am Felsenhang,
»Helen'!« von des Waldes Kante,
Es war ein einsamer, trauriger Klang,
Den heimwärts die Echo sandte.
Wo drunten im Tobel das Mühlrad wacht,
Die staubigen Knecht' an der Wanne,
Die haben gehorcht die ganze Nacht
Auf das irre Gespenst im Tanne.

Sie hörten sein Rufen von Stund zu Stund,
Sahn seiner Laterne Geflimmer
Und schlugen ein Kreuz auf Brust und Mund,
Zog über den Tobel der Schimmer.
Und als die Müllerin Reisig las
Frühmorgens an Waldes Saume,
Da fand sie die arme Gertrud im Gras,
Die ängstlich zuckte im Traume.

II

Wie rollt in den Gassen das Marktgebraus!
Welch ein Getümmel, Geblitze!
Hanswurst schaut über die Bude hinaus
Und winkt mit der klingelnden Mütze;
Karossen rasseln, der Trinker jucht,
Und Mädchen schrein im Gedränge,
Drehorgeln pfeifen, der Kärrner flucht,
O Babels würdige Klänge!

Da tritt ein Weib aus der Ladentür,
Eine schlichte Frau von den Flühen,
Die stieß an den klingenden Harlekin schier
Und hat nicht gelacht noch geschrieen.
Ihr mattes Auge sucht auf dem Grund,

Als habe sie etwas verloren,
Und hinter ihr trabt ein zottiger Hund,
Verdutzt, mit hängenden Ohren.

»Zurück, Verwegne! siehst du denn nicht
Den Wagen, die schnaubenden Braunen?«
Schon dampfen die Nüstern ihr am Gesicht,
Da fährt sie zurück mit Staunen
Und ist noch über die Rinne grad
Mit raschem Sprunge gewichen,
Als an die Schürze das klirrende Rad
In wirbelndem Schwunge gestrichen.

Noch ein Moment – sie taumelt, erbleicht,
Und dann ein plötzlich Erglühen. –
O schau, wie durch das Gewühl sie keucht
Mit Armen und Händen und Knieen!
Sie rudert, sie windet sich – Stoß auf Stoß,
Scheltworte und Flüche wie Schloßen –
Das Fürtuch reißt, dann flattert es los
Und ist in die Rinne geflossen.

Nun steht sie vor einem stattlichen Haus,
Ohne Schuh, besudelt mit Kote;
Dort hält die Karosse, dort schnauben aus
Die Braunen und rauchen wie Schlote.
Der Schlag ist offen, und eben sieht
Sie im Portale verschwinden
Eines Kleides Falte, die purpurn glüht,
Und den Schleier, segelnd in Winden.

»Ach!« flüstert Gertrude, »was hab ich gemacht?
Ich bin wohl verrückt geworden!
Kein Trost bei Tag, keine Ruh bei Nacht,
Das kann die Sinne schon morden.«

Da poltert es schreiend die Stiegen hinab,
Ein Fußtritt aus dem Portale,
Und wimmernd rollt von der Rampe herab
Ihr Hund, der zottige, fahle.

»Ja«, seufzt Gertrude, »nun ist es klar,
Ich bin eine Irre leider!«
Erglühend streicht sie zurück ihr Haar
Und ordnet die staubigen Kleider.
»Wie sah ich so deutlich ihr liebes Gesicht,
So deutlich am Schlage doch ragen!
Allein in Ewigkeit hätte sie nicht
Den armen Fidel geschlagen.«

III

Zehn Jahre! – und mancher, der keck umher
Die funkelnden Blicke geschossen,
Der schlägt sie heute zu Boden schwer,
Und mancher hat sie geschlossen.
Am Hafendamme geht eine Frau,
– Mich dünkt, wir müssen sie kennen –
Ihr Haar einst schwarz, nun schillerndes Grau,
Und hohl die Wangen ihr brennen.

Im Topfe trägt sie den Honigwab,
Zergehend in Julius-Hitze;
Die Trägerin trocknet den Schweiß sich ab
Und ruft dem hinkenden Spitze.
Der sie bestellte, den Schiffspatron
Sieht über die Planke sie kommen;
Wird er ihr kümmern den kargen Lohn?
Gertrude denkt es beklommen.

Doch nein, wo sich die Matrosen geschart,
Zum Strande sieht sie ihn schreiten,
Er schüttelt das Haupt, er streicht den Bart
Und scheint auf die Welle zu deuten.
Und schau den Spitz! er schnuppert am Grund –
»Was suchst du denn in den Gleisen?
Fidel, Fidel!« fort strauchelt der Hund
Und heulet wie Wölfe im Eisen.

Barmherziger Himmel! ihr wird so bang,
Sie watet im brennenden Sande,
Und wieder erhebt sich so hohl und lang
Des Hundes Geheul vom Strande.
O Gott, eine triefende Leich im Kies,
Eine Leich mit dem Auge des Stieres!
Und drüber kreucht das zottige Vließ
Des lahmen, wimmernden Tieres!

Gertrude steht, sie starret herab,
Mit Blicken irrer und irrer,
Dann beugt sie über die Leiche hinab,
Mit Lächeln wirrer und wirrer,
Sie wiegt das Haupt bald so, bald so,
Sie flüstert mit zuckendem Munde,
Und eh die zweite Minute entfloh,
Da liegt sie knieend am Grunde.

Sie faßt der Toten geschwollene Hand,
Ihr Haar voll Muscheln und Tange,
Sie faßt ihr triefend zerlumptes Gewand
Und säubert von Kiese die Wange;
Dann sachte schiebt sie das Tuch zurück,
Recht wo die Schultern sich runden,
So stier und bohrend verweilt ihr Blick,
Als habe sie etwas gefunden.

Nun zuckt sie auf, erhebt sich jach
Und stößt ein wimmernd Gestöhne,
Grad eben, als der Matrose sprach:
»Das ist die blonde Helene!
Noch jüngst juchheite sie dort vorbei
Mit trunknen Soldaten am Strande.«
Da tat Gertrud einen hohlen Schrei
Und sank zusammen im Sande.

IV

Jüngst stand ich unter den Föhren am See,
Meinen Büchsenspanner zur Seite.
Vom Hange schmählte das brünstige Reh
Und strich durch des Aufschlags Breite;
Ich hörte es knistern so nah und klar,
Grad wo die Lichtung verdämmert,
Daß mich gestöret der Holzwurm gar,
Der unterm Fuße mir hämmert.

Dann sprang es ab, es mochte die Luft
Ihm unsere Witterung tragen;
»Herr«, sprach der Bursche, »links über die Kluft!
Wir müssen zur Linken uns schlagen!
Hier naht kein Wild, wo sie eingescharrt
Die tolle Gertrud vom Gestade,
Ich höre genau, wie der Holzwurm pocht
In ihrer zerfallenden Lade.«

Zur Seite sprang ich, eisig durchgraut,
Mir war, als hab ich gesündigt,
Indes der Bursch mit flüsterndem Laut
Die schaurige Märe verkündigt:
Wie jene gesucht bei Tag und Nacht

Nach dem fremden, ertrunkenen Weibe,
Das ihr der tückische See gebracht,
Verloren an Seele und Leibe.

Ob ihres Blutes? – man wußte es nicht!
Kein Fragen löste das Schweigen.
Doch schlief die Welle, dann sah ihr Gesicht
Man über den Spiegel sich beugen,
Und zeigte er ihr das eigne Bild,
Dann flüsterte sie beklommen:
»Wie alt sie sieht, wie irre und wild,
Und wie entsetzlich verkommen!«

Doch wenn der Sturm die Woge gerührt,
Dann war sie vom Bösen geschlagen,
Was sie für bedenkliche Reden geführt,
Das möge er lieber nicht sagen.
So war sie gerannt vor Jahresfrist,
– Man sah's vom lavierenden Schiffe –
Zur Brandung, wo sie am hohlsten ist,
Und kopfüber gefahren vom Riffe.

Drum scharrte man sie ins Dickicht dort,
Wie eine verlorene Seele.
Ich schwieg und sandte den Burschen fort,
Brach mir vom Grab eine Schmehle:
Du armes, gehetztes Wild der Pein,
Wie mögen die Menschen dich richten!
– Sacht pochte der Käfer im morschen Schrein,
Der Mond stand über den Fichten.

Vorgeschichte (Second Sight)

Kennst du die Blassen im Heideland,
Mit blonden flächsenen Haaren?
Mit Augen so klar, wie an Weihers Rand
Die Blitze der Welle fahren?
O, sprich ein Gebet, inbrünstig, echt,
Für die Seher der Nacht, das gequälte Geschlecht.

So klar die Lüfte, am Äther rein
Träumt nicht die zarteste Flocke,
Der Vollmond lagert den blauen Schein
Auf des schlafenden Freiherrn Locke,
Hernieder bohrend in kalter Kraft
Die Vampirzunge, des Strahles Schaft.

Der Schläfer stöhnt, ein Traum voll Not
Scheint seine Sinne zu quälen,
Es zuckt die Wimper, ein leises Rot
Will über die Wange sich stehlen;
Schau, wie er woget und rudert und fährt,
Wie einer, so gegen den Strom sich wehrt.

Nun zuckt er auf – ob ihm geträumt,
Nicht kann er sich dessen entsinnen –
Ihn fröstelt, fröstelt, obs drinnen schäumt,
Wie Fluten zum Strudel rinnen;
Was ihn geängstet, er weiß es auch:
Es war des Mondes giftiger Hauch.

O Fluch der Heide, gleich Ahasver
Unterm Nachtgestirne zu kreisen!
Wenn seiner Strahlen züngelndes Meer

Aufbohret der Seele Schleusen,
Und der Prophet, ein verzweifelnd Wild,
Kämpft gegen das mählich steigende Bild.

Im Mantel schaudernd mißt das Parkett
Der Freiherr die Läng und Breite,
Und wo am Boden ein Schimmer steht,
Weit aus er beuget zur Seite,
Er hat einen Willen und hat eine Kraft,
Die sollen nicht liegen in Blutes Haft.

Es will ihn krallen, es saugt ihn an,
Wo Glanz die Scheiben umgleitet,
Doch langsam weichend, Spann um Spann,
Wie ein wunder Edelhirsch schreitet,
In immer engerem Kreis gehetzt,
Des Lagers Pfosten ergreift er zuletzt.

Da steht er keuchend, sinnt und sinnt,
Die müde Seele zu laben,
Denkt an sein liebes, einziges Kind,
Seinen zarten, schwächlichen Knaben,
Ob dessen Leben des Vaters Gebet
Wie eine zitternde Flamme steht.

Hat er des Kleinen Stammbaum doch
Gestellt an des Lagers Ende,
Nach dem Abendkusse und Segen noch
Drüber brünstig zu falten die Hände;
Im Monde flimmernd das Pergament
Zeigt Schild an Schilder, schier ohne End.

Rechtsab des eigenen Blutes Gezweig,
Die alten freiherrlichen Wappen,
Drei Rosen im Silberfelde bleich,

Zwei Wölfe, schildhaltende Knappen,
Wo Ros an Rose sich breitet und blüht,
Wie überm Fürsten der Baldachin glüht.

Und links der milden Mutter Geschlecht,
Der Frommen in Grabeszellen,
Wo Pfeil' an Pfeile, wie im Gefecht,
Durch blaue Lüfte sich schnellen.
Der Freiherr seufzt, die Stirn gesenkt,
Und – steht am Fenster, bevor er's denkt.

Gefangen! gefangen im kalten Strahl!
In dem Nebelnetze gefangen!
Und fest gedrückt an der Scheib Oval,
Wie Tropfen am Glase hangen,
Verfallen sein klares Nixenaug
Der Heidequal in des Mondes Hauch.

Welch ein Gewimmel! – er muß es sehn,
Ein Gemurmel! er muß es hören,
Wie eine Säule, so muß er stehn,
Kann sich nicht regen noch kehren.
Es summt im Hofe ein dunkler Hauf,
Und einzelne Laute dringen hinauf.

Hei! eine Fackel! sie tanzt umher,
Sich neigend, steigend in Bogen,
Und nickend, zündend, ein Flammenheer
Hat den weiten Estrich umzogen.
All schwarze Gestalten im Trauerflor,
Die Fackeln schwingen und halten empor.

Und alle gereihet am Mauerrand,
Der Freiherr kennet sie alle;
Der hat ihm so oft die Büchse gespannt,

Der pflegte die Ross' im Stalle,
Und der so lustig die Flasche leert,
Den hat er siebenzehn Jahre genährt.

Nun auch der würdige Kastellan,
Die breite Pleureuse am Hute,
Den sieht er langsam, schlurfend nahn,
Wie eine gebrochene Rute;
Noch deckt das Pflaster die dürre Hand,
Versengt erst gestern an Herdes Brand.

Ha, nun das Roß! aus des Stalles Tür,
In schwarzem Behang und Flore;
Oh, ists Achill, das getreue Tier?
Oder ists seines Knaben Medore?
Er starret, starrt und sieht nun auch,
Wie es hinkt, vernagelt nach altem Brauch.

Entlang der Mauer das Musikchor,
In Krepp gehüllt die Posaunen,
Haucht prüfend leise Kadenzen hervor,
Wie träumende Winde raunen;
Dann alles still. O Angst! o Qual!
Es tritt der Sarg aus des Schlosses Portal.

Wie prahlen die Wappen, farbig grell
Am schwarzen Sammet der Decke.
Ha! Ros' an Rose, der Todesquell
Hat gespritzet blutige Flecke!
Der Freiherr klammert das Gitter an:
»Die andre Seite!« stöhnet er dann.

Da langsam wenden die Träger, blank
Mit dem Monde die Schilder kosen.
»Oh«, – seufzt der Freiherr – »Gott sei Dank!

Kein Pfeil, kein Pfeil, nur Rosen!«
Dann hat er die Lampe still entfacht
Und schreibt sein Testament in der Nacht.

Der Tod des Erzbischofs Engelbert von Köln

I

Der Anger dampft, es kocht die Ruhr,
Im scharfen Ost die Halme pfeifen,
Da trabt es sachte durch die Flur,
Da taucht es auf wie Nebelstreifen,
Da nieder rauscht es in den Fluß,
Und stemmend gen der Wellen Guß
Es fliegt der Bug, die Hufe greifen.

Ein Schnauben noch, ein Satz, und frei
Das Roß schwingt seine nassen Flanken,
Und wieder eins, und wieder zwei,
Bis fünfundzwanzig stehn wie Schranken:
Voran, voran durch Heid und Wald,
Und wo sich wüst das Dickicht ballt,
Da brechen knisternd sie die Ranken.

Am Eichenstamm, im Überwind,
Um einen Ast den Arm geschlungen,
Der Isenburger steht und sinnt
Und naget an Erinnerungen.
Ob er vernimmt, was durchs Gezweig
Ihm Rinkerad, der Ritter bleich,
Raunt leise wie mit Vögelzungen?

»Graf«, flüstert es, »Graf, haltet dicht,
Mich dünkt, als woll es Euch betören;
Bei Christi Blute, laßt uns nicht
Heim wie gepeitschte Hunde kehren!
Wer hat gefesselt Eure Hand,
Den freien Stegreif Euch verrannt?«
Der Isenburg scheint nicht zu hören.

»Graf«, flüstert es, »wer war der Mann,
Dem zu dem Kreuz die Rose paßte?*
Wer machte Euren Schwäher dann
In seinem eignen Land zum Gaste?
Und, Graf, wer höhnte Euer Recht,
Wer stempelt' Euch zum Pfaffenknecht?« –
Der Isenburg biegt an dem Aste.

»Und wer, wer hat Euch zuerkannt,
Im härnen Sünderhemd zu stehen,
Die Schandekerz in Eurer Hand,
Und alte Vetteln anzuflehen
Um Kyrie und Litanei?« –
Da krachend bricht der Ast entzwei
Und wirbelt in des Sturmes Wehen.

Spricht Isenburg: »Mein guter Fant,
Und meinst du denn, ich sei begraben?
Oh, laß mich nur in meiner Hand –
Doch ruhig, still, ich höre traben!«
Sie stehen lauschend, vorgebeugt:
Durch das Gezweig der Helmbusch steigt
Und flattert drüber gleich dem Raben.

* Zu dem Kreuz von Köln die Rose, das Wappen von Berg, dessen Besitz Engelbert dem Bruder von Isenburgs Gemahlin vorenthielt.

II

Wie dämmerschaurig ist der Wald
An neblichten Novembertagen,
Wie wunderlich die Wildnis hallt
Von Astgestöhn und Windesklagen!
»Horch, Knabe, war das Waffenklang?«
»Nein, gnädiger Herr! ein Vogelsang,
Von Sturmesflügeln hergetragen.«

Fort trabt der mächtige Prälat,
Der kühne Erzbischof von Köllen,
Er, den der Kaiser sich zum Rat
Und Reichsverweser mochte stellen,
Die ehrne Hand der Klerisei –
Zwei Edelknaben, Reisger zwei
Und noch drei Äbte als Gesellen.

Gelassen trabt er fort, im Traum
Von eines Wunderdomes Schöne,
Auf seines Rosses Hals den Zaum,
Er streicht ihm sanft die dichte Mähne,
Die Windesodem senkt und schwellt;
Es schaudert, wenn ein Tropfen fällt
Von Ast und Laub, des Nebels Träne.

Schon schwindelnd steigt das Kirchenschiff,
Schon bilden sich die krausen Zacken –
Da, horch, ein Pfiff und hui ein Griff,
Ein Helmbusch hier, ein Arm im Nacken!
Wie Schwarzwildrudel brichts heran,
Die Äbte fliehn wie Spreu, und dann
Mit Reisigen sich Reisge packen.

Ha, schnöder Strauß! zwei gegen zehn!
Doch hat der Fürst sich losgerungen,
Er peitscht sein Tier, und mit Gestöhn
Hats übern Hohlweg sich geschwungen;
Die Gerte pfeift – – »Weh, Rinkerad!«
Vom Rosse gleitet der Prälat
Und ist ins Dickicht dann gedrungen.

»Hussah, hussah, erschlagt den Hund,
Den stolzen Hund!« und eine Meute
Fährts in den Wald, es schließt ein Rund,
Dann vor- und rückwärts und zur Seite;
Die Zweige krachen – ha, es naht –
Am Buchenstamm steht der Prälat
Wie ein gestellter Eber heute.

Er blickt verzweifelnd auf sein Schwert,
Er löst die kurze breite Klinge,
Dann prüfend untern Mantel fährt
Die Linke nach dem Panzerringe;
Und nun wohlan, er ist bereit,
Ja, männlich focht der Priester heut,
Sein Streich war eine Flammenschwinge.

Das schwirrt und klingelt durch den Wald,
Die Blätter stäuben von den Eichen,
Und über Arm und Schädel bald
Blutrote Rinnen tröpfeln, schleichen;
Entwaffnet der Prälat noch ringt,
Der starke Mann, da zischend dringt
Ein falscher Dolch ihm in die Weichen.

Ruft Isenburg: »Es ist genug,
Es ist zuviel!« und greift die Zügel;
Noch sah er, wie ein Knecht ihn schlug,

Und riß den Wicht am Haar vom Bügel.
»Es ist zuviel, hinweg, geschwind!«
Fort sind sie, und ein Wirbelwind
Fegt ihnen nach wie Eulenflügel. –

Des Sturmes Odem ist verrauscht,
Die Tropfen glänzen an dem Laube,
Und über Blutes Lachen lauscht
Aus hohem Loch des Spechtes Haube;
Was knistert nieder von der Höh
Und schleppt sich wie ein krankes Reh?
Ach, armer Knabe, wunde Taube!

»Mein gnädiger, mein lieber Herr,
So mußten dich die Mörder packen?
Mein frommer, o mein Heiliger!«
Das Tüchlein zerrt er sich vom Nacken,
Er drückt es auf die Wunde dort,
Und hier und drüben, immerfort,
Ach, Wund an Wund und blutge Zacken!

»Ho, hollah, ho!« dann beugt er sich
Und späht, ob noch der Odem rege;
Wars nicht, als wenn ein Seufzer schlich,
Als wenn ein Finger sich bewege?
»Ho, hollah, ho!« – »Hallo, hoho!«
Schallts wiederum, des war er froh:
»Sind unsre Reiter allewege!«

III

Zu Köln am Rheine kniet ein Weib
Am Rabensteine unterm Rade,
Und überm Rade liegt ein Leib,
An dem sich weiden Kräh und Made;

Zerbrochen ist sein Wappenschild,
Mit Trümmern seine Burg gefüllt,
Die Seele steht bei Gottes Gnade.

Den Leib des Fürsten hüllt der Rauch
Von Ampeln und von Weihrauchschwelen –
Um seinen qualmt der Moderhauch,
Und Hagel peitscht der Rippen Höhlen;
Im Dome steigt ein Trauerchor,
Und ein Tedeum stieg empor
Bei seiner Qual aus tausend Kehlen.

Und wenn das Rad der Bürger sieht,
Dann läßt er rasch sein Rößlein traben,
Doch eine bleiche Frau, die kniet
Und scheucht mit ihrem Tuch die Raben:
Um sie mied er die Schlinge nicht.
Er war ihr Held, er war ihr Licht –
Und, ach! der Vater ihrer Knaben!

Der Knabe im Moor

O schaurig ists, übers Moor zu gehn,
Wenn es wimmelt vom Heiderauche,
Sich wie Phantome die Dünste drehn
Und die Ranke häkelt am Strauche,
Unter jedem Tritte ein Quellchen springt,
Wenn aus der Spalte es zischt und singt –
O, schaurig ists, übers Moor zu gehn,
Wenn das Röhricht knistert im Hauche!

Fest hält die Fibel das zitternde Kind
Und rennt, als ob man es jage;
Hohl über die Fläche sauset der Wind –
Was raschelt drüben am Hage?
Das ist der gespenstische Gräberknecht,
Der dem Meister die besten Torfe verzecht;
Hu, hu, es bricht wie ein irres Rind!
Hinducket das Knäblein zage.

Vom Ufer starret Gestumpf hervor,
Unheimlich nicket die Föhre,
Der Knabe rennt, gespannt das Ohr,
Durch Riesenhalme wie Speere;
Und wie es rieselt und knittert darin!
Das ist die unselige Spinnerin,
Das ist die gebannte Spinnlenor',
Die den Haspel dreht im Geröhre!

Voran, voran, nur immer im Lauf,
Voran, als woll es ihn holen!
Vor seinem Fuße brodelt es auf,
Es pfeift ihm unter den Sohlen
Wie eine gespenstige Melodei;
Das ist der Geigenmann ungetreu,
Das ist der diebische Fiedler Knauf,
Der den Hochzeitheller gestohlen!

Da birst das Moor, ein Seufzer geht
Hervor aus der klaffenden Höhle;
Weh, weh, da ruft die verdammte Margret:
»Ho, ho, meine arme Seele!«
Der Knabe springt wie ein wundes Reh;
Wär nicht Schutzengel in seiner Näh,
Seine bleichenden Knöchelchen fände spät
Ein Gräber im Moorgeschwele.

Da mählich gründet der Boden sich,
Und drüben, neben der Weide,
Die Lampe flimmert so heimatlich,
Der Knabe steht an der Scheide.
Tief atmet er auf, zum Moor zurück
Noch immer wirft er den scheuen Blick:
Ja, im Geröhre wars fürchterlich,
O, schaurig wars in der Heide!

Die Vergeltung

I

Der Kapitän steht an der Spiere,
Das Fernrohr in gebräunter Hand,
Dem schwarzgelockten Passagiere
Hat er den Rücken zugewandt.
Nach einem Wolkenstreif in Sinnen
Die beiden wie zwei Pfeiler sehn,
Der Fremde spricht: »Was braut da drinnen?« –
»Der Teufel«, brummt der Kapitän.

Da hebt von morschen Balkens Trümmer
Ein Kranker seine feuchte Stirn,
Des Äthers Blau, der See Geflimmer,
Ach, alles quält sein fiebernd Hirn!
Er läßt die Blicke, schwer und düster,
Entlängs dem harten Pfühle gehn,
Die eingegrabnen Worte liest er:
»Batavia. Fünfhundertzehn.«

Die Wolke steigt, zur Mittagsstunde
Das Schiff ächzt auf der Wellen Höhn,
Gezisch, Geheul aus wüstem Grunde,
Die Bohlen weichen mit Gestöhn.
»Jesus, Marie! wir sind verloren!«
Vom Mast geschleudert der Matros,
Ein dumpfer Krach in aller Ohren,
Und langsam löst der Bau sich los.

Noch liegt der Kranke am Verdecke,
Um seinen Balken fest geklemmt,
Da kömmt die Flut, und eine Strecke
Wird er ins wüste Meer geschwemmt.
Was nicht geläng der Kräfte Sporne,
Das leistet ihm der starre Krampf,
Und wie ein Narwal mit dem Horne
Schießt fort er durch der Wellen Dampf.

Wie lange so? – er weiß es nimmer,
Dann trifft ein Strahl des Auges Ball,
Und langsam schwimmt er mit der Trümmer
Auf ödem glitzerndem Kristall.
Das Schiff! – die Mannschaft! – sie versanken.
Doch nein, dort auf der Wasserbahn,
Dort sieht den Passagier er schwanken
In einer Kiste morschem Kahn.

Armselge Lade! sie wird sinken,
Er strengt die heisre Stimme an:
»Nur grade! Freund, du drückst zur Linken!«
Und immer näher schwankts heran,
Und immer näher treibt die Trümmer,
Wie ein verwehtes Möwennest;
»Courage!« ruft der kranke Schwimmer,
»Mich dünkt, ich sehe Land im West!«

Nun rühren sich der Fähren Ende,
Er sieht des fremden Auges Blitz,
Da plötzlich fühlt er starke Hände,
Fühlt wütend sich gezerrt vom Sitz.
»Barmherzigkeit! Ich kann nicht kämpfen!«
Er klammert dort, er klemmt sich hier,
Ein heisrer Schrei, den Wellen dämpfen,
Am Balken schwimmt der Passagier.

Dann hat er kräftig sich geschwungen
Und schaukelt durch das öde Blau,
Er sieht das Land wie Dämmerungen
Enttauchen und zergehn in Grau.
Noch lange ist er so geschwommen,
Umflattert von der Möwe Schrei,
Dann hat ein Schiff ihn aufgenommen.
Viktoria! nun ist er frei!

II

Drei kurze Monde sind verronnen,
Und die Fregatte liegt am Strand,
Wo mittags sich die Robben sonnen,
Und Bursche klettern übern Rand,
Den Mädchen ists ein Abenteuer,
Es zu erschaun vom fernen Riff,
Denn noch zerstört, ist nicht geheuer
Das greuliche Korsarenschiff.

Und vor der Stadt, da ist ein Waten,
Ein Wühlen durch das Kiesgeschrill,
Da die verrufenen Piraten
Ein jeder sterben sehen will.
Aus Strandgebälken, morsch, zertrümmert,
Hat man den Galgen, dicht am Meer,

In wüster Eile aufgezimmert.
Dort dräut er von der Düne her!

Welch ein Getümmel an den Schranken!
»Da kömmt der Frei – der Hessel jetzt –
Da bringen sie den schwarzen Franken,
Der hat geleugnet bis zuletzt.« –
»Schiffbrüchig sei er hergeschwommen«,
Höhnt eine Alte, »ei, wie kühn!
Doch keiner sprach zu seinem Frommen,
Die ganze Bande gegen ihn.«

Der Passagier, am Galgen stehend,
Hohläugig, mit zerbrochnem Mut,
Zu jedem Räuber flüstert flehend:
»Was tat dir mein unschuldig Blut?
Barmherzigkeit! – So muß ich sterben
Durch des Gesindels Lügenwort,
O, mög die Seele euch verderben!«
Da zieht ihn schon der Scherge fort.

Er sieht die Menge wogend spalten –
Er hört das Summen im Gewühl –
Nun weiß er, daß des Himmels Walten
Nur seiner Pfaffen Gaukelspiel!
Und als er in des Hohnes Stolze
Will starren nach den Ätherhöhn,
Da liest er an des Galgens Holze:
»Batavia. Fünfhundertzehn.«

NIKOLAUS LENAU

Die Drei

Drei Reiter nach verlorner Schlacht,
Wie reiten sie so sacht, so sacht!

Aus tiefen Wunden quillt das Blut,
Es spürt das Roß die warme Flut.

Vom Sattel tropft das Blut, vom Zaum,
Und spült hinunter Staub und Schaum.

Die Rosse schreiten sanft und weich,
Sonst flöß das Blut zu rasch, zu reich.

Die Reiter reiten dicht gesellt,
Und einer sich am andern hält.

Sie sehn sich traurig ins Gesicht,
Und einer um den andern spricht:

»Mir blüht daheim die schönste Maid,
Drum tut mein früher Tod mir leid.«

»Hab Haus und Hof und grünen Wald,
Und sterben muß ich hier so bald!«

»Den Blick hab ich in Gottes Welt,
Sonst nichts, doch schwer mirs Sterben fällt.«

Und lauernd auf den Todesritt,
Ziehn durch die Luft drei Geier mit.

Sie teilen kreischend unter sich:
»Den speisest du, den du, den ich.«

EDUARD MÖRIKE

Der Feuerreiter

Sehet ihr am Fensterlein
Dort die rote Mütze wieder?
Nicht geheuer muß es sein,
Denn er geht schon auf und nieder.
Und auf einmal welch Gewühle
Bei der Brücke, nach dem Feld!
Horch! das Feuerglöcklein gellt:
    Hinterm Berg,
    Hinterm Berg
Brennt es in der Mühle!

Schaut! da sprengt er wütend schier
Durch das Tor, der Feuerreiter,
Auf dem rippendürren Tier,
Als auf einer Feuerleiter!
Querfeldein! Durch Qualm und Schwüle
Rennt er schon, und ist am Ort!
Drüben schallt es fort und fort:
    Hinterm Berg,
    Hinterm Berg
Brennt es in der Mühle!

Der so oft den roten Hahn
Meilenweit von fern gerochen,
Mit des heilgen Kreuzes Span
Freventlich die Glut besprochen –
Weh! dir grinst vom Dachgestühle
Dort der Feind im Höllenschein.

Gnade Gott der Seele dein!
    Hinterm Berg,
    Hinterm Berg
Rast er in der Mühle!

Keine Stunde hielt es an,
Bis die Mühle borst in Trümmer;
Doch den kecken Reitersmann
Sah man von der Stunde nimmer.
Volk und Wagen im Gewühle
Kehren heim von all dem Graus;
Auch das Glöcklein klinget aus:
    Hinterm Berg,
    Hinterm Berg
Brennts! –

Nach der Zeit ein Müller fand
Ein Gerippe samt der Mützen
Aufrecht an der Kellerwand
Auf der beinern Mähre sitzen:
Feuerreiter, wie so kühle
Reitest du in deinem Grab!
Husch! da fällts in Asche ab.
    Ruhe wohl,
    Ruhe wohl
Drunten in der Mühle!

Die Geister am Mummelsee

Vom Berge was kommt dort um Mitternacht spät
Mit Fackeln so prächtig herunter?
Ob das wohl zum Tanze, zum Feste noch geht?

Mir klingen die Lieder so munter.
O nein!
So sage, was mag es wohl sein?

Das, was du da siehest, ist Totengeleit,
Und was du da hörest, sind Klagen.
Dem König, dem Zauberer, gilt es zu Leid,
Sie bringen ihn wieder getragen.
O weh!
So sind es die Geister vom See!

Sie schweben herunter ins Mummelseetal –
Sie haben den See schon betreten –
Sie rühren und netzen den Fuß nicht einmal –
Sie schwirren in leisen Gebeten –
O schau,
Am Sarge die glänzende Frau!

Jetzt öffnet der See das grünspiegelnde Tor;
Gib acht, nun tauchen sie nieder!
Es schwankt eine lebende Treppe hervor,
Und – drunten schon summen die Lieder.
Hörst du?
Sie singen ihn unten zur Ruh.

Die Wasser, wie lieblich sie brennen und glühn!
Sie spielen in grünendem Feuer;
Es geisten die Nebel am Ufer dahin,
Zum Meere verzieht sich der Weiher –
Nur still!
Ob dort sich nichts rühren will?

Es zuckt in der Mitten – o Himmel! ach hilf!
Nun kommen sie wieder, sie kommen!
Es orgelt im Rohr und es klirret im Schilf;

Nur hurtig, die Flucht nur genommen!
Davon!
Sie wittern, sie haschen mich schon!

Die traurige Krönung

Es war ein König Milesint,
Von dem will ich euch sagen:
Der meuchelte sein Bruderskind,
Wollte selbst die Krone tragen.
Die Krönung ward mit Prangen
Auf Liffey-Schloß begangen.
O Irland! Irland! warest du so blind?

Der König sitzt um Mitternacht
Im leeren Marmorsaale,
Sieht irr in all die neue Pracht,
Wie trunken von dem Mahle.
Er spricht zu seinem Sohne:
»Noch einmal bring die Krone!
Doch schau, wer hat die Pforten aufgemacht?«

Da kommt ein seltsam Totenspiel,
Ein Zug mit leisen Tritten,
Vermummte Gäste groß und viel,
Eine Krone schwankt in Mitten;
Es drängt sich durch die Pforte
Mit Flüstern ohne Worte;
Dem Könige, dem wird so geisterschwül.

Und aus der schwarzen Menge blickt
Ein Kind mit frischer Wunde;

Es lächelt sterbensweh und nickt,
Es macht im Saal die Runde,
Es trippelt zu dem Throne,
Es reichet eine Krone
Dem Könige, des Herze tief erschrickt.

Darauf der Zug von dannen strich,
Von Morgenluft berauschet,
Die Kerzen flackern wunderlich,
Der Mond am Fenster lauschet;
Der Sohn mit Angst und Schweigen
Zum Vater tät sich neigen –
Er neiget über eine Leiche sich.

Zwei Liebchen

Ein Schifflein auf der Donau schwamm,
Drin saßen Braut und Bräutigam,
Er hüben und sie drüben.

Sie sprach: »Herzliebster, sage mir!
Zum Angebind was geb ich dir?«

Sie streift zurück ihr Ärmelein,
Sie greift ins Wasser frisch hinein.

Der Knabe, der tät gleich also
Und scherzt mit ihr und lacht so froh.

»Ach, schöne Frau Done, geb sie mir
Für meinen Schatz eine hübsche Zier!«

Sie zog heraus ein schönes Schwert;
Der Knab hätt lang so eins begehrt.

Der Knab, was hält er in der Hand?
Milchweiß ein köstlich Perlenband.

Er legts ihr um ihr schwarzes Haar;
Sie sah wie eine Fürstin gar.

»Ach, schöne Frau Done, geb sie mir
Für meinen Schatz eine hübsche Zier!«

Sie langt hinein zum andernmal,
Faßt einen Helm von lichtem Stahl.

Der Knab vor Freud entsetzt sich schier,
Fischt ihr einen goldnen Kamm dafür.

Zum dritten sie ins Wasser griff:
Ach weh! da fällt sie aus dem Schiff.

Er springt ihr nach, er faßt sie keck:
Frau Done reißt sie beide weg.

Frau Done hat ihr Schmuck gereut,
Das büßt der Jüngling und die Maid.

Das Schifflein leer hinunterwallt;
Die Sonne sinkt hinter die Berge bald.

Und als der Mond am Himmel stand,
Die Liebchen schwimmen tot ans Land,
Er hüben und sie drüben.

Schön-Rohtraut

Wie heißt König Ringangs Töchterlein?
    Rohtraut, Schön-Rohtraut.
Was tut sie denn den ganzen Tag,
Da sie wohl nicht spinnen und nähen mag?
    Tut fischen und jagen.
O daß ich doch ihr Jäger wär!
Fischen und jagen freute mich sehr.
    – Schweig stille, mein Herze!

Und über eine kleine Weil,
    Rohtraut, Schön-Rohtraut,
So dient der Knab auf Ringangs Schloß
In Jägertracht und hat ein Roß,
    Mit Rohtraut zu jagen.
O daß ich doch ein Königssohn wär!
Rohtraut, Schön-Rohtraut lieb ich so sehr.
    – Schweig stille, mein Herze!

Einstmals sie ruhten am Eichenbaum,
    Da lacht Schön-Rohtraut:
»Was siehst mich an so wunniglich?
Wenn du das Herz hast, küsse mich!«
    Ach! erschrak der Knabe!
Doch denket er: Mir ists vergunnt,
Und küsset Schön-Rohtraut auf den Mund.
    – Schweig stille, mein Herze!

Darauf sie ritten schweigend heim,
    Rohtraut, Schön-Rohtraut;
Es jauchzt der Knab in seinem Sinn:
Und würdst du heute Kaiserin,
    Mich sollts nicht kränken!

Ihr tausend Blätter im Walde wißt,
Ich hab Schön-Rohtrauts Mund geküßt!
– Schweig stille, mein Herze!

FERDINAND FREILIGRATH

Prinz Eugen, der edle Ritter

Zelte, Posten, Werda-Rufer!
Lustge Nacht am Donauufer!
Pferde stehn im Kreis umher
Angebunden an den Pflöcken;
An den engen Sattelböcken
Hangen Karabiner schwer.

Um das Feuer auf der Erde,
Vor den Hufen seiner Pferde
Liegt das östreichsche Pikett.
Auf dem Mantel liegt ein jeder,
Von den Tschakos weht die Feder.
Leutnant würfelt und Kornett.

Neben seinem müden Schecken
Ruht auf einer wollnen Decken
Der Trompeter ganz allein:
»Laßt die Knöchel, laßt die Karten!
Kaiserliche Feldstandarten
Wird ein Reiterlied erfreun!

Vor acht Tagen die Affäre
Hab ich, zu Nutz dem ganzen Heere,
In gehörgen Reim gebracht;
Selber auch gesetzt die Noten;
Drum, ihr Weißen und ihr Roten
Merket auf und gebet acht!«

Und er singt die neue Weise
Einmal, zweimal, dreimal leise
Denen Reitersleuten vor;
Und wie er zum letzten Male
Endet, bricht mit einem Male
Los der volle kräftge Chor:

»Prinz Eugen, der edle Ritter!«
Hei, das klang wie Ungewitter
Weit ins Türkenlager hin.
Der Trompeter tät den Schnurrbart streichen
Und sich auf die Seite schleichen
Zu der Marketenderin.

FRIEDRICH HEBBEL

Das Bettelmädchen

Das Bettelmädchen lauscht am Tor,
Es friert sie gar zu sehr;
Der junge Ritter tritt hervor,
Er wirft ihr hin den Mantel
Und spricht: »Was willst du mehr?«

Das Mädchen sagt kein einzig Wort,
Es friert sie gar zu sehr;
Dann geht sie stolz und glühend fort,
Und läßt den Mantel liegen
Und spricht: »Ich will nichts mehr!«

Der Heideknabe

Der Knabe träumt, man schicke ihn fort
Mit dreißig Talern zum Heide-Ort,
Er ward drum erschlagen am Wege
Und war doch nicht langsam und träge.

Noch liegt er im Angstschweiß, da rüttelt ihn
Sein Meister, und heißt ihm, sich anzuziehn
Und legt ihm das Geld auf die Decke
Und fragt ihn, warum er erschrecke.

»Ach Meister, mein Meister, sie schlagen mich tot,
Die Sonne, sie ist ja wie Blut so rot!«
»Sie ist es für dich nicht alleine,
Drum schnell, sonst mach ich dir Beine!«

»Ach Meister, mein Meister, so sprachst du schon,
Das war das Gesicht, der Blick, der Ton,
Gleich greifst du« – zum Stock, will er sagen,
Er sagts nicht, er wird schon geschlagen.

»Ach Meister, mein Meister, ich geh, ich geh,
Bring meiner Frau Mutter das letzte Ade!
Und sucht sie nach allen vier Winden,
Am Weidenbaum bin ich zu finden!«

Hinaus aus der Stadt! Und da dehnt sie sich,
Die Heide, nebelnd, gespenstiglich,
Die Winde darüber sausend.
»Ach, wär hier ein Schritt wie tausend!«

Und alles so still, und alles so stumm,
Man sieht sich umsonst nach Lebendigem um,
Nur hungrige Vögel schießen
Aus Wolken, um Würmer zu spießen.

Er kommt ans einsame Hirtenhaus,
Der alte Hirt schaut eben heraus,
Des Knaben Angst ist gestiegen,
Am Wege bleibt er noch liegen.

»Ach Hirte, du bist ja von frommer Art,
Vier gute Groschen hab ich gespart,
Gib deinen Knecht mir zur Seite,
Daß er bis zum Dorf mich begleite.

Ich will sie ihm geben, er trinke dafür
Am nächsten Sonntag ein gutes Bier,
　　Dies Geld hier, ich trag es mit Beben,
　　Man nahm mir im Traum drum das Leben!«

Der Hirt, der winkte dem langen Knecht,
Er schnitt sich eben den Stecken zurecht,
　　Jetzt trat er hervor – wie graute
　　Dem Knaben, als er ihn schaute!

»Ach Meister Hirte, ach nein, ach nein,
Es ist doch besser, ich geh allein!«
　　Der Lange sprach grinsend zum Alten:
　　»Er will die vier Groschen behalten.«

»Da sind die vier Groschen!« Er wirft sie hin
Und eilt hinweg mit verstörtem Sinn.
　　Schon kann er die Weide erblicken,
　　Da klopft ihn der Knecht in den Rücken.

»Du hältst es nicht aus, du gehst zu geschwind,
Ei, eile mit Weile, du bist ja noch Kind,
　　Auch muß das Geld dich beschweren,
　　Wer kann dir das Ausruhn verwehren?

Komm, setz dich unter den Weidenbaum,
Und dort erzähl mir den häßlichen Traum;
　　Mir träumte – Gott soll mich verdammen,
　　Triffts nicht mit deinem zusammen!«

Er faßt den Knaben wohl bei der Hand,
Der leistet auch nimmermehr Widerstand,
　　Die Blätter flüstern so schaurig,
　　Das Wässerlein rieselt so traurig!

»Nun sprich, du träumtest« – »Es kam ein Mann –«
»War ich das? Sieh mich doch näher an,
Ich denke, du hast mich gesehen!
Nun weiter, wie ist es geschehen?«

»Er zog ein Messer!« – »War das wie dies?« –
»Ach ja, ach ja!« – »Er zogs?« – »Und stieß –«
»Er stieß dirs wohl so durch die Kehle?
Was hilft es auch, daß ich dich quäle!«

Und fragt ihr, wie's weiter gekommen sei?
So fragt zwei Vögel, sie saßen dabei,
Der Rabe verweilte gar heiter,
Die Taube konnte nicht weiter!

Der Rabe erzählt, was der Böse noch tat,
Und auch, wie's der Henker gerochen hat,
Die Taube erzählt, wie der Knabe
Geweint und gebetet habe.

Das Kind am Brunnen

Frau Amme, Frau Amme, das Kind ist erwacht!
Doch die liegt ruhig im Schlafe.
Die Vöglein zwitschern, die Sonne lacht,
Am Hügel weiden die Schafe.

Frau Amme, Frau Amme, das Kind steht auf,
Es wagt sich weiter und weiter!
Hinab zum Brunnen nimmt es den Lauf,
Da stehen Blumen und Kräuter.

Frau Amme, Frau Amme, der Brunnen ist tief!
Sie schläft, als läge sie drinnen.
Das Kind läuft schnell, wie es nie noch lief,
Die Blumen lockens von hinnen.

Nun steht es am Brunnen, nun ist es am Ziel,
Nun pflückt es die Blumen sich munter;
Doch bald ermüdet das reizende Spiel,
Da schauts in die Tiefe hinunter.

Und unten erblickt es ein holdes Gesicht,
Mit Augen so hell und so süße,
Es ist sein eignes, das weiß es noch nicht;
Viel stumme, freundliche Grüße.

Das Kindlein winkt, der Schatten geschwind
Winkt aus der Tiefe ihm wieder,
»Herauf, herauf!« so meints das Kind,
Der Schatten: »Hernieder, hernieder!«

Schon beugt es sich über den Brunnenrand –
Frau Amme, du schläfst noch immer?

Da fallen die Blumen ihm aus der Hand
Und trüben den lockenden Schimmer.

Verschwunden ist sie, die süße Gestalt,
Verschluckt von der hüpfenden Welle.
Das Kind durchschauerts fremd und kalt,
Und schnell enteilt es der Stelle.

Mitternacht

's ist Mitternacht!
Der eine schläft, der andre wacht.
Er schaut beim blauen Mondenlicht
Dem Schläfer still ins Angesicht;
Drin tut ein böser Traum sich kund,
Wie seltsam zuckt er mit dem Mund!
's ist Mitternacht!
Der eine schläft, der andre wacht.

's ist Mitternacht!
Der eine schläft, der andre wacht.
»So sah der Freund noch nimmer aus,
Er greift zum Dolch, es macht mir Graus,
Er stößt, er lacht – du triffst ja mich!
Erwache doch, ich rüttle dich!«
's ist Mitternacht!
Der andre ist nur halb erwacht!

's ist Mitternacht!
Der andre ist nur halb erwacht!
Er stiert, er ruft: »So lebst du noch,
Verruchter, und ich traf dich doch?
So nimm noch den! Hei! der war gut!
Warm spritzt mir ins Gesicht dein Blut!«
's ist Mitternacht!
Nun schlafen beide, keiner wacht.

FRIEDRICH HEBBEL

's ist Mitternacht!
Sie schlafen beide, keiner wacht!
Du wüste Eul im Eibenbaum,
Du krächztest ihn in diesen Traum,
Nun fängt die häm'sche Dohle an,
Ob sie ihn nicht erwecken kann.
's ist Mitternacht!
Gott gebe, daß er nie erwacht!

EMANUEL GEIBEL

Die Goldgräber

Sie waren gezogen über das Meer,
Nach Glück und Gold stand ihr Begehr,
Drei wilde Gesellen, vom Wetter gebräunt,
Und kannten sich wohl und waren sich freund.

Sie hatten gegraben Tag und Nacht,
Am Flusse die Grube, im Berge den Schacht,
In Sonnengluten und Regengebraus
Bei Durst und Hunger hielten sie aus.

Und endlich, endlich, nach Monden voll Schweiß,
Da sahn aus der Tiefe sie winken den Preis,
Da glüht' es sie an durch das Dunkel so hold,
Mit Blicken der Schlange, das feurige Gold.

Sie brachen es los aus dem finsteren Raum,
Und als sie's faßten, sie hoben es kaum,
Und als sie's wogen, sie jauchzten zugleich:
»Nun sind wir geborgen, nun sind wir reich!«

Sie lachten und kreischten mit jubelndem Schall,
Sie tanzten im Kreis um das blanke Metall,
Und hätte der Stolz nicht bezähmt ihr Gelüst,
Sie hättens mit brünstiger Lippe geküßt.

Sprach Tom, der Jäger: »Nun laßt uns ruhn!
Zeit ists, auf das Mühsal uns gütlich zu tun.

Geh, Sam, und hol uns Speisen und Wein,
Ein lustiges Fest muß gefeiert sein.«

Wie trunken schlenderte Sam dahin
Zum Flecken hinab mit verzaubertem Sinn;
Sein Haupt umnebelnd beschlichen ihn sacht
Gedanken, wie er sie nimmer gedacht.

Die andern saßen am Bergeshang,
Sie prüften das Erz und es blitzt' und es klang.
Sprach Will, der Rote: »Das Gold ist fein;
Nur schade, daß wir es teilen zu Drein!«

»Du meinst?« – »Je nun, ich meine nur so.
Zwei würden des Schatzes besser froh –«
»Doch wenn – « – »Wenn was?« »Nun nehmen wir an,
Sam wäre nicht da« – »Ja, freilich, dann – –«

Sie schwiegen lang; die Sonne glomm
Und gleißt' um das Gold; da murmelte Tom:
»Siehst du die Schlucht dort unten?« – »Warum?«
»Ihr Schatten ist tief und die Felsen sind stumm.«

»Versteh ich dich recht?« – »Was fragst du noch viel!
Wir dachten es beide und führens ans Ziel.
Ein tüchtiger Stoß und ein Grab im Gestein,
So ist es getan und wir teilen allein.«

Sie schwiegen aufs neu. Es verglühte der Tag,
Wie Blut auf dem Golde das Spätrot lag;
Da kam er zurück, ihr junger Genoß,
Von bleicher Stirne der Schweiß ihm floß.

»Nun her mit dem Korb und dem bauchigen Krug!«
Und sie aßen und tranken mit tiefem Zug.

»Hei, lustig, Bruder! Dein Wein ist stark;
Er rollt wie Feuer durch Bein und Mark.

Komm, tu uns Bescheid!« – »Ich trank schon vorher;
Nun sind vom Schlafe die Augen mir schwer.
Ich streck ins Geklüft mich.« – »Nun, gute Ruh!
Und nimm den Stoß, und den dazu!«

Sie trafen ihn mit den Messern gut;
Er schwankt' und glitt im rauchenden Blut.
Noch einmal hub er sein blaß Gesicht:
»Herr Gott im Himmel, du hältst Gericht!

Wohl um das Gold erschluget ihr mich;
Weh euch! Ihr seid verloren, wie ich.
Auch ich, ich wollte den Schatz allein,
Und mischt euch tödliches Gift an den Wein.«

Bothwell

Wie bebte Königin Marie,
Als durchs geheime Pförtlein spat
Mit ungebognem Haupt und Knie
In ihr Gemach Graf Bothwell trat!

Ihr schön Gesicht ward leichenweiß;
Sie zuckt' und sah ihn fragend an:
Er wischte von der Stirn den Schweiß
Und sagte dumpf: »Es ist getan.

Es ist getan, dein süßer Mund
War nicht für Buben solcher Art,

Heut abend um die achte Stund
Hielt Heinrich Darnley Himmelfahrt.« –

Sie schrie empor: »Verzeih dir Gott!
Nimm all mein Gold, nimm hin und flieh!«
Da lacht' er laut in grimmem Spott:
»Was soll mir Gold für Blut, Marie?

Ich liebe dich, und wenn ich mich
Der Höll ergab zu dieser Frist:
So wars um dich, allein um dich,
Weil du der schönste Teufel bist.

Die Hand, die einen König schlug,
Greift auch nach einer Königin.«
Er riefs, und Graun in jedem Zug,
Starr wie ein Wachsbild sank sie hin.

Er hub sie auf; sie fühlt es nicht,
Daß ihr ins Fleisch sein Stahlhemd schnitt;
Ihr lockig Haupthaar wallte dicht
Um seine Schulter, wie er schritt.

Er stieß den Ring an ihre Hand,
Er schwang sie vor sich fest aufs Roß,
Und jagt' ins wetterschwüle Land
Hinaus mit ihr gen Dunbar-Schloß.

Schwarz war die Nacht, als wäre rings
Erloschen jeder Stern des Heils;
Nur manchmal in den Wolken gings,
Gleichwie das Blitzen eines Beils.

GOTTFRIED KELLER

Der Narr des Grafen von Zimmern

Was rollt so zierlich, klingt so lieb
Treppauf und -ab im Schloß?
Das ist des Grafen Zeitvertreib
Und stündlicher Genoß:
Sein Narr, annoch ein halbes Kind
Und rosiges Gesellchen,
So leicht und luftig wie der Wind,
Und trägt den Kopf voll Schellchen.

Noch ohne Arg, wie ohne Bart,
An Possen reich genug,
Ist doch der Fant von guter Art
Und in der Torheit klug;
Und was vergecken und verdrehn
Die zappeligen Hände,
Gerät ihm oft wie aus Versehn
Zuletzt zum guten Ende.

Der Graf mit seinem Hofgesind
Weilt in der Burgkapell,
Da ist, wie schon das Amt beginnt,
Kein Ministrant zur Stell.
Rasch nimmt der Pfaff den Narrn beim Ohr
Und zieht ihn zum Altare;
Der Knabe sieht sich fleißig vor,
Daß er nach Bräuchen fahre.

Und gut, als wär ers längst gewohnt,
Bedient er den Kaplan;
Doch wanns die Müh am besten lohnt,
Bricht oft der Unstern an;
Denn als die heilge Hostia
Vom Priester wird erhoben,
O Schreck! so ist kein Glöcklein da,
Den süßen Gott zu loben!

Ein Weilchen bleibt es totenstill,
Erbleichend lauscht der Graf,
Der gleich ein Unheil ahnen will,
Das ihn vom Himmel traf.
Doch schon hat sich der Narr bedacht,
Den Handel zu versöhnen;
Die Kappe schüttelt er mit Macht,
Daß alle Glöcklein tönen!

Da strahlt von dem Ziborium
Ein goldnes Leuchten aus;
Es glänzt und duftet um und um
Im kleinen Gotteshaus,
Wie wenn des Himmels Majestät
In frischen Veilchen läge:
Der Herr, der durch die Wandlung geht,
Er lächelt auf dem Wege!

Im Meer

Der Himmel hängt wie Blei so schwer
Dicht auf dem wildempörten Meer;
Ein englisch Segel, fast die Quer,
Schießt wie ein Pfeil darüber her.

Ein Messer, so das Meer sich schliff,
Da starrt ein scharfes Felsenriff
Und schlitzt das Engelländerschiff;
Das Meer tut einen guten Griff.

Viel tausend Bibeln sind die Fracht,
Die sinken in die Wassernacht;
Schon hat in blanker Schuppentracht
Das Seevolk sich herbeigemacht.

Da wimmelt es von Lurch und Fisch,
Sie sitzen am Korallentisch,
Her schießt der Leviathan risch:
Was ist das für ein Flederwisch?

Die Seeschlang als die Königin
Kommt auch und blättert her und hin,
Sie putzt die Brill und liest darin
Verkehrt und findet keinen Sinn.

Sie ziehn den Steuermann empor
Und halten ihm die Bibel vor;
Doch der zu schweigen sich verschwor –
Das Meer durchbraust sein taubes Ohr.

THEODOR FONTANE

Archibald Douglas

»Ich hab es getragen sieben Jahr,
Und ich kann es nicht tragen mehr!
Wo immer die Welt am schönsten war,
Da war sie öd und leer.

Ich will hintreten vor sein Gesicht
In dieser Knechtsgestalt,
Er kann meine Bitte versagen nicht,
Ich bin ja worden alt.

Und trüg er noch den alten Groll,
Frisch wie am ersten Tag,
So komme, was da kommen soll,
Und komme, was da mag.«

Graf Douglas sprichts. Am Weg ein Stein
Lud ihn zu harter Ruh,
Er sah in Wald und Feld hinein,
Die Augen fielen ihm zu.

Er trug einen Harnisch rostig und schwer,
Darüber ein Pilgerkleid. –
Da horch! vom Waldrand scholl es her
Wie von Hörnern und Jagdgeleit.

Und Kies und Staub aufwirbelte dicht,
Her jagte Meut und Mann,

Und ehe der Graf sich aufgericht't,
Waren Roß und Reiter heran.

König Jakob saß auf hohem Roß,
Graf Douglas grüßte tief;
Dem König das Blut in die Wange schoß,
Der Douglas aber rief:

»König Jakob, schaue mich gnädig an
Und höre mich in Geduld,
Was meine Brüder dir angetan,
Es war nicht meine Schuld.

Denk nicht an den alten Douglasneid,
Der trotzig dich bekriegt,
Denk lieber an deine Kinderzeit,
Wo ich dich auf den Knien gewiegt.

Denk lieber zurück an Stirling-Schloß,
Wo ich Spielzeug dir geschnitzt,
Dich gehoben auf deines Vaters Roß
Und Pfeile dir zugespitzt.

Denk lieber zurück an Linlithgow,
An den See und den Vogelherd,
Wo ich dich fischen und jagen froh
Und schwimmen und springen gelehrt.

O denk an alles, was einsten war,
Und sänftige deinen Sinn –
Ich hab es gebüßet sieben Jahr,
Daß ich ein Douglas bin.«

»Ich seh dich nicht, Graf Archibald,
Ich hör deine Stimme nicht,

Mir ist, als ob ein Rauschen im Wald
Von alten Zeiten spricht.

Mir klingt das Rauschen süß und traut,
Ich lausch ihm immer noch,
Dazwischen aber klingt es laut:
Er ist ein Douglas doch.

Ich seh dich nicht, ich höre dich nicht,
Das ist alles, was ich kann –
Ein Douglas vor meinem Angesicht
Wär ein verlorener Mann.«

König Jakob gab seinem Roß den Sporn,
Bergan ging jetzt sein Ritt,
Graf Douglas faßte den Zügel vorn
Und hielt mit dem Könige Schritt.

Der Weg war steil, und die Sonne stach,
Und sein Panzerhemd war schwer,
Doch ob er schier zusammenbrach,
Er lief doch nebenher.

»König Jakob, ich war dein Seneschall,
Ich will es nicht fürder sein,
Ich will nur warten dein Roß im Stall
Und ihm schütten die Körner ein.

Ich will ihm selber machen die Spreu
Und es tränken mit eigner Hand,
Nur laß mich atmen wieder aufs neu
Die Luft im Vaterland!

Und willst du nicht, so hab einen Mut,
Und ich will es danken dir,

Und zieh dein Schwert und triff mich gut
Und laß mich sterben hier.«

König Jakob sprang herab vom Pferd,
Hell leuchtete sein Gesicht,
Aus der Scheide zog er sein breites Schwert,
Aber fallen ließ er es nicht.

»Nimms hin, nimms hin und trag es neu
Und bewache mir meine Ruh!
Der ist in tiefster Seele treu,
Wer die Heimat liebt wie du.

Zu Roß, wir reiten nach Linlithgow,
Und du reitest an meiner Seit,
Da wollen wir fischen und jagen froh
Als wie in alter Zeit.«

David Rizzio

(*Aus dem Zyklus »Maria Stuart«*)

Herr Darnley reitet in den Wald, Lord Ruthven ihm zur Seite;
Herr Darnley spricht: »Was frommt es mir, daß in den Lenz ich reite?
Ich ritt hinaus, ein Schreckgespenst mir aus dem Sinn zu schlagen,
Ihr aber, Ruthven, hastet Euch, ins Feuer Öl zu tragen.«

Lord Ruthven streicht den roten Bart, als sei er des zufrieden,
Er schweigt und denkt nur: »Wenn es heiß, soll man das Eisen schmieden.«
Seit an Marias Ohr er frech ein Liebeswort verloren,
Hat er der schönen Königin im Herzen Haß geschworen.

Er spricht kein Wort, beredter spricht sein Lächeln jetzt und Schweigen,
Er sieht, von Schritt zu Schritt, das Blut in Darnleys Wange steigen;
Der ruft: »Sing aus dein Rabenlied, und sprichts wie deine Blicke,
Verdamm mich Gott, wenn ich den Fant nicht in die Hölle schicke!«

Lord Ruthven streicht den roten Bart; in heuchelndem Erstaunen
Spricht er: »Mein König zweifelt noch an dem, was alle raunen,
Er weiß nicht, was ein jeder weiß von Schottlands Königsstuhle.
Daß Heinrich Darnleys ehlich Weib des David Rizzio Buhle!«

Herr Darnley kehrt gen Edinburg, er hält vor seinem Schlosse:
»Lord Ruthven«, spricht er, »so's beliebt, bleibt Ihr mein Jagdgenosse.
Der Fuchs ist schlau, doch bärg' er sich in ihres Kleides Falten,
Ich jag ihn auf, noch heute nacht will meinen Schwur ich halten.«

*

Es glänzt der festgeschmückte Saal von Rittern wohl und Frauen,
Vor allen ist Maria doch als Königin zu schauen,
Sie läßt die Zeit bei Spiel und Tanz in raschem Flug enteilen,
Und nur ihr Gatte zögert noch, des Festes Lust zu teilen.

Die Kerzen und die Wangen glühn vor Freuden um die Wette,
Es schreitet an Lord Seytons Hand Maria zum Bankette,
Der Becher schäumt, Maria winkt, ein Saitenspiel zu bringen,
Ihr Liebling Rizzio nimmt es hin und hebet an zu singen:

Der König zog in finstrem Sinn
Hinaus mit seinem Trosse;
Nach blickt die schöne Königin
Dem Reiter und dem Rosse.

Und als des Waldes Laub und Moos
Den König kaum erlaben,
Da lockt sie schon auf ihren Schoß
Den blonden Edelknaben.

Sie streicht sein Haar, sie küßt so heiß
Die Lippen ihm und Wangen,
Die aber sind heut kalt wie Eis
Und atmen kein Verlangen.

Sie flüstert: »Lieber Knabe mein,
Halt fester mich in Armen,
Wir wollen Eins zur Stunde sein,
Das wird dein Herz erwarmen.«

Er aber spricht: »Mag heute nicht
Fest herzen dich und pressen,
Ich hatt zur Nacht ein Traumgesicht,
Das kann ich nicht vergessen:

Es trat der König vor mich hin,
Als ich dich wollte küssen;
Mir ist so bang, lieb Königin,
Als würd ich sterben müssen ...«

»So stirb, du buhlerischer Tor!« Herr Darnley rufts dazwischen,
Es fegt im Nu sein Zornesblick die Gäste von den Tischen –
»Stirb denn, und danks im Tode mir, daß ich mit guter Klinge
Zu deinem bösen Bubenlied das letzte Verslein singe.«

Es packt den Sänger Todesangst: in namenlosem Leide
Hält fest er, wie ein zitternd Kind, sich an Marias Kleide,
Die tritt, halb Furcht, halb Zorn im Blick hervor, ihn zu bewahren –
Umsonst, schon ist des Königs Schwert ihm durch die Brust gefahren.

Es hält, die lange Nacht hindurch, Maria Totenwache,
Zum erstenmal durchzieht ihr Herz der heiße Wunsch nach Rache;
Die Morgensonne sah den Schwur auf ihrer Lippe beben –
Herr Darnley hat des Sängers Tod bezahlt mit seinem Leben.

John Maynard

John Maynard!
»Wer ist John Maynard?«
»John Maynard war unser Steuermann,
Aus hielt er, bis er das Ufer gewann,
Er hat uns gerettet, er trägt die Kron,
Er starb für uns, unsre Liebe sein Lohn.
John Maynard.«

*

Die »Schwalbe« fliegt über den Eriesee,
Gischt schäumt um den Bug wie Flocken von Schnee;
Von Detroit fliegt sie nach Buffalo –
Die Herzen aber sind frei und froh,
Und die Passagiere mit Kindern und Fraun
Im Dämmerlicht schon das Ufer schaun,
Und plaudernd an John Maynard heran
Tritt alles: »Wie weit noch, Steuermann?«
Der schaut nach vorn und schaut in die Rund:
»Noch dreißig Minuten ... Halbe Stund.«

Alle Herzen sind froh, alle Herzen sind frei –
Da klingts aus dem Schiffsraum her wie Schrei,
»Feuer!« war es, was da klang,
Ein Qualm aus Kajüt und Luke drang,

Ein Qualm, dann Flammen lichterloh,
Und noch zwanzig Minuten bis Buffalo.

Und die Passagiere, buntgemengt,
Am Bugspriet stehn sie zusammengedrängt,
Am Bugspriet vorn ist noch Luft und Licht,
Am Steuer aber lagert sichs dicht,
Und ein Jammern wird laut: »Wo sind wir? wo?«
Und noch fünfzehn Minuten bis Buffalo. –

Der Zugwind wächst, doch die Qualmwolke steht,
Der Kapitän nach dem Steuer späht,
Er sieht nicht mehr seinen Steuermann,
Aber durchs Sprachrohr fragt er an:
»Noch da, John Maynard?«
»Ja, Herr. Ich bin.«
»Auf den Strand! In die Brandung!«
»Ich halte drauf hin.«
Und das Schiffsvolk jubelt: »Halt aus! Hallo!«
Und noch zehn Minuten bis Buffalo. – –

»Noch da, John Maynard?« Und Antwort schallts
Mit ersterbender Stimme: »Ja, Herr, ich halts!«
Und in die Brandung, was Klippe, was Stein,
Jagt er die »Schwalbe« mitten hinein.
Soll Rettung kommen, so kommt sie nur so.
Rettung: Der Strand von Buffalo!

*

Das Schiff geborsten. Das Feuer verschwelt.
Gerettet alle. Nur einer fehlt!

Alle Glocken gehn; ihre Töne schwelln
Himmelan aus Kirchen und Kapelln,

Ein Klingen und Läuten, sonst schweigt die Stadt,
Ein Dienst nur, den sie heute hat:
Zehntausend folgen oder mehr,
Und kein Aug im Zuge, das tränenleer.

Sie lassen den Sarg in Blumen hinab,
Mit Blumen schließen sie das Grab,
Und mit goldner Schrift in den Marmorstein
Schreibt die Stadt ihren Dankspruch ein:
»Hier ruht John Maynard! In Qualm und Brand
Hielt er das Steuer fest in der Hand,
Er hat uns gerettet, er trägt die Kron,
Er starb für uns, unsre Liebe sein Lohn.
John Maynard.«

Lied des James Monmouth

Es zieht sich eine blutige Spur
Durch unser Haus von alters,
Meine Mutter war seine Buhle nur,
Die schöne Lucy Walters.

Am Abend wars, leis wogte das Korn,
Sie küßten sich unter der Linde,
Eine Lerche klang und ein Jägerhorn –
Ich bin ein Kind der Sünde.

Meine Mutter hat mir oft erzählt
Von jenes Abends Sonne,
Ihre Lippen sprachen: »Ich habe gefehlt!«
Ihre Augen lachten vor Wonne.

Ein Kind der Sünde, ein Stuartkind,
Es blitzt wie Beil von weiten:
Den Weg, den alle geschritten sind,
Ich werd ihn auch beschreiten.

Das Leben geliebt und die Krone geküßt
Und den Frauen das Herz gegeben,
Und den letzten Kuß auf das schwarze Gerüst –
Das ist ein Stuart-Leben.

Gorm Grymme

König Gorm herrscht über Dänemark,
Er herrscht die dreißig Jahr.
Sein Sinn ist fest, seine Hand ist stark,
Weiß worden ist nur sein Haar,
Weiß worden sind nur seine buschigen Braun,
Die machten manchen stumm;
Im Grimme liebt er drein zu schaun –
Gorm Grymme heißt er drum.

Und die Jarls kamen zum Fest des Jul,
Gorm Grymme sitzt im Saal,
Und neben ihm sitzt, auf beinernem Stuhl,
Thyra Danebod, sein Gemahl;
Sie reichen einander still die Hand
Und blicken sich an zugleich,
Ein Lächeln in beider Auge stand –
Gorm Grymme, was macht dich so weich?

Den Saal hinunter, in offner Hall,
Da fliegt es wie Locken im Wind,

Jung-Harald spielt mit dem Federball,
Jung-Harald, ihr einziges Kind,
Sein Wuchs ist schlank, blond ist sein Haar,
Blau-golden ist sein Kleid,
Jung-Harald ist heut fünfzehn Jahr,
Und sie lieben ihn allbeid.

Sie lieben ihn beid; eine Ahnung bang
Kommt über die Königin,
Gorm Grymme aber, den Saal entlang
Auf Jung-Harald deutet er hin,
Und er hebt sich zum Sprechen – sein Mantel rot
Gleitet nieder auf den Grund:
»Wer je mir spräche ›Er ist tot‹,
Der müßte sterben zur Stund.«

Und Monde gehn. Es schmolz der Schnee,
Der Sommer kam zu Gast,
Dreihundert Schiffe fahren in See,
Jung-Harald steht am Mast,
Er steht am Mast, er singt ein Lied,
Bis sichs im Winde brach,
Das letzte Segel, es schwand, es schied –
Gorm Grymme schaut ihm nach.

Und wieder Monde. Grau-Herbstestag
Liegt über Sund und Meer,
Drei Schiffe mit mattem Ruderschlag
Rudern heimwärts drüber her.
Schwarz hängen die Wimpel; auf Brömsebro-Moor
Jung-Harald liegt im Blut –
Wer bringt die Kunde vor Königs Ohr?
Keiner hat den Mut.

Thyra Danebod schreitet hinab an den Sund,
Sie hatte die Segel gesehn;
Sie spricht: »Und bangt sich euer Mund,
Ich meld ihm, was geschehn.«
Ab legt sie ihr rotes Korallengeschmeid
Und die Gemme von Opal,
Sie kleidet sich in ein schwarzes Kleid
Und tritt in Hall und Saal.

In Hall und Saal. An Pfeiler und Wand
Goldteppiche ziehen sich hin,
Schwarze Teppiche nun mit eigener Hand
Hängt drüber die Königin,
Und sie zündet zwölf Kerzen, ihr flackernd Licht,
Es gab einen trüben Schein,
Und sie legt ein Gewebe, schwarz und dicht,
Auf den Stuhl von Elfenbein.

Ein tritt Gorm Grymme. Es zittert sein Gang,
Er schreitet wie im Traum,
Er starrt die schwarze Hall entlang,
Die Lichter, er sieht sie kaum.
Er spricht: »Es weht wie Schwüle hier,
Ich will an Meer und Strand,
Reich meinen rotgoldenen Mantel mir,
Und reiche mir deine Hand!«

Sie gab ihm um einen Mantel dicht,
Der war nicht golden, nicht rot,
Gorm Grymme sprach: »Was niemand spricht,
Ich sprech es: Er ist tot.«
Er setzte sich nieder, wo er stand,
Ein Windstoß fuhr durchs Haus,
Die Königin hielt des Königs Hand,
Die Lichter loschen aus.

THEODOR FONTANE

Der 6. November 1632

Schwedische Sage

Schwedische Heide, Novembertag,
Der Nebel grau am Boden lag,
Hin über das Steinfeld von Dalarn
Holpert, stolpert ein Räderkarrn.

Ein Räderkarrn, beladen mit Korn;
Lorns Atterdag zieht an der Deichsel vorn,
Niels Rudbeck schiebt. Sie zwingens nicht,
Das Gestrüpp wird dichter; Niels aber spricht:

»Buschginster wächst hier über den Steg,
Wir gehn in die Irr, wir missen den Weg,
Wir haben links und rechts vertauscht –
Hörst du, wie der Dal-Elf rauscht?«

»Das ist nicht der Dal-Elf, der Dal-Elf ist weit,
Es rauscht nicht vor uns und nicht zur Seit,
Es lärmt in Lüften, es klingt wie Trab,
Wie Reiter wogt es auf und ab.

Es ist wie Schlacht, die herwärts dringt,
Wie Kirchenlied es dazwischen klingt,
Ich hör in der Rosse wieherndem Trott:
Eine feste Burg ist unser Gott!«

Und kaum gesprochen, da Lärmen und Schrein,
In tiefen Geschwadern bricht es herein,
Es brausen und dröhnen Luft und Erd,
Vorauf ein Reiter auf weißem Pferd.

Signale, Schüsse, Rossegestampf,
Der Nebel wird schwarz wie Pulverdampf,
Wie wilde Jagd, so fliegt es vorbei –
Zitternd ducken sich die zwei.

Nun ist es vorüber ... Da wieder mit Macht
Rückwärts wogt die Reiterschlacht,
Und wieder dröhnt und donnert die Erd,
Und wieder vorauf das weiße Pferd.

Wie ein Lichtstreif durch den Nebel es blitzt,
Kein Reiter mehr im Sattel sitzt,
Das fliehende Tier, es dampft und raucht,
Sein Weiß ist tief in Rot getaucht.

Der Sattel blutig, blutig die Mähn,
Ganz Schweden hat das Roß gesehn –
Auf dem Felde von Lützen am selben Tag
Gustav Adolf in seinem Blute lag.

Schloß Eger

Lärmend, im Schloß zu Eger,
Über dem Ungarwein,
Sitzen die Würdenträger
Herzogs Wallenstein:
Tertschka, des Feldherrn Schwager,
Illo und Kinsky dazu,
Ihre Heimat das Lager,
Und die Schlacht ihre Ruh.

Lustig flackern die Kerzen;
Aber der Tertschka spricht:
»Ist mirs Nacht im Herzen
Oder vorm Gesicht?
Diese Lichter leuchten
Wie in dunkler Gruft,
Und die Wände, die feuchten,
Hauchen Grabesluft.«

Feurig funkelt der Unger;
Aber der Kinsky spricht:
»Draußen bei Frost und Hunger
Schüttelte so michs nicht,
Hielte lieber bei Lützen
Wieder in Qualm und Rauch;
Wolle Gott uns schützen,
Oder – der Teufel auch.«

Illo nur, Herz wie Kehle
Hält er bei Laune sich,
Dicht ist seine Seele
Gegen Hieb und Stich,
Trägt ein Büffelkoller
Wie sein Körper traun,
Lustiger und toller
War er nie zu schaun.

Und vom Trunke heiser
Ruft er jetzt und lacht:
»Das erst ist der Kaiser,
Wer den Kaiser macht;
Eid und Treue brechen,
Taten wirs allein?
Hoch der König der Tschechen,
Herzog Wallenstein!«

Burg- und Schloßbewohner
Ruhen ... Da sieh, in Stahl,
Buttlersche Dragoner
Dringen in den Saal;
Buttler selbst, im Helme,
Tritt an den Illo: »Sprich,
Seid ihr Schurken und Schelme
Oder gut kaiserlich?!«

Hei, da fahren die Klingen
Wie von selber heraus,
Von dem Pfeifen und Schwingen
Löschen die Lichter aus;
Weiter geht es im Dunkeln,
Nein, im Dunkeln nicht:
Ihrer Augen Funkeln
Gibt das rechte Licht.

Tertschka fällt; daneben
Kinsky mit Fluch und Schwur;
Mehr um Tod wie Leben
Ficht selbst Illo nur,
Schlägt blindhin in Scherben
Schädel und Flaschen jetzt,
Wie ein Eber im Sterben
Noch die Hauer wetzt.

Licht und Fackel kommen,
Geben düstren Schein:
Ineinander verschwommen
Blinken Blut und Wein;
Überall im Saale
Leichen in buntem Gemisch,
Stumm, vor seinem Mahle,
Sitzt der Tod am Tisch.

Buttler aber, wie Wetter,
Donnert jetzt: »Laßt sie ruhn!
Das sind erst die Blätter –
An die Wurzel nun!«
Bald in Schlosses Ferne
Hört mans krachen und schrein –
Schau nicht in die Sterne,
Rette dich, Wallenstein!

Herr von Ribbeck auf Ribbeck im Havelland

Herr von Ribbeck auf Ribbeck im Havelland,
Ein Birnbaum in seinem Garten stand,
Und kam die goldene Herbsteszeit
Und die Birnen leuchteten weit und breit,
Da stopfte, wenns Mittag vom Turme scholl,
Der von Ribbeck sich beide Taschen voll,
Und kam in Pantinen ein Junge daher,
So rief er: »Junge, wiste ne Beer?«
Und kam ein Mädel, so rief er: »Lütt Dirn,
Kumm man röwer, ick hebb ne Birn.«

So ging es viel Jahre, bis lobesam
Der von Ribbeck auf Ribbeck zu sterben kam.
Er fühlte sein Ende. 's war Herbsteszeit,
Wieder lachten die Birnen weit und breit,
Da sagte von Ribbeck: »Ich scheide nun ab.
Legt mir eine Birne mit ins Grab.«
Und drei Tage drauf, aus dem Doppeldachhaus,
Trugen von Ribbeck sie hinaus,
Alle Bauern und Büdner mit Feiergesicht
Sangen »Jesus meine Zuversicht«,

Und die Kinder klagten, das Herze schwer:
»He is dod nu. Wer giwt uns nu ne Beer?«

So klagten die Kinder. Das war nicht recht,
Ach, sie kannten den alten Ribbeck schlecht,
Der neue freilich, der knausert und spart,
Hält Park und Birnbaum strenge verwahrt.
Aber der alte, vorahnend schon
Und voll Mißtrauen gegen den eigenen Sohn,
Der wußte genau, was damals er tat,
Als um eine Birn ins Grab er bat,
Und im dritten Jahr, aus dem stillen Haus
Ein Birnbaumsprößling sproßt heraus.

Und die Jahre gehen wohl auf und ab,
Längst wölbt sich ein Birnbaum über dem Grab,
Und in der goldenen Herbsteszeit
Leuchtets wieder weit und breit.
Und kommt ein Jung übern Kirchhof her,
So flüsterts im Baume: »Wiste ne Beer?«
Und kommt ein Mädel, so flüsterts: »Lütt Dirn,
Kumm man röwer, ick gew di ne Birn.«

So spendet Segen noch immer die Hand
Des von Ribbeck auf Ribbeck im Havelland.

THEODOR FONTANE

Die Brück am Tay
(28. Dezember 1879)

When shall we three meet again?
Macbeth

»Wann treffen wir drei wieder zusamm?«
»Um die siebente Stund, am Brückendamm.«
»Am Mittelpfeiler.«
»Ich lösche die Flamm.«
»Ich mit.«
»Ich komme vom Norden her.«
»Und ich vom Süden.«
»Und ich vom Meer.«

»Hei, das gibt einen Ringelreihn,
Und die Brücke muß in den Grund hinein.«

»Und der Zug, der in die Brücke tritt
Um die siebente Stund?«
»Ei, der muß mit.«
»Muß mit.«

»Tand, Tand
Ist das Gebilde von Menschenhand!«

*

Auf der Norderseite, das Brückenhaus –
Alle Fenster sehen nach Süden aus,
Und die Brücknersleut ohne Rast und Ruh
Und in Bangen sehen nach Süden zu,
Sehen und warten, ob nicht ein Licht
Übers Wasser hin ›Ich komme‹ spricht,
›Ich komme, trotz Nacht und Sturmesflug,
Ich, der Edinburger Zug.‹

Und der Brückner jetzt: »Ich seh einen Schein
Am anderen Ufer. Das muß er sein.
Nun, Mutter, weg mit dem bangen Traum,
Unser Johnie kommt und will seinen Baum,
Und was noch am Baume von Lichtern ist,
Zünd alles an wie zum heiligen Christ,
Der will heuer zweimal mit uns sein –
Und in elf Minuten ist er herein.«

*

Und es war der Zug. Am Süderturm
Keucht er vorbei jetzt gegen den Sturm,
Und Johnie spricht: »Die Brücke noch!
Aber was tut es, wir zwingen es doch.
Ein fester Kessel, ein doppelter Dampf,
Die bleiben Sieger in solchem Kampf,
Und wie's auch rast und ringt und rennt,
Wir kriegen es unter, das Element.

Und unser Stolz ist unsre Brück;
Ich lache, denk ich an früher zurück,
An all den Jammer und all die Not
Mit dem elend alten Schifferboot;
Wie manche liebe Christfestnacht
Hab ich im Fährhaus zugebracht
Und sah unsrer Fenster lichten Schein
Und zählte und konnte nicht drüben sein.«

Auf der Norderseite, das Brückenhaus –
Alle Fenster sehen nach Süden aus,
Und die Brücknersleut ohne Rast und Ruh
Und in Bangen sehen nach Süden zu;
Denn wütender wurde der Winde Spiel,

Und jetzt, als ob Feuer vom Himmel fiel,
Erglüht es in niederschießender Pracht
Überm Wasser unten ... Und wieder ist Nacht.

*

»Wann treffen wir drei wieder zusamm?«
»Um Mitternacht, am Bergeskamm.«
»Auf dem hohen Moor, am Erlenstamm.«

»Ich komme.«
»Ich mit.«

»Ich nenn euch die Zahl.«
»Und ich die Namen.«
»Und ich die Qual.«

»Hei! Wie Splitter brach das Gebälk entzwei!«
»Tand, Tand
Ist das Gebilde von Menschenhand.«

CONRAD FERDINAND MEYER

König Etzels Schwert

Der Kaiser spricht zu Ritter Hug:
»Du hast für mich dein Schwert verspellt.
Des Eisens ist bei mir genug,
Geh, wähl dir eins, das dir gefällt!«

Hug schreitet durch den Waffensaal,
Wo stets der graue Schaffner sitzt.
»Der Kaiser gibt mir freie Wahl
Aus allem, was da hangt und blitzt!«

Er prüft und wägt. Von ihrem Ort
Langt er die Schwerter mannigfalt –
»Sprich, wessen ist das große dort,
Gewaltig, heidnisch, ungestalt?«

»Des Würgers Etzel!« flüstert scheu
Der Graue, der es hält in Hut.
»Des Hunnenkönigs! Meiner Treu,
So lechzt und dürstet es nach Blut!«

»Laß ruhn. Es hat genug gewürgt!
Die tote Wut erwecke nicht!«
»Gib her! Dem ist der Sieg verbürgt,
Der mit dem Schwert des Hunnen ficht!«

Und wieder sprengt er in den Kampf.
»Du hast dich lange nicht geletzt,

Schwert Etzels, an des Blutes Dampf!
Drum freue dich und trinke jetzt!«

Er schwingt es weit, er mäht und mäht,
Und Etzels Schwert, es schwelgt und trinkt,
Bis müd die Sonne niedergeht
Und hinter rote Wolken sinkt.

Als längst er schon im Mondlicht braust,
Wird ihm der Arm vom Schlagen matt.
Er frägt das Schwert in seiner Faust:
»Schwert Etzels, bist noch nicht du satt?

Laß ab! Heut ist genug getan!«
Doch weh, es weiß von keiner Rast,
Es hebt ein neues Morden an
Und trifft und frißt, was es erfaßt.

»Laß ab!« Es zuckt in grauser Lust,
Der Ritter stürzt mit seinem Pferd
Und jubelnd sticht ihn durch die Brust
Des Hunnen unersättlich Schwert.

La Blanche Nef

»Herr König, ich bin Steffens Kind,
Der den Erobrer einst geführt!
Es ist ein Lehn, daß mein Gesind,
Mein Schiff allein den König führt!

Voraus den schnellsten Seglern fliegt
Mein Boot, La Blanche Nef genannt,

Es weiß, wo sichre Tiefe liegt,
Es furcht das Meer, es kennt den Strand!«

»Nicht mich, doch meinen besten Hort,
Vier Königskinder, führest du
– Sie knospen, weil mein Leben dorrt –
Die junge Normandie dazu!

Gelobe mir dein himmlisch Teil,
Gelobe mir dein männlich Wort:
Du bringst an Leib und Seele heil
Die Kinder mir nach England dort!«

»Ich schwöre dir mein himmlisch Teil,
Ich schwöre dir mein männlich Wort:
An Leib und Seele bring ich heil
Die Kinder dir nach England dort!«

Des Schiffers geller Pfiff erscholl,
In See das Boot des Königs stach –
Ein Korb von frischen Blumen voll,
Glitt Blanche Nef, la Belle, nach.

So leichtbeschwingt wie nie zuvor
Durchfurchte Blanche Nef die See
Mit ihrem kräftgen Knabenflor
Und Mägdlein schlank wie Hirsch und Reh.

Die Königskinder hell und zart,
Erhöht inmitten saßen sie,
Ringsum gepaart in Zucht und Art
Das Edelblut der Normandie.

Vier Stimmen sangen frisch und schön
Und hundertstimmig scholl der Chor,

Es zog das junge Lustgetön
Die Nixen aus der Flut empor.

»Ich warne junge Herrlichkeit
Und dich, normännisch Edelblut,
Das Singen schafft der Nixe Leid,
Dem freudelosen Kind der Flut!«

»Und schaffen dem Gezücht wir Leid
Und quälen wir das Halbgeschlecht
Und reizen wir der Nixe Neid,
Das, Steffen, ist uns eben recht!«

Gemach verlosch das Abendrot,
Des Tages Gluten schliefen ein,
Ausbreitet über Meer und Boot
Der Mond den bleichen Geisterschein.

Die See ist wunderlich erregt.
Was wandert um des Kieles Lauf?
Von Armen wird die Flut bewegt,
Beglänzte Nacken tauchen auf.

Der Steffen ernst am Steuer stand:
»Das Meer ist klar ... doch droht Gefahr ...«
Er deutet mit gestreckter Hand:
»Da naht sie schon, die Nixenschar!«

Umklammert hält den schrägen Mast
Ein blanker Leib als Schiffsfigur,
Daß Blanche Nef, von Graun erfaßt,
In wilder Flucht von dannen fuhr.

»Ich warne junge Herrlichkeit,
Vergeßt die Nachtgebete nicht!«

»Ei, Steffen, Kind der alten Zeit,
Süß herzt es sich im Mondenlicht . . .«

Es klimmt und überklimmt das Bord,
Es läßt sich nieder aus den Taun,
Es kichert wie ein freches Wort,
Es schaudert wie ein lüstern Graun . . .

Es reizt, es quält, es schlüpft, es schmiegt
Sich zwischen Edelknecht und Maid,
Bis sich das Paar in Armen liegt
Zu früher Lust, zu Tod und Leid . . .

Dem Steffen steigt das Haar. Er starrt
Auf ein gespenstig Bacchanal:
Die Königskinder hell und zart,
Verblühen all im Mondenstrahl.

»Verloren geht mein himmlisch Teil,
Gebrochen ist mein männlich Wort:
Nicht bring an Leib und Seele heil
Die Kinder ich nach England dort!

Stirb, Blanche Nef! Bevor es tagt!
Im Wasser weiß ich hier ein Riff . . .«
Er dreht das Steuer stracks und jagt
Der Klippe zu das Sündenschiff.

Der König lauscht zurück: »Das scholl
Wie Sterbeschrei!« Klar ist der Sund.
Ein Korb, von welken Blumen voll,
Sinkt Blanche Nef zum Meeresgrund.

Napoleon im Kreml

Er nickt mit seinem großen Haupt
Am Feuer eines fremden Herds:
Im Traum erblickt er einen Geist,
Der seines Purpurs Spange löst.

Der Dämon schreit mit wilder Gier:
»Mich lüstet nach dem roten Kleid!
In ungezählter Menschen Blut
Getaucht, verfärbt der Purpur nicht!«

Die beiden rangen Leib an Leib.
»Gib her!« – »Gib her!« Der Dämon fleucht
Mit spitzen Flügeln durch die Nacht
Und schleift den Purpur hinter sich.

Und wo der Purpur flatternd fliegt,
Sprühn Funken, lodern Flammen auf!
Der Korse fährt aus seinem Traum
Und starrt in Moskaus weiten Brand.

Die Söhne Haruns

Harun sprach zu seinen Kindern Assur, Assad, Scheherban:
»Söhne, werdet ihr vollenden, was ich kühnen Muts begann?
Seit ich Bagdads Thron bestiegen, bin von Feinden ich umgeben!
Wie befestigt ihr die Herrschaft? Wie verteidigt ihr mein Leben?«

Assur ruft, der feurig schlanke: »Schleunig werb ich dir ein Heer,
Zimmre Masten, webe Segel! Ich bevölkre dir das Meer!

Rosse schul ich. Säbel schmied ich. Ich erbaue dir Kastelle.
Dir gehören Stadt und Wüste! Dir gehorchen Strand und Welle!«

Assad mit der schlauen Miene sinnt und äußert sich bedächtig:
»Sicher schaff ich deinen Schlummer, Sorgen machen übernächtig.
Daß du dich des Lebens freuest, bleibe, Vater, meine Sache!
Über jedem deiner Schritte halten hundert Augen Wache!

Wirte, Kuppler und Barbiere, jedem setz ich einen Sold,
Daß sie alle mir berichten, wer dich liebt und wer dir grollt.«
Harun lächelt. Zu dem Jüngsten, seinem Liebling, sagt er: »Ruhst du?
Wie beschämst du deine Brüder? Zarter Scheherban, was tust du?«

»Vater«, redet jetzt der Jüngste, keusch errötend, »es ist gut,
Daß ein Tropfen rinne nieder warm ins Volk aus deinem Blut!
Über ungezählte Lose bist allmächtig du auf Erden,
Das ist Raub an deinen Brüdern – und du wirst gerichtet werden!

Dein erhaben Los zu sühnen, das sich türmt den Blitzen zu,
Laß mich in des Lebens dunkle Tiefe niedertauchen du!
Such mich nicht! Ich ging verloren! Sende weder Kleid noch Spende!
Wie der Ärmste will ich leben von der Arbeit meiner Hände!

Mit dem Hammer, mit der Kelle laß mich, Herr, ein Maurer sein!
Selber maur ich mich in deines Glückes Grund und Boden ein!
Jedem Hause wird ein Zauber, daß es unzerstörlich dauert,
Etwas Liebes und Lebendges in den Grundstein eingemauert!

Hörest du die Straße rauschen unter deinem Marmorschloß?
Morgen bin ich dieser Menge namenloser Tischgenoß –
Blickst du nieder auf die vielen Unbekannten, die dir dienen,
Einer segnet dich vom Morgen bis zum Abend unter ihnen!«

CONRAD FERDINAND MEYER

Die Rose von Newport

Sprengende Reiter und flatternde Blüten,
Einer voraus mit gescheitelten Locken –
Ist es der Lenz auf geflügeltem Renner?
Karl ists, der Jüngling, der Erbe von England,
Und die sich nähern in goldener Mailuft,
Das sind die Giebel und Tore von Newport,
Drüber das Wappen der Stadt: eine Rose!
Jubelnde Gassen und jubelnde Wimpel
Und ein von treibender Jugend geschwelltes,
Jubelndes Herz in dem Busen des Stuart ...
Unter den blühenden Linden des Marktes
Schreitet ein Reigen von blühnden Gestalten,
Und eine Schönste mit herzlichem Beben
Bietet dem Prinzen die Rose von Newport:
»Seliges Gestern und Morgen und Heute,
Herr, dir die Rose von Newport bedeute!«

Morgen erzählen die Linden das Märchen
Von der entblätterten Rose von Newport.

Sprengende Reiter und wirbelnde Flocken,
Einer voraus mit verwilderten Haaren –
Ist es der Winter, der finstre Geselle?
Karl ists, der Flüchtling, der König von England.
Seit er das Blut seines Volkes vergossen,
Reitet er neben zerschmetterndem Abgrund ...
Und die sich nähern in weißem Gestöber,
Das sind die Giebel und Tore von Newport,
Drüber das Wappen der Stadt: eine Rose!
Nirgend ein Jubel und nirgend ein Wimpel,
Polternde Hämmer und kreischende Feilen –
Und ein von eisernen Fäusten gepreßtes,

Ächzendes Herz in dem Busen des Stuart ...
Unter den frierenden Linden des Marktes
Bettelt ein Kind mit verschatteten Augen,
Bietet dem König ein dorrendes Röschen:
»Seliges Gestern und Morgen und Heute,
Herr, dir die Rose von Newport bedeute!«
Karl, der die Züge des Kindes betrachtet,
Schmal und gespenstig im Spiegel des Elends
Sieht er das eigene Antlitz und schaudert.

Morgen erzählen die Linden das Märchen
Von dem enthaupteten König in England.

Die Füße im Feuer

Wild zuckt der Blitz. In fahlem Lichte steht ein Turm.
Der Donner rollt. Ein Reiter kämpft mit seinem Roß,
Springt ab und pocht ans Tor und lärmt. Sein Mantel saust
Im Wind. Er hält den scheuen Fuchs am Zügel fest.
Ein schmales Gitterfenster schimmert goldenhell,
Und knarrend öffnet jetzt das Tor ein Edelmann ...

»Ich bin ein Knecht des Königs, als Kurier geschickt
Nach Nîmes. Herbergt mich! Ihr kennt des Königs Rock!«
»Es stürmt. Mein Gast bist du. Dein Kleid, was kümmerts mich?
Tritt ein und wärme dich! Ich sorge für dein Tier!«
Der Reiter tritt in einen dunkeln Ahnensaal,
Von eines weiten Herdes Feuer schwach erhellt,
Und je nach seines Flackerns launenhaftem Licht
Droht hier ein Hugenott im Harnisch, dort ein Weib,
Ein stolzes Edelweib aus braunem Ahnenbild ...
Der Reiter wirft sich in den Sessel vor dem Herd

Und starrt in den lebendgen Brand.Er brütet, gafft ...
Leis sträubt sich ihm das Haar. Er kennt den Herd, den Saal ...
Die Flamme zischt. Zwei Füße zucken in der Glut.

Den Abendtisch bestellt die greise Schaffnerin
Mit Linnen blendend weiß. Das Edelmägdlein hilft.
Ein Knabe trug den Krug mit Wein. Der Kinder Blick
Hangt schreckensstarr am Gast und hangt am Herd entsetzt ...
Die Flamme zischt. Zwei Füße zucken in der Glut.
»Verdammt! Dasselbe Wappen! Dieser selbe Saal!
Drei Jahre sinds ... Auf einer Hugenottenjagd ...

Ein fein, halsstarrig Weib ... ›Wo steckt der Junker? Sprich!‹
Sie schweigt. ›Bekenn!‹ Sie schweigt. ›Gib ihn heraus!‹ Sie schweigt.
Ich werde wild. Der Stolz! Ich zerre das Geschöpf ...
Die nackten Füße pack ich ihr und strecke sie
Tief mitten in die Glut ... ›Gib ihn heraus!‹ ... Sie schweigt ...
Sie windet sich ... Sahst du das Wappen nicht am Tor?
Wer hieß dich hier zu Gaste gehen, dummer Narr?
Hat er nur einen Tropfen Bluts, erwürgt er dich.«
Eintritt der Edelmann. »Du träumst! Zu Tische, Gast ...«

Da sitzen sie. Die drei in ihrer schwarzen Tracht
Und er. Doch keins der Kinder spricht das Tischgebet.
Ihn starren sie mit aufgerißnen Augen an –
Den Becher füllt und übergießt er, stürzt den Trunk,
Springt auf: »Herr, gebet jetzt mir meine Lagerstatt!
Müd bin ich wie ein Hund!« Ein Diener leuchtet ihm,
Doch auf der Schwelle wirft er einen Blick zurück
Und sieht den Knaben flüstern in des Vaters Ohr ...
Dem Diener folgt er taumelnd in das Turmgemach.

Fest riegelt er die Tür. Er prüft Pistol und Schwert.
Gell pfeift der Sturm. Die Diele bebt. Die Decke stöhnt.

Die Treppe kracht ... Dröhnt hier ein Tritt? Schleicht dort ein
Schritt? ...
Ihn täuscht das Ohr. Vorüberwandelt Mitternacht.
Auf seinen Lidern lastet Blei, und schlummernd sinkt
Er auf das Lager. Draußen plätschert Regenflut.

Er träumt. ›Gesteh!‹ Sie schweigt. ›Gib ihn heraus!‹ Sie schweigt.
Er zerrt das Weib. Zwei Füße zucken in der Glut.
Aufsprüht und zischt ein Feuermeer, das ihn verschlingt ...
»Erwach! Du solltest längst von hinnen sein! Es tagt!«
Durch die Tapetentür in das Gemach gelangt,
Vor seinem Lager steht des Schlosses Herr – ergraut,
Dem gestern dunkelbraun sich noch gekraust das Haar.

Sie reiten durch den Wald. Kein Lüftchen regt sich heut.
Zersplittert liegen Ästetrümmer quer im Pfad.
Die frühsten Vöglein zwitschern, halb im Traume noch.
Friedselge Wolken schwimmen durch die klare Luft,
Als kehrten Engel heim von einer nächtgen Wacht.
Die dunkeln Schollen atmen kräftgen Erdgeruch.
Die Ebne öffnet sich. Im Felde geht ein Pflug.
Der Reiter lauert aus den Augenwinkeln: »Herr,
Ihr seid ein kluger Mann und voll Besonnenheit
Und wißt, daß ich dem größten König eigen bin.
Lebt wohl. Auf Nimmerwiedersehn!« Der andre spricht:
»Du sagsts! Dem größten König eigen! Heute ward
Sein Dienst mir schwer ... Gemordet hast du teuflisch mir
Mein Weib! Und lebst! ... Mein ist die Rache, redet Gott.«

Mit zwei Worten

Am Gestade Palästinas, auf und nieder, Tag um Tag,
»London?« frug die Sarazenin, wo ein Schiff vor Anker lag.

»London!« bat sie lang vergebens, nimmer müde, nimmer zag,
Bis zuletzt an Bord sie brachte eines Bootes Ruderschlag.

Sie betrat das Deck des Seglers, und ihr wurde nicht gewehrt.
Meer und Himmel. »London?« frug sie, von der Heimat abgekehrt,
Suchte, blickte, durch des Schiffers ausgestreckte Hand belehrt,
Nach den Küsten, wo die Sonne sich in Abendglut verzehrt ...

»Gilbert?« fragt die Sarazenin im Gedräng der großen Stadt,
Und die Menge lacht und spottet, bis sie dann Erbarmen hat.
»Tausend Gilbert gibts in London!« Doch sie sucht und wird nicht matt.
»Labe dich mit Trank und Speise!« Doch sie wird von Tränen satt.

»Gilbert!«–»Nichts als Gilbert? Weißt du keine andern Worte? Nein?«
»Gilbert!« ... »Hört, das wird der weiland Pilger Gilbert Becket sein –
Den gebräunt in Sklavenketten glüher Wüste Sonnenschein –
Dem die Bande löste heimlich eines Emirs Töchterlein!«

»Pilgrim Gilbert Becket!« dröhnt es, braust es längs der Themse Strand.
Sieh, da kommt er ihr entgegen, von des Volkes Mund genannt,
Über seine Schwelle führt er, die das Ziel der Reise fand.
Liebe wandert mit zwei Worten gläubig über Meer und Land.

Der Tod und Frau Laura

Es war in Avignon am Karneval,
Daß sich ein Mörder in den Reigen stahl
Und daß die Pest verlarvt sich schwang im Tanz
Mit einem schlotterichten Mummenschanz.

In einer nahen Villa täuschen sie
Die Angst mit Wohllaut und mit Phantasie,
Frau Laura war und auch Petrarca da,
Als an das Tor ein dumpfer Schlag geschah.

Die blassen Lippen schaudern vor dem Wein,
Es tritt ein Weißgewandeter herein,
Der eine Maske mit dem Sterbezug
Und einen frisch gepflückten Lorbeer trug.

Der Dämon hebt den Lorbeer voller Ruh
Und sinnt und schreitet auf Petrarca zu:
»Ich grüße, Freund, und komme priesterlich,
Das ist der Selgen Lorbeer! Neige dich!«

Der Lorbeer schwebt. Da raubt ihn eine Hand,
Frau Laura war es, die daneben stand,
Sie schmiegt ihn um die blonden Haare leicht,
Sie steht bekränzt. Sie schaudert. Sie erbleicht.

DETLEV VON LILIENCRON

Pidder Lüng

»Frii es de Feskfang,
frii es de Jaght,
frii es de Strönthgang,
frii es de Naght,
frii es de See, de wilde See
en de Hörnemmer Rhee.«

Der Amtmann von Tondern, Henning Pogwisch,
Schlägt mit der Faust auf den Eichentisch:
»Heut fahr ich selbst hinüber nach Sylt
Und hol mir mit eigner Hand Zins und Gült.
Und kann ich die Abgaben der Fischer nicht fassen,
Sollen sie Nasen und Ohren lassen,
Und ich höhn ihrem Wort:
Lewwer duad üs Slaav.«

Im Schiff vorn der Ritter, panzerbewehrt,
Stützt sich finster auf sein langes Schwert.
Hinter ihm, von der hohen Geistlichkeit,
Steht Jürgen, der Priester, beflissen, bereit.
Er reibt sich die Hände, er bückt den Nacken.
»Der Obrigkeit helf ich, die Frevler zu packen,
In den Pfuhl das Wort:
Lewwer duad üs Slaav.«

Gen Hörnum hat die Prunkbarke den Schnabel gewetzt,
Ihr folgen die Ewer, kriegsvolkbesetzt,
Und es knirschen die Kiele auf den Sand,
Und der Ritter, der Priester springen ans Land,
Und waffenrasselnd hinter den beiden

Entreißen die Söldner die Klingen den Scheiden.
Nun gilt es, Friesen:
Lewwer duad üs Slaav.

Die Knechte umzingeln das erste Haus,
Pidder Lüng schaut verwundert zum Fenster heraus.
Der Ritter, der Priester treten allein
Über die ärmliche Schwelle hinein.
Des langen Peters starkzählige Sippe
Sitzt grad an der kargen Mittagskrippe.
Jetzt zeige dich, Pidder:
Lewwer duad üs Slaav!

Der Ritter verneigt sich mit hämischem Hohn,
Der Priester will anheben seinen Sermon.
Der Ritter nimmt spöttisch den Helm vom Haupt
Und verbeugt sich noch einmal: »Ihr erlaubt,
Daß wir euch stören bei eurem Essen,
Bringt hurtig den Zehnten, den ihr vergessen,
Und euer Spruch ist ein Dreck:
Lewwer duad üs Slaav.«

Da reckt sich Pidder, steht wie ein Baum:
»Henning Pogwisch, halt deine Reden im Zaum!
Wir waren der Steuern von jeher frei,
Und ob du sie wünschst, ist uns einerlei!
Zieh ab mit deinen Hungergesellen.
Hörst du meine Hunde bellen?
Und das Wort bleibt stehn:
Lewwer duad üs Slaav.«

»Bettelpack«, fährt ihn der Amtmann an,
Und die Stirnader schwillt dem geschienten Mann:
»Du frißt deinen Grünkohl nicht eher auf,
Als bis dein Geld hier liegt zuhauf.«

Der Priester zischelt von Trotzkopf und Bücken
Und verkriecht sich hinter des Eisernen Rücken.
O Wort, geh nicht unter:
Lewwer duad üs Slaav!

Pidder Lüng starrt wie wirrsinnig den Amtmann an.
Immer heftiger in Wut gerät der Tyrann,
Und er speit in den dampfenden Kohl hinein:
»Nun geh an deinen Trog, du Schwein!«
Und er will, um die peinliche Stunde zu enden,
Zu seinen Leuten nach draußen sich wenden.
Dumpf dröhnts von drinnen:
»Lewwer duad üs Slaav!«

Einen einzigen Sprung hat Pidder getan,
Er schleppt an den Napf den Amtmann heran
Und taucht ihm den Kopf ein und läßt ihn nicht frei,
Bis der Ritter erstickt ist im glühheißen Brei.
Die Fäuste dann lassend vom furchtbaren Gittern,
Brüllt er, die Türen und Wände zittern,
Das stolzeste Wort:
»Lewwer duad üs Slaav!«

Der Priester liegt ohnmächtig ihm am Fuß,
Die Häscher stürmen mit höllischem Gruß,
Durchbohren den Fischer und zerren ihn fort;
In den Dünen, im Dorf rasen Messer und Mord.
Pidder Lüng doch, ehe sie ganz ihn verderben,
Ruft noch einmal im Leben, im Sterben
Sein Herrenwort:
»Lewwer duad üs Slaav!«

DETLEV VON LILIENCRON

Das alte Steinkreuz am Neuen Markt

Berlin-Cölln war die Stadt genannt
Und tat viel Lärm verbreiten,
Da lebte mal ein Musikant,
In sagenhaften Zeiten.
  Der rührte so sein Saitenspiel,
  Daß alles auf die Kniee fiel
  Vor lauter Seligkeiten.

Doch leider hat der Musikant
Zu viel Bourgogne genossen;
Das schuf ihm manchen Höllenbrand,
Warf ihn in manche Gossen.
  Ein greulich Laster trat hinzu:
  Er lästert Gott und Himmelsruh
  Mit seinen Teufelsglossen.

Einst, als die Welt ihm schwankend schien,
Er war halt stark im Trane,
Stieg er den Turm vom Sanct Marien
Hinauf im Söffelwahne.
  Und auf der Plattform oben, quiek,
  Geigt er die weltlichste Musik
  Dem guten Kirchenhahne.

Ach, das war wahrlich kein Choral,
Das waren Tanz und Weisen,
Und üppige Lieder, die dem Baal
Gefallen und ihn preisen.
  Und schaudernd hört der Kikeriki
  Die grauenhafte Blasphemie
  Und möchte stracks verreisen.

Die Bürger unten bleiben stehn
Und traun kaum ihren Ohren,
Begreifen nicht, wie konnts geschehn,
Und murren und rumoren.
  Und jeder sieht schon, daß er fällt,
  Sich Schädel und Genick zerschellt,
  Und hält ihn für verloren.

Gottvater hat es auch gehört,
Und denkt: Mein Musikante,
Du bist zwar sehr vom Wein betört
Und torkelst an der Kante,
  Du bist ein liederliches Vieh,
  Doch bist und bleibst du ein Genie,
  Das ist das Amüsante.

Drum gönn ich eine Lehre dir;
Du wirst sie, hoff ich, nutzen!
Das zweite Mal, mein Herr Pläsier,
Darfst du nicht wieder trutzen!
  Nun paß mal auf: Jetzt sag ich eins
  Und zwei und drei, und nochmal eins,
  Dann wird der Sand dich putzen.

Und Purzel-Purzel-Purzelbaum,
Kopf, Arm, Bein, ohne Pause,
Wie Ikaros, durch Wind und Raum,
Gehts abwärts im Gesause.
  Und schwapp, da liegt der Fiedelhans,
  Ist nüchtern wie 'ne Stoppelgans,
  Steht auf und – geht nach Hause.

Das Volk schreit: Ein Miraculum!
Und tut den Platz anstieren,
Und dreht sich rechts und links herum

Und kann es nicht kapieren.
Und stiftet, während Domgeläuts,
Da wo er fiel, ein steinern Kreuz,
Den Teufel zu vexieren.

Der Musikant hat niemals nie
Den Weinkrug mehr gehoben,
Probierte täglich sein Genie,
Um Gott den Herrn zu loben.
Ob er zuweilen doch einmal,
Wer kann das wissen, den Pokal
Ansetzte? Nur zum Proben?

Die Zwillingsgeschwister

Trümmer und Asche. Vereinzeltes Feuer
Zuckt noch am Himmel in Garben empor.
Tempel und Straßen und Villen und Scheuer,
Alles zertreten in Schmutz und Geschmor.
Hier zerstörte kein Cunctator,
Den das Schicksal ausersah;
Hier steht Titus Triumphator
Auf der Burg Antonia!
Triefende Wunden, zerspaltene Knochen,
Zähne im Feinde, verkralltes Gebein,
Kämpfen die Juden, im Tod ungebrochen,
Wollen im Sterben die Herren noch sein.

Wer nicht erlegen den Heiligtumschändern,
Den fesseln Ketten um Nacken und Hand,
Der schleppt die Ketten nach fernfernen Ländern,
Heimatvertrieben, für immer verbannt.

Von des Hohenpriesters Kindern,
Weggerissen vom Altar,
Fällt den wüsten Überwindern
Ins Gehark ein Zwillingspaar.
Mirjam und Jonathan heißen die beiden,
Schwester und Bruder, ein lieblich Geflecht.
Wer hat die Roheit, den Blutstamm zu scheiden?
Sklavin wird Mirjam und Jonathan Knecht.

Grausames Schicksal, sie werden geschieden;
Zitternd Lebwohl und unendliches Weh.
Treffen sie je noch zusammen hienieden?
Gleißt ihnen niemals mehr Libanons Schnee?
Zwei von Romas Senatoren,
Cajus und Sulpicius,

Haben sie für sich erkoren.
Abschied ohne Abschiedskuß.
Norden und Süden, Italiens Gefilde,
Lösen den zwillingsverschwisterten Bund.
Lindernd verweht wie ein Schleiergebilde
Jährlich der wechselnden Monate Rund.

Jonathan hütet die Kälber und Kühe,
Spaltet das Brennholz und säubert den Stall;
Arbeit am Tage, des Abends noch Mühe,
Schanzen und schuften und Fron überall.
Riesenfest wie Baschoms Eichen,
Wild wie Simson wuchs er auf;
Löwenstärke war sein Zeichen,
Flüchtig wie der Hirsch sein Lauf.
Und seine Stimme behielt ihre Würde,
In seinen Augen lag silberne Glut;
Königlich trug er die furchtbare Bürde,
Heimlich erhob ihn sein fürstliches Blut.

Mirjam hütet die Enten und Gänse,
Klopft in der Küche das Pfauenfleisch weich,
Hilft bei der Ernte mit Sichel und Sense,
Feiste Muränen entnimmt sie dem Teich.
    Sarons Lilien auf den Wangen,
    Auf der braun verbrannten Haut,
    Steht sie abends oft befangen,
    Steht wie Hebrons schönste Braut.
Keiner kann je ihrer Gunst sich erfreuen;
Stolz, von unnahbarer Hoheit umdornt,
Läßt sie es jeden Bewerber bereuen,
Der seine Seele zum Angriff gespornt.

Römisches Schwelgen und römische Feste.
Einst in den Straßen im Völkergewühl
Treffen zusammen zwei lustige Gäste,
Gehn zur Taverne auf Polster und Pfühl:
    Die sich lange nicht begegnet,
    Cajus und Sulpicius,
    Rufen jeder: Sei gesegnet,
    Daß ich hier dich treffen muß.
Und bei Faustiner und bajäschen Zungen
Schwatzen sie, was sie erlebt all die Zeit,
Was sie verloren und was sie errungen.
Flötenspiel, Aufbruch und Fackelgeleit.

Vor einem Porticus, wo sie sich trennen,
Sprechen sie viel vom judäischen Land,
Und wie auf einen Schlag rufen sie, nennen
Jonathan, Mirjam: welch Pärchen! charmant!
    Und es witzeln, scherzen, lachen
    Cajus und Sulpicius,
    Bis sie, topp, ein Ende machen,
    Und sie fassen den Entschluß:

Heimlich im Dunkel vereinen wir beide,
Riegeln sie ein zur Verhütung der Flucht,
Und aus der Hochzeitsnacht lustigem Leide
Blüht uns zum Vorteil die trefflichste Zucht.

Sinkende Dämmrung, der Tag geht zu Ende,
Abendrot, nur noch ein blaßgelbes Band;
Still wie im Schlafe verschlungene Hände,
Still wie die Wurzel im tieftiefen Land.
    Unerkannt, im finstern Raume,
    Flüstert drängend die Natur;
    Und die Jugend folgt im Traume
    Ihrer ewig starken Spur.
Sylphenumjachterte ferne Fontäne,
Rosenversunkene klanglose Nacht;
Auf den Granatbaum, auf Quellen und Schwäne
Tüpfelt der Mond seine täuschende Pracht.

Klärender Dämmrung neugierige Augen:
Zwei, die erwachen aus Glück und aus Glut.
Grimmiger Sonne reugierige Augen:
Zwei, sich erkennend aus eigenem Blut.
    Bruder, Schwester! Schrecklich funkelt
    Gottes Rachediadem.
    Grell beleuchtet, hart umdunkelt
    Schauen sie Jerusalem.
Zwei, die sich bebend vom Mauernkranz warfen:
Auf klatscht zum Himmel das tuskische Meer.
Zithern und Zymbeln, davidische Harfen
Bringen verklingend ein Hochzeitslied her.

Die Kapelle zum finstern Stern
Missunde bei Schleswig, 7. August 1250

»König Erich, die Faust auf den Widerrist!
 Laß tanzen den Hengst im Grase.
Vergiß den alten Bruderzwist,
 Wir trinken aus einem Glase.«

Herzog Abel schrieb das. König Erich ritt ein
 Und lag im Bruderarme.
Viel Jauchzen der Ritter im Abendschein;
 Lauge Gudmundson schwieg im Schwarme.

Am Morgen früh weckt Hornstoß und Tusch,
 Zu hetzen Wolf und Elche.
Die Brüder zusammen im Haidebusch,
 Sie trinken aus einem Kelche.

Der Herzog allein. Zur Seite nur
 Ritter Lauge mit Speer und Pfeilen.
»Sprich, Lauge, wo blieb Wieb Stures Spur,
 Wem hilft sie die Freuden teilen?«

Der König allein. Zur Seite nur
 Ritter Lauge mit Speer und Pfeilen.
»König Erich, wo blieb Wieb Stures Spur,
 Wem hilft sie das Leben teilen?«

Erich Plogpenning zischt. Den Stachel sticht
 Er dem Rothengst in die Weichen,
»Bei Sankt Jürgen, ich weiß es nicht«,
 Und sucht die Jagd zu erreichen.

Am Abend Humpen-aus, Zinken und Tanz,
Beim Brettspiel König und Knappen.
Der Mond flicht draußen den alten Kranz
Um Lauben und steinerne Wappen.

Der Herzog allein. Zur Seite nur
Ritter Lauge im Wams von Seiden.
»Sprich, Lauge, wo blieb Wieb Stures Spur,
Wen küßt sie von euch beiden?«

»Vom Trinken ist dir die Stirne heiß,
König Erich, die Luft ist trocken.
Mein Segel wiegt unten, scharlach und weiß;
Steig ein und kühle die Locken.«

Schloßknechte spannen den Baldachin.
Vom Söller winkt der Bruder.
Der König schläft auf dem Hermelin,
Und leise tauchen die Ruder.

Verworren Getön vom Prunkgelag,
Der Wachen und Stundenrufer.
Da schießt mit gleichem Einfallschlag
Ein zweites Boot vom Ufer.

»Halt, halt, König Erich!« ... Fackeln im Wind
Flackern um schwarze Figuren.
»Wo blieb Wieb Sture, gib Antwort, geschwind,
Gib Antwort, wo blieb Wieb Sturen?«

»Bei Sankt Jürgen, ich riß sie dir Hund vom Leib«,
Schreit der König, die Lippen beben.
»Bei Sankt Jürgen, sie war mir Zeitvertreib
Zwei Wochen von meinem Leben.«

Der Ritter ringt ihm den Dolch vom Gehenk
Und treibt ihn dem König ins Herze.
Das rote Blut tropft ins wüste Gemeng.
Stumm leuchtet oben die Kerze.

Wo Lauge durchstach den erlauchten Herrn,
Am Ufer steht die Kapelle,
Da steht die Kapelle zum finstern Stern,
Unheimlich klatscht dort die Welle.

Herzog Abel schwor beim Himmel weit
Und der reinen Magd im Dome,
Und ließ dem Mörder wenig Zeit;
Den zupft der Fisch im Strome.

Herzog Abel schob nichts auf die lange Bank,
In Roeskilde ließ er sich krönen.
In die Königsburg ritt er frech und frank,
Drommeten und Trummen dröhnen.

CARL SPITTELER

Die Blütenfee

Maien auf den Bäumen, Sträußchen in dem Hag.
Nach der Schmiede reitet Janko früh am Tag.
Blütenschneegestöber segnet seine Fahrt,
Lilien trägt des Rößleins Mähne, Schweif und Bart.
Lacht der muntre Knabe: »Sag mir, Rößlein traut:
Bist bekränzt zur Hochzeit, doch wo bleibt die Braut?«

Horch, ein Pferdchen trippelt hinter ihm geschwind,
Auf dem Pferdchen schaukelt ein holdselig Kind.
Solche kleine Fante nimmt man auf den Schoß,
Auf die Schulter wirft es spielend: Ei! wie groß!
Zappelnd schreit die Kleine: »Böser Bube du!
Weh! ich hab verloren meinen Lilienschuh.«

Rückwärts sprengt er suchend ein geraumes Stück.
Wie er mit dem Schuhe eilends kam zurück,
An des Kindes Stelle saß die schönste Maid.
Da geschah dem Jungen süßes Herzeleid.
Flüsterte die Schöne: »Liebster Janko mein,
Hab ein kostbar Ringlein, strahlt wie Sonnenschein.
Bin dir hold gewogen, schenk es dir zum Pfand.
Weh! ich habs vergessen, badend an dem Strand.«

Wie er mit dem Ringlein wiederkehrte – schau!
Hing gebückt im Sattel eine welke Frau.
Ihre Zunge stöhnte: »Janko, du mein Sohn,
Weh! ein Tröpfchen Wasser! Schnell! um Gotteslohn.«

Wie er mit dem Wasser kam zum selben Ort,
War zu Staub und Asche Weib und Pferd verdorrt.

ARNO HOLZ

»Een Boot is noch buten!«

»Ahoi! Klaas Nielsen und Peter Jehann!
Kiekt nach, ob wi noch nich to Mus sind!
Ji hewt doch gesehn dem Klabautermann?
Gottlob, dat wi wedder to Hus sind!«
Die Fischer riefens und stießen ans Land
Und zogen die Kiele bis hoch auf den Strand,
Denn dumpf an rollten die Fluten;
Hans Jochen aber rechnete nach
Und schüttelte finster sein Haupt und sprach:
»Een Boot is noch buten!«

Und ernster keuchte die braune Schar
Dem Dorf zu über die Dünen;
Schon grüßten von fern mit zerwehtem Haar
Die Fraun an den Gräbern der Hünen.
Und »Korl!« hieß es und »Leiw Marie!«
»'t is doch man schön, dat ji wedder hie!«
Dumpf an rollten die Fluten –
»Un Hinrich, min Hinrich? Wo is denn dee?!«
Und Jochen wies in die brüllende See:
»Een Boot is noch buten!«

Am Ufer dräute der Möwenstein,
Drauf stand ein verrufnes Gemäuer,
Dort schleppten sie Werg und Strandholz hinein
Und gossen Öl in das Feuer.
Das leuchtete weit in die Nacht hinaus
Und sollte rufen: O komm nach Haus!

Dumpf an rollten die Fluten –
Hier steht dein Weib in Nacht und Wind
Und jammert laut und küßt dein Kind:
»Een Boot is noch buten!«

Doch die Nacht verrann, und die See ward still,
Und die Sonne schien in die Flammen,
Da schluchzte die Ärmste: »As Gott will!«
Und bewußtlos brach sie zusammen!
Sie trugen sie heim auf schmalem Brett,
Dort liegt sie nun fiebernd im Krankenbett,
Und draußen plätschern die Fluten;
Dort spielt ihr Kind, ihr »lütting Jehann«,
Und lallt wie träumend dann und wann:
»Een Boot is noch buten!«

RICHARD DEHMEL

Die Glocke im Meer

Ein Fischer hatte zwei kluge Jungen,
Hat ihnen oft ein Lied vorgesungen:
»Es treibt eine Wunderglocke im Meer,
Es freut ein gläubig Herze sehr,
    Das Glockenspiel zu hören.«

Der eine sprach zu dem andern Sohn:
»Der alte Mann verkindet schon.
Was singt er das dumme Lied immerfort;
Ich hab manchen Sturm gehört an Bord,
    Noch nie eine Wunderglocke.«

Der andre sprach: »Wir sind noch jung,
Er singt aus tiefer Erinnerung.
Ich glaube, man muß viel Fahrten bestehn,
Um dem großen Meer auf den Grund zu sehn;
    Dann hört man es auch wohl läuten.«

Und als der Vater gestorben war,
Fuhren sie weg mit braunblondem Haar.
Und als sie sich grauhaarig wiedertrafen,
Dachten sie eines Abends im Hafen
    An die Wunderglocke.

Der eine sprach, verdrossen und alt:
»Ich kenne das Meer und seine Gewalt.
Ich hab mich zuschanden auf ihm geplagt,
Hab auch manchen Gewinn erjagt;
    Läuten hört ich es niemals.«

Der andre sprach und lächelte jung:
»Ich gewann mir nichts als Erinnerung;
Es treibt eine Wunderglocke im Meer,
Es freut ein gläubig Herze sehr,
Das Glockenspiel zu hören.«

Anno Domini 1812

Über Rußlands Leichenwüstenei
Faltet hoch die Nacht die blassen Hände;
Funkeläugig durch die weiße, weite,
Kalte Stille starrt die Nacht und lauscht.
Schrill kommt ein Geläute.

Dumpf ein Stampfen von Hufen, fahl flatternder Reif;
Ein Schlitten knirscht, die Kufe pflügt
Stiebende Furchen, die Peitsche pfeift,
Es dampfen die Pferde, Atem fliegt,
Flimmernd zittern die Birken.

»Du – was hörtest du von Bonaparte?«
Und der Bauer horcht und wills nicht glauben,
Daß da hinter ihm der steinern starre
Fremdling mit den harten Lippen
Worte so voll Trauer sprach.

Antwort sucht der Alte, sucht und stockt,
Stockt und staunt mit frommer Furchtgebärde:
Aus dem Wolkensaum der Erde,
Brandrot aus dem schwarzen Saum,
Taucht das Horn des Mondes hoch.

Düster wie von Blutschnee glimmt die lange Straße,
Wie von Blutfrost perlt es in den Birken,
Wie von Blut umtropft sitzt der im Schlitten.
»Mensch, was *sagt* man von dem großen Kaiser?«
Düster schrillt das Geläute.

Die Glocken rasseln; es klingt, es klagt;
Der Bauer horcht, hohl rauschts im Schnee.
Und schwer nun, feiervoll und sacht,
Wie uralt Lied so stark und weh
Tönt sein Wort ins Öde:

»Groß am Himmel stand die schwarze Wolke,
Fressen wollte sie den heiligen Mond;
Doch der heilige Mond steht noch am Himmel,
Und zerstoben ist die schwarze Wolke.
Volk, was weinst du?

Trieb ein stolzer kalter Sturm die Wolke,
Fressen sollte sie die stillen Sterne.
Aber ewig blühn die stillen Sterne;
Nur die Wolke hat der Sturm zerrissen,
Und den Sturm verschlingt die Ferne.

Und es war ein großes schwarzes Heer,
Und es war ein stolzer kalter Kaiser.
Aber unser Mütterchen, das heilige Rußland,
Hat viel tausend tausend stille warme Herzen:
Ewig, ewig blüht das Volk.«

Hohl verschluckt der Mund der Nacht die Laute,
Dumpfhin rauschen die Hufe, die Glocken wimmern.
Auf den kahlen Birken flimmert
Rot der Reif, der mondbetaute.
Den Kaiser schauert.

Durch die leere Ebne irrt sein Blick:
Über Rußlands Leichenwüstenei
Faltet hoch die Nacht die blassen Hände,
Glänzt der dunkelrot gekrümmte Mond,
Eine blutige Sichel Gottes.

RICARDA HUCH

Saul

Wie unterm Sternenheer der Morgenstern,
So unter Menschen strahlte Saul in Glück
Und Kraft und Tugend; er gefiel dem Herrn.
Doch ungebändigt, blindlings schreitet das Geschick.

Kein Auge sieht es; aber der Prophet,
Samuel, erkannte schaudernd seinen Gang,
Zum König tritt er: »Saul, sprich ein Gebet,
Du bist verworfen! Sei um deine Seele bang.«

– »Ist nicht von Rosen nachts mein Bett umkränzt?
Entsproßten Früchte süß nicht dem Verein,
Wie rot im Laube die Granate glänzt,
Wie voll am Rebenstocke schwillt der edle Wein?

Mich liebt mein Volk, und führ ich es zur Schlacht,
So jauchzt es: Unser König zieht voran,
Wie tags in Wolken und im Feur bei Nacht
Jehova gnädig durch die Wüste einst getan!« –

– »An deines Bettes Rosen nagt der Wurm!
Die Früchte fallen ab! Glänzt auch dein Haus
Wie eine Sonne, – horch, schon rauscht der Sturm
Und löscht die strahlende wie eine Fackel aus!« –

Der König lächelt, doch ihm graut geheim.
Wie rott ich aus des Unheils Samenkorn?

Schon aber bricht hervor der junge Keim.
Der zarte Stiel verdichtet sich zum scharfen Dorn.

Doch wähnt er noch, er hemme seinen Trieb.
Zu dem Propheten, den das Grab verschlang,
Hebt er die Stimme: »Gib mir Antwort, gib,
Samuel! und höre meines Rufes Erdenklang:

Die Tochter, die ich liebe, folgt dem Feind,
Mein liebstes Kind, mein Stolz, mein junger Sohn
Hat sich in heilger Freundschaft ihm geeint.
Schwermut, die dunkelfarbige, teilt meinen Thron.

Noch einmal komm aus der Verbannung Land,
Samuel! wann bricht mein Stern aus Wolken vor?
Wann reckt der Herr mir gnädig seine Hand
Und teilt die Wetterwolken, die er herbeschwor?«

»Ich komme. Staub und Erde ist mein Kleid,
Die sternenlose Nacht mein kaltes Haus.
Was rufst du mich? Vergebens ist dein Streit.
Dein Morgenrot ist hin, dein goldner Tag ist aus.

Und ständen Babels Völker wie ein Wall
Um dich, sie wehrten nicht dein Schicksal ab.
Es naht und naht, es bringt dich jäh zu Fall
Und zieht dich und dein Haus in das gegrabne Grab.« –

Er sinkt. Und unaufhaltsam naht und naht
Schon jener Engel, dessen strenge Hand
Der Menschen Arme lenkt zu blinder Tat
Und ihre Seelen hält an unsichtbarem Band.

»Und doch entflieh ich dir, betrüg ich dich!«
Der König rufts. »Sieh her, dein Sieg ist faul!«
Er stürzt sich in sein Schwert. – »Erkennst du mich?«
Raunt ihm der Engel zu und lächelt. – So starb Saul.

FRANK WEDEKIND

Brigitte B.

Ein junges Mädchen kam nach Baden,
Brigitte B. war sie genannt,
Fand Stellung dort in einem Laden,
Wo sie gut angeschrieben stand.

Die Dame, schon ein wenig älter,
War dem Geschäfte zugetan,
Der Herr ein höherer Angestellter
Der königlichen Eisenbahn.

Die Dame sagt nun eines Tages,
Wie man zu Nacht gegessen hat:
Nimm dies Paket, mein Kind, und trag es
Zu der Baronin vor der Stadt.

Auf diesem Wege traf Brigitte
Jedoch ein Individium,
Das hat an sie nur eine Bitte,
Wenn nicht, dann bringe er sich um.

Brigitte, völlig unerfahren,
Gab sich ihm mehr aus Mitleid hin.
Drauf ging er fort mit ihren Waren
Und ließ sie in der Lage drin.

Sie konnt es anfangs gar nicht fassen,
Dann lief sie heulend und gestand,
Daß sie sich hat verführen lassen,
Was die Madam verzeihlich fand.

Daß aber dabei die Turnüre
Für die Baronin vor der Stadt
Gestohlen worden sei, das schnüre
Das Herz ihr ab, sie hab sie satt.

Brigitte warf sich vor ihr nieder,
Sie sei gewiß nicht mehr so dumm;
Den Abend aber schlief sie wieder
Bei ihrem Individium.

Und als die Herrschaft dann um Pfingsten
Ausflog mit dem Gesangverein,
Lud sie ihn ohne die geringsten
Bedenken abends zu sich ein.

Sofort ließ er sich alles zeigen,
Den Schreibtisch und den Kassenschrank,
Macht die Papiere sich zu eigen
Und zollt ihr nicht mal mehr den Dank.

Brigitte, als sie nun gesehen,
Was ihr Geliebter angericht,
Entwich auf unhörbaren Zehen
Dem Ehepaar aus dem Gesicht.

Vorgestern hat man sie gefangen,
Es läßt sich nicht beschreiben, wo;
Dem Jüngling, der die Tat begangen,
Dem ging es gestern ebenso.

LULU VON STRAUSS UND TORNEY

Der Gottesgnadenschacht

Der alte Jan Willem, der mehr als die andern weiß,
Sagte den Morgen und sah sich um im Kreis,
Und hölzern und starr blieb sein verrunzelt Gesicht:
»Einer von uns fährt heut seine letzte Schicht.«

Ein Lachen dahinten ward stille mit einem Mal, –
Es brannten die Grubenlampen, zehn an der Zahl,
Grau standen die zehn Gesichter im zuckenden Schein, –
Und der neue Steiger, der Böhme, fuhr auch mit ein.

Hein Kordes, der Häuer, sah den Steiger an:
Dem hing sie gestern am Arme, die schwarze Mariann,
Und ihn, Hein Kordes, ihn sah und kannte sie nicht, –
Einer – von – uns – fährt – heut – seine – letzte – Schicht!

Und im Dorfe schlugs Mittag, da klirrten die Scheiben schwer,
Ein schütterndes Rollen lief unter dem Boden her, –
Und es stürzt vor die Türen, von Haus zu Haus springt ein Schrei:
Das war im Pütt! Allmächtiger, steh uns bei!

Eine alte Stimme, tief unten im dunklen Schacht:
»Kumpels, kann sein, das wird eine lange Nacht:
Alle Mann lebendig zur Stelle? Der? Der? und Der?
Mir ist, Einer fehlt noch. Aber ich weiß nicht, wer.«

Der alte Jan Willem wartet, und keiner spricht.
Da pocht es, Kling! ans Gestein, daß die Stille zerbricht,

Und Hein Kordes sagt heiser in seines Schlägels Gepoch:
»Bloß daß die oben es wissen: wir leben noch!«

Gehen da oben die Stunden, ist Tag oder Nacht?
Ruhlos pocht es im Gottesgnadenschacht.
Ein Arm um den andern sinkt mit dem Schlägel lahm,
Und sie warten mit schwerem Atem, ob Antwort kam.

Aber keine kommt. Und Kord Krüwels, stockend und rauh:
»Sechs Würmer zu Haus, hilf Gott, und die kranke Frau!«
»Ich wollte zum Pfarrer morgen ums Aufgebot!«
Und ein Wimmern unten am Boden: »Mich hungert! Brot!«

Aber die alte Stimme: »Kumpels, Ordnung muß sein.
Kein Schluck und kein Bissen gehört hier einem allein!
Wer hat sein Brot noch im Sack? und die Flaschen her!«
Da klappern die blechernen Flaschen. Aber die eine ist leer.

Er brach von dem Brote, jedem sein knappes Stück,
Da blieb ihm ein Brocken zuviel in der Hand zurück.
Tastend ließ sie der Alte durchs Dunkel gehn:
»Wer hat sein Teil noch nicht, Kumpels? Wir sind doch zehn!«

Meldet sich keiner. Eine Stimme, rauh und verstört:
»Gott weiß, wo der liegt, dem der zehnte Bissen gehört!«
Da kommt aus der schwarzen Stille irgendwoher
Ein zitterndes Atmen, verhalten und seltsam schwer. –

Sucht denn da oben kein Weib nach Mann oder Sohn?
Es schlägt in die Gruft hier unten kein fernster Ton.
Vor fiebernden Augen tanzt es im Dunkel rot,
Verdorrende Lippen fluchen in brennender Not.

Sickernde Tropfen rieseln an rissiger Wand, –
Hein Kordes, der Häuer, fängt sie in hohler Hand,

Aber die Tropfen brennen salzig im Mund, –
»Verdammt! hier unten im Finstern verrecken wie ein Hund!«

»Bete lieber, Hein Kordes!« Die alte Stimme ist streng.
Irgendwo, horch, ein Flüstern, zitternd und atemeng:
»Hört ihr das Schleichen? Der Tod hält Wache da vorn, –
Einer muß hier sein, der steht unter Gottes Zorn!«

In die bleierne Stille Tropfen, zwei, drei und vier,
Als pochte ein Finger hart an verschlossene Tür, –
Und auf einmal keucht es, heiser und stockend schwer:
»Gott helf mir, ich muß es sagen! Ich kann nicht mehr!

Kumpels, hört zu: Der Sprengschuß lag im Gestein,
Auf Mittag gings, ich stand Wache im Gang allein,
Auf den Lippen den Warnruf, den jeder hier unten kennt,
Den Ruf, wenn die Zündschnur glostet: es brennt, es brennt!

Da kommt ein Schritt und ein schwankendes Grubenlicht,
Und ich denke, verdammt! das böhmische Galgengesicht!
Dem hing sie gestern im Arme, mein Schatz, die Mariann, –
Und er will mir vorüber und glupt mich so höhnisch an. –

Mensch, ruf ihn! denk ich, – fünf Schritt, und der Schuß geht los!
Da hör ich was raunen: ruf nicht! einen Herzschlag bloß, –
Vorbei schon – da packt michs: halt ihn! hinter ihm her!
Und dann – ein Schlag, und ein Krach – und ich sah nichts mehr.«

Die Stille erstarrt. Dann: »Hundsfott!« brüllt einer los, –
»Um das Weibsstück? Mörder!« Keuchendes Poltern, ein Stoß –:
»Sollen Neune verrecken um Einen? Gotts Tod und Not!
Wart, Hund, dich krieg ich! Kumpels, slah dot, slah dot!«

»Hände weg! Los! Zurück! Versündigt euch nicht!
He, haltet ihr, oder hält Der da oben Gericht?«

Stocken. Dann knurrts aus dem Dunkel: »Jan Willem hat recht,
Für ehrliche Fäuste ist der Hundsfott zu schlecht!

Aber hört zu: wer den Kumpel verrät in den Tod,
Der ist den Schluck nicht mehr wert und den Happen Brot.
Soll Gott ihn richten. Wir teilen nur noch zu Acht.«
Da stöhnt ein heiseres »Wasser!« aus stickiger Nacht!

Und der alte Jan Willem: »Ich bin nun siebzig und mehr.
Teilt euch zu Achten. Aber mein Teil kriegt der!«
»Der Hund da?« In schepperndem Echo ein böses Lachen verrollt.
»Wir teilen zu Sieben, Jan Willem, wenn Ihr nichts mehr wollt!«

Ist das die vierte, – ist schon die fünfte Nacht?
Dumpf drängt sichs vorm Schachthaus am Gottesgnadenschacht, –
Warten, flüsterndes Fragen, Schluchzen und Kinderschrei, –
Leben die noch da unten? Ist – deiner – dabei?

Tief unten in schwarzer Hölle schweflige Glut.
Es pocht in den Schläfen, es dröhnt in den Ohren das Blut.
Von nackten Schultern und Rücken rieselt klebriger Schweiß,
Vor stieren Augen dreht sich feuriger Kreis.

Pick! Pick! pocht der Schlägel. Müde tropft sein Gepoch.
Kraftlos die Arme. Wer wartet auf Antwort noch?
Heiser gröhlts Dideldei-Juchhe, leierts den Rosenkranz,
Und vom Boden auf ächzt es »Wasser!« durch Beten und Schunkeltanz.
Da horch – das rasselnde Schnarchen in jähe Stille hinein?
Da gehts mit Einem aufs Letzte! Soll wohl Hein Kordes sein!
Eine Hand tappt suchend ins Dunkel, tappt in ein bärtig Gesicht, –
»Jesus! Einer von Unsern! Hein Kordes ist das nicht!«

Da sagt – über nackte Rücken friert es wie Todesschweiß –
Der alte Jan Willem, der mehr als die andern weiß:

»Kumpels. Gott richtet. Aber anders als ihr das macht.
Ihr richtet den einen Mörder. Unser Herrgott sieht ihrer acht!«

Rührt sich keiner. Atem stößt eng und schwer.
Im Gestein ein Knistern. Da hockt der Tod und horcht her.
Und Kord Krüwels, langsam: »Jan Willem – ist noch Wasser da?«
»In der letzten Flasche der letzte Schluck, Kord Krüwels – ja!«

»Kumpels?« fragt der mit Stocken – und weiter mit hartem Ruck:
»Was sagt ihr? Kordes soll trinken! Hein Kordes den letzten Schluck!«
»Ja!« murmelts heiser. Und »Ja« – und »Ja«. Keine Stimme sagt Nein.
Und Jan Willem bückt sich und tastet: »He! Trinken, Hein!«

Und ins Lechzen verdorrter Lippen, die kühlender Tropfen netzt,
Horch – was pocht im Gewände? jetzt? jetzt? – und jetzt?
»Jesus Marie, sie kommen! Antwort! Die Schlägel her –«
»Kumpels, Gott ist noch gnädig!« sagt die alte Stimme schwer.

Vom Schacht her Bahre auf Bahre durch nebelnassen Tag –
Herzen, die noch pochen mit hartem, flatterndem Schlag, –
Herzen, die verstummten, Hände, feiernd gestreckt,
Die kein grauer Morgen zu neuem Tagwerk weckt.
Und schwankend auf letzter Bahre durch barhaupt wartenden Kreis
Schweigt tief der alte Jan Willem, der mehr als die andern weiß ...

Des Braunschweigers Ende

Auf des Braunschweigers eherner Stirne schwoll
Das zornige Blut der Adern,
Er ballte die Faust in schwerem Groll
Nach den trotzigen Mauerquadern.

»Weiß Gott, meine eiserne Gred verlag
Drei Monde vor diesen Türmen!
Leerort, nun kommt dein jüngster Tag:
Morgen wollen wir stürmen!«

Sprach Hans van Velde: »Der Graben ist weit,
Und der Tod hält Wacht auf den Mauern.«
»Und wäre der Graben zehn Klafter breit, –
Wir füllen ihn aus mit Bauern!

Und bauen für meinen Siegerstolz
Die Brücke zuckender Glieder, –
Unedles Blut und Erlenholz
Wächst alle Tage wieder!«

Herr Heinrich lachte mit hartem Klang
Und schritt vorüber den Wachen.
Es spritzte vor seinem wuchtigen Gang
Der Schlamm der Pfützen und Lachen.

Rolf Tyle lehnte, des Herzogs Mann,
Am Rad der eisernen Gredel,
Jäh fing das Blut ihm zu sieden an
In dem trotzigen Bauernschädel:

»Herr Herzog, sind Euch wir Bauern gut
Zur Brücke über den Graben, –
Bei Gott, die Brücke soll edel Blut
Zum Mörtel der Steine haben!

Nun soll Euch, Herre, den Siegerstolz
Gesegnen Teufel und Hölle!«
Verstohlen klirrte der eiserne Bolz,
Die Armbrust hob der Geselle:

Ein röchelnder Fluch, – ein schwerer Fall
Der stahlumpanzerten Glieder, –
Vor Leerorts unbezwungenem Wall
Schoß flammend ein Stern hernieder.

Tambour Leroi

»Korporal, was gibts? Was Neues geschehn?«
»Melde gehorsamst, Herr Kapitän,
Der Tambour Leroi von der Leibkompagnie
– Er soll durch die Ruten Schlag acht Uhr früh –
Der liegt im Fieber, seit gestern her,
Und nimmt nicht Trunk und nicht Bissen mehr.«
»Fieber? Was da! Der Kerl ist schlau!
Wir kennen die Finte, und das genau!
Es hilft ihm doch nichts, er kriegt seine Zahl.
Die Schlüssel her. Komm Er mit, Korporal.«

Kasemattengänge. Laternenlicht.
Eine Pritsche und Stroh. Ein junges Gesicht,
Geschlossen die Lider, die Wangen schmal,
Die Brauen gefurcht in dumpfer Qual.
Jetzt trifft das Licht ihn, das zuckt und flirrt,
Steil fährt er hoch, noch vom Schlaf verwirrt,
Taumelt, greift an den feuchten Stein, –
Doch mit schlotternden Knien knickt er ein.

»Er ist Tambour Leroi? Franzos? Emigrant?
Halt, bleib Er liegen! Sein wahrer Stand?«
Der auf der Pritsche wird rot und blaß,
Er wischt die Stirne. Die perlt ihm naß.
»Mein Stand? Der Herr Kapitän erlaubt, –
Ich weiß ja doch, daß mir keiner glaubt,

Wenn ich sage, daß ich als Wappenbild
Die Lilien führe im blauen Schild,
Und daß Frankreichs Krone und Frankreichs Thron –«
»Halt Er den Mund! Das kennen wir schon.
Glaubt Er, wir werden vor Ehrfurcht vergehn?
Wir haben drei Dauphins in Wien gesehn!
Sie saßen im Temple alle drei,
Sie wurden bloß durch ein Wunder frei –
Jetzt sitzen sie alle drei im Loch,
Zwei waren Schneider, der dritte Koch,
Nun will ein Tambour der vierte sein!«
Der Junge lächelt nur stolz und fein:
»Gut, Tambour Leroi, und weiter nichts!«
Und dann beiseite, verbißnen Gesichts:
»Wen scherts auch, was Namen der Hundsfott trägt,
Den man morgen infam durch die Gasse schlägt!«

Hart klirrt ein Säbel auf hartem Stein:
»Wer hat das schuld, Kerl, als Er allein?
Weiß der Teufel, was hat Er gedacht?
Schamade schlagen in offner Schlacht,
Wenn die Order heißt: Zur Attacke vor!
Feigling, wer so seinen Kopf verlor!«

Dunkel schießts in das junge Gesicht:
»Mein Kapitän! Ein Feigling nicht!«
Und auf einmal fiebernd, entflammt, verstört,
Sitzt er aufrecht: »Herr, hört mich! Hört!
Als ich damals flüchtig aus Frankreich ging,
Weil das Beil mir nah überm Nacken hing,
Ich blieb an dem grauen Grenzstein stehn
Und habe nach Frankreich zurückgesehn.
Und der Himmel brannte in trüber Glut,
Und mir war, als sah ich in lauter Blut,
Und ich hörte im Ohr den dumpfen Schlag,

Als des Vaters Haupt unterm Fallbeil lag,
Und sah des blutigen Karrens Spur,
Der die schöne Mutter zum Tode fuhr!
Und ich warf mich nieder und griff ins Gras,
Blind von Tränen, brennend von Haß,
Und hob mich wieder und lag auf Knien
Und habe es laut übers Land geschrien:
›Verflucht deine Erde in Ewigkeit,
Von der heiliges Blut zum Himmel schreit,
Verflucht der Mann, der dich Heimat nennt,
Das Feuer, das auf dem Herde brennt,
Verflucht das Weib, das sein Kindlein wiegt,
Verflucht, was jung in der Wiege liegt –
Verflucht ich selbst, wenn mein Haß vergißt
Des Blutes, dessen du schuldig bist!‹«

Den Jungen schüttelts wie Frost im Blut,
Seine Augen brennen in trockner Glut,
Und er stockt und schauert und stiert ins Licht,
Und sein Atem geht hart, wie er weiterspricht:
»Ich wandte mich um und lief feldein,
In den Regen, die Nacht, ins Elend hinein,
Weiß Gott, wie lange, weiß Gott, wohin, –
Bis ich schwach zu Tode getaumelt bin.
Und im Krug an der Straße – wo war es gleich?
Tranken die Werber von Österreich.«

Knurrt in den Kragen der Korporal:
»Bei Passau war es. Im Donautal.
Ein elend Bürschchen, marode und lahm,
Das da vom Kaiser das Handgeld nahm.
Just war der Tambour uns desertiert,
Sonst hätts uns nicht so mit dem pressiert.«

Heiser lachts von der Pritsche her.

»Schlegel und Kalbfell, was wollte ich mehr?
In des Kaisers Montur, bei Nacht, bei Tag,
Bei jedem Wirbel und Trommelschlag,
Am Biwakfeuer, in Schritt und Tritt,
Mein Haß war dabei, mein Haß ging mit,
Und mir wars, als ob dran mein Leben hing,
Daß bald der Marsch gegen Frankreich ging!
Gewartet hab ich drei Jahr und vier,
Mein Haß war geduldig, er wuchs mit mir,
Und als die Order zum Abmarsch kam,
Da riß michs, daß ich die Schlegel nahm
Und schlug einen Wirbel so laut und lang,
Daß das Kalbfell zersprang! –

Märsche, Märsche, durch Schlacker und Wind,
Feuer, drein nachts der Regen rinnt, –
Zwischen flachen Ufern in mattem Schein,
Schollenklirrend der breite Rhein,
Und der Feuerkranz, der talüber scheint:
Frankreich! Frankreich! Die Schlacht! Der Feind!
Misericorde! Die Nacht, die Nacht!
Gebetet hab ich, geflucht, gewacht,
Ich fiel in Schlaf und fuhr schreiend hoch
Und sah meine tote Mutter noch, –
Ich sprang auf die Füße, der Himmel war rot,
Und ich schlug die Reveille: Zum Tod! Zum Tod!

Mein Kapitän – Sie waren dabei –«
Er wirft sich heiß auf zerwühlter Spreu,
Die Stimme keuchend, wie angstgehetzt:
»Ich seh das immer. Ich sehe es jetzt:
Hier die Hecke, – wir stehen im Glied, –
Die Straße da, die am Berg sich zieht, –
Den Acker, die magere Wintersaat, –
Ich sehe den Halm, den ich niedertrat!

Aus gelbem Gequalme schwelt der Tag,
Kanonen zur Linken, Blitz und Schlag,
Von den Höhen zur Rechten, tief und schwer,
Brüllt es ins knatternde Kleingewehr,
Es prasselt im Dorf, es blitzt im Wald, –
Meine Kehle trocken, die Hände kalt, –
Da horch, straßunter ein polternder Huf: –
Gewehr zur Attacke: Kommandoruf!
Marsch, marsch, hurra, brichts hinter mir los,
Es reißt mich vorwärts im Sturm und Stoß,
Über Äcker und Graben, im Sprung, im Lauf,
Und ich schlage die Trommel: drauf, drauf, drauf, –

Mein Kapitän! Da kommt es! Da!
Aus dem Qualm heraus, uns entgegen, nah,
Gleißende Reihen, blank von Stahl,
Einer hellen Trompete lustig Signal, –
Und auf einmal horch ich in graue Luft, –
Ich kenne den Ton, das ruft! das ruft!
Und – marche, en avant! – Ich höre es noch!
Frankreichs Sprache! Mein Herz springt hoch!
Ins Auge schießt es mir glühend naß, –
Was weiß ich von Rache, von Fluch, von Haß?
Mein Haß ist Liebe, die brennt, die brennt,
Wie wenn ein Kind seine Mutter erkennt!
Jeder Herzschlag sagt mir, wes Bluts ich bin,
Wie mit Stricken reißts mich da drüben hin,
Und ich stürze feldein – da packts mich, halt!
Ich sehe mich um, mein Blut rinnt kalt, –
Musketen der Unsern, Rohr an Rohr,
Aus jedem lauert der Tod hervor –
Und mit klingendem Spiel und Fahnen voran
Rücken die Brüder von Frankreich an!
Vor den Augen tanzt es mir flackerrot:
›Brüder!‹ schrei ich, ›zurück! Der Tod!‹

Und ich weiß nicht, Herr, was ich will und tu,
Ich fasse die Schlegel, ich schlage zu,
Und ich weiß nichts mehr als das eine Stück,
Ich schlage Schamade: Zurück! Zurück!«
»Wider die Order! Ist das erhört!
Kehrt vor dem Feinde! Im Feuer Kehrt!
Feiger Verrat! Felonie, Er Hund!
Kein Wort mehr, Bursche! Halt Er den Mund!
Eine Kugel verdient Er, und damit gut!«
Des Jungen Gesicht ist leer von Blut,
Seine Augen flackern in dumpfer Not –
»Eine Kugel – ah – ein Soldatentod!«
Und er wühlt die Stirn in die schmutzige Streu:
»Courage! Morgen. Dann ist es vorbei...«

Stumm zuckt die Schultern der Kapitän.
Der Schlüssel klirrt. »Korporal, wir gehn.
Angst oder Fieber. Das gibt sich wohl.«
Die Tür schlägt zu. Das verdonnert hohl. –

Zwei Tage darauf. Im Lazarett
Ein Toter gestreckt auf schmalem Bett,
Ein Knabengesicht noch, stolz und fremd.
Einer hält ihm das Totenhemd;
Und ders ihm über die Schultern streift,
Darüber dunkel ein Striemen läuft,
Der Graukopf brummt in den Bart hinein:
»Uns Schweizern damals, just fällt mirs ein,
Uns saß im Vorsaal der Tuilerien
Monsieur, der Dauphin, gern auf den Knien,
Und der hatte unter den Haaren her
Eine zackige Narbe, fast wie der,
Der stille Bursch da. Der hat nun Ruh.«

Und er nahm das Leintuch und deckte ihn zu ...

LULU VON STRAUSS UND TORNEY

Das Wiegenlied

I

Wenn die Fischerweiber von Westerland ihre Kinder wiegen zur Ruh,
Sie treten die Wiege auf und ab und singen ein Lied dazu,
Sie singen das Lied verhalten nur und putzen des Lämpchens Docht,
Und horchen bang in die Nacht hinaus, wo der Regen ans Fenster pocht –:

»Slap, min Kind, slap, min Kind,
Göde Micheel, de segelt geswind,
Der Dänen Verheerer,
Der Bremer Vertehrer,
Der Holländer Krüz un Stecken,
Der Hamborger Schrecken!
Sin swarte Flagge, de weiht in'n Wind,
Slap in un lat dat Grienen,
Un wenn min Kind nich slapen will,
Denn kümmt hei öwer die Dünen!«

Erk Mannis' des Strandvogts Kind schlief ein bei dieses Liedes Klang,
Sie sang es mit frischem Kindermund, als sie über die Hofstatt sprang,
Sie summt' es sacht, wenn sie früh vor Tag sich flocht das gelbe Haar, –
Erk Mannis' Kind ward schön von Leib, und ihr Lachen klang stolz und klar.

Sie trug zum Melken die Eimertracht und ging mit rischem Gang,
Und sang den Reim von Göde Micheel, daß es über die Deiche klang.
Eine schwarze Flagge stand fern im Dunst und wuchs aus dem Dunst heraus, –
Erk Mannis' des Strandvogts Tochter kam den Abend nicht nach Haus . . .

II

Des Strandvogts Kopf war grau vor Gram, sein Hof lag stumm und leer.
Es gingen sieben Jahr ins Land, und jedes Jahr wog schwer,
Wohl hieß der Bauer von Westerland in vorigen Tagen reich,
Heut graste kein rotes Rind ihm mehr, kein flockiges Schaf am Deich,
Denn Göde Micheel war Herr der See, und wo er ging an Land,
Da ließ sein Schiffsvolk weit und breit eine Spur von Blut und Brand!

Der Vogt stieg müde die Wurt herauf zu seines Hauses Tor.
Da stand im frostigen Morgenlicht ein fremdes Weib davor,
Der Regen fiel ihr auf Tuch und Kleid und näßte ihr gelbes Haar,
Sie war stark von Schultern und hoch von Haupt. Er wußte nicht, wer sie war.

»Mein Haus steht offen!« der Strandvogt sprach und trat ins Tor voran.
Trien Mannis, sein Weib, das spann am Herd und schaute die Fremde an,
Die stand und summte den Wiegenreim:
»Sin swarte Flagge, de weiht in'n Wind,
Göde Micheel, de segelt geswind –«
Da riß Trien Mannis der Faden ab: »Hilf Gott! Mein Kind, mein Kind!«

Stumm hob die Junge die blasse Stirn, das Feuer beschien sie grell,
Sie sah nicht Vater noch Mutter an, ihr Auge war hart und hell,
Sie wandte den Kopf zur Seite nur, als habe sie nichts gehört,
Und kniete nieder drei Schritte weit, in der grauen Asche am Herd:

»Mir ist ein gottlos Geheimnis kund, das keiner im Lande kennt,
Ich trage heimlicher Schande Last, die heiß wie dies Feuer brennt!
Und darf ich es Menschen nicht vertraun, und bindet mich harter Eid, –
Du Flamme auf meines Vaters Herd, so klag ich dir mein Leid!

Herr Gott im hohen Himmelreich, sei gnädig meiner Seel!
Flamme, ich bin eines Mannes Weib, und der Mann heißt: Göde Micheel!
Sein Name ist wie der Name des, der ewig im Abgrund haust,
Es duckt die See unter seinem Kiel, und das Land unter seiner Faust!

Seine Tafel ist schwer von silbernem Raub, sein Haus ist stark und fest!
Ich war seiner Beute bestes Stück in dem grauen Strandvogelnest,
Ich sah nach der schwarzen Flagge aus in Furcht und heißer Scham,
Denn sein Kuß war herrisch wie Blick und Schwert, und er fragte nicht, wenn er nahm!

Ich hab ihn gehaßt die sieben Jahr, dem ich sieben Söhne trug, –
Er lärmt beim Becher und weiß es nicht, daß heut seine Stunde schlug:
Ich fahre den Weg zu ihm zurück und mein Wimpel leuchtet weit!
Du Flamme auf meines Vaters Herd, – so hielt ich meinen Eid!«

Sie strich die Asche vom Kleide ab, sie bot nicht Gruß noch Hand,
Sie schritt nur schweigend zur Tür hinaus, den sandigen Weg zum Strand,
Eines Bootes Wimpel wies brennend rot einen Weg über weglos Meer,
Zwölf braune Segel von Westerland stürmten hinter ihm her!

III

»Was lärmt am Strande das Möwenvolk?« spricht Göde Micheel und lauscht,
»Das ist ein flüchtender Flügelsturm, der über die Dünen rauscht!
Sie kennen der Unsern Ruf und Tritt und fürchten ihr Nahen nicht,
Jan Maat, das kann nur was Fremdes sein, das ihren Frieden bricht!«

»In Teufelsnamen, so laß sie schrein«, sein Steuermaat lacht, der Jan,
»Es lebe der König der Nordersee! Göde Micheel, stoßt an!
Der Dänen Verheerer,
Der Bremer Vertehrer,
Der Holländer Krüz und Stecken,
Der Hamborger Schrecken –«

Da brichts in trunkenen Lärm herein und dröhnt wie polternder Schritt,
Von rauhen Stimmen ein wüster Chor brüllt draußen den Kehrreim mit,
Die Tür fliegt auf, wie mit schwerem Fuß der Strandvogt dagegen trat,
Von stürzenden Tischen trieft der Wein, und der Steuermann schreit: »Verrat!«

Ein letztes Lachen wird Wutgejohl, schon keuchen sie Leib an Leib,
Die Messer blank. – Auf der Schwelle steht, die Arme gekreuzt, ein Weib.
Sie steht in Röcheln und Sterbefluch, kein Zittern fällt sie an,
Des Weibes Augen sind hart und hell und suchen nur einen Mann.

Schlagt tot den Würger, den Strandwolf tot, Männer von Westerland.
Es rinnt ihm über die Stirne schon, ein dunkles rieselndes Band,
Seine letzte Waffe die nackte Faust, zwei Schritt im Nacken der Tod, –
Was werden der Frau die Wangen weiß und brannten doch zornig rot?

Göde Micheel, ein Atemzug, und du stehst vor Gottes Gericht!
Was lehnt sie gegen den Pfosten schwer, als trüge das Knie sie nicht?
Ihr Herz ein zitternder Hammerschlag, ihr Blick wird starr und groß, –

Schon wirft der Strandvogt von Westerland das Messer empor zum Stoß, –
Da reißts ihm klammernd den Arm zurück, da drängts ihm stürmisch vorbei,
Und über Röcheln und Sterbefluch eines Weibes jauchzender Schrei:
»Ich hab ihn geliebt die sieben Jahr, dem ich sieben Söhne trug,
Meine Stunde, Göde Micheel, schlägt mit, wenn deine Stunde schlug!«

Er sieht sie an. Ihre Wimper zuckt und sinkt vor seinem Blick.
Da lacht er bitter. »Wer ist das Weib? Ich kenne sie nicht! Zurück!
Heran zu mir, wer die Treue hielt und stolz zu sterben begehrt!
Wer Göde Micheel verraten kann, ist seines Todes nicht wert!«

IV

Wenn die Fischerweiber von Westerland barbeinig waten im Schlick,
Und unter Kiepe und Krabbennetz keuchen zum Dorf zurück,
Sie biegen seitab vom Dünenpfad und hasten, als ob es brennt,
Wenn eine ihnen vorüberstreicht, die jeder im Dorfe kennt.

Eine, die wandert ohne Weg im Wind, der die Dünen fegt,
Eine, die Gott gezeichnet hat, – die Ketten des Bösen trägt,
Die Distel ritzt ihr den nackten Fuß, ihre Strähnen fliegen verwirrt,
Ihre hellen Augen sind starr und leer, ihre Seele flattert und irrt.
Sie wiegt sich hin und sie biegt sich her, als wiegt sie ein Kind zur Ruh,
Ihre Stimme klingt wie zerbrochen Glas, die singt einen Reim dazu:
»Slap, min Kind, slap min Kind,
Göde Micheel, de segelt geswind,
Der Dänen Verheerer,
Der Bremer Vertehrer,

Der Holländer Krüz un Stecken,
Der Hamborger Schrecken,
Sin swarte Flagge, de weiht in'n Wind,
Slap, min Kind . . .«

BÖRRIES VON MÜNCHHAUSEN

Die Glocke von Hadamar

»Wir wollen dies Jahr die Felder am Rhein
Mit heißen Sicheln mähn,
Wie Sensen soll der Flammenschein
Über die Ernten gehn.

Gott gnade der Burg und gnade der Stadt,
Die meiner Faust widerspricht, –
Du hältst wohl auf die Kanone am Rad,
Aber Tilly – hältst du nicht!«

Und der Brabanter sprang vom Pferd,
Eisenumschlossen ganz,
Hell klirrend schlug an Koller und Schwert
Der eiserne Rosenkranz.

Da stiegen die Wogen des Reiterkriegs,
Da prasselten Hieb und Schuß,
Und von dem Blute des Reitersiegs
Ward rot der blaue Fluß.

Was silberne Glocke gewesen einst,
Klingelt als Geld durchs Land,
Und wer die Messe gelesen einst,
Bettelt am Straßenrand. –

Zu Walmarod der Reichsbaron
Die Zugbrück zog er herauf:
»'s ist nicht für meine Religion,
Die gäb ich gern in Kauf,

's ist nicht für meine Baronie,
Für Thron nicht und Altar,
Ich kämpfe nur für dich, Sophie,
Sophie, und für dein Haar!

Für jedes Haar und für jeden Kuß
Einen Schwerthieb schlag ich dafür,
Bis ich Tillys Herz zwischen diesem Fuß
Und der alten Erde spür!

Geliebte, nun tauche den roten Mund
In den roten rheinischen Wein,
Wir läuten mit klingendem Gläserrund,
Wir läuten die Litanein!« – – –
– – – – – –

»Im Namen des Sohnes der Marie,
Des Jesusknaben von Prag,
Ich will die Burg, und ich nehme sie
Vor Sankt Gertraudentag!

Nie lag ich so lange im Hinterhalt
Und nie so lang auf der Laur,
Niemals im ganzen Westerwald
Und im Walde von Montabaur.

Ich schwörs: Wenn ich fange das girrende Paar:
Sein Haupt vorm Beile sinkt,
Wenn drüben vom Kloster in Hadamar
Der Ton der Mette klingt!« – – –

Der Söldner mit Schienen die Schenkel umschloß
Und prüfte des Flambergs Glanz,
Und in die Musketenkugeln goß
Er Perlen vom Rosenkranz.

Und sie klommen empor trotz Pfeil und Tod
Im scheidenden Abendlicht,
Und sie fingen den Herren von Walmarod,
Das Weib aber – fingen sie nicht!

Durch den schweigenden Wald den verschwiegenen Pfad
Hinfloh sie aus Schande und Schlacht,
Und es säte der Hengst die Funkensaat
In die dunkele Furche der Nacht.

Zu Hadamar die alte Abtei
Träumte im Mondenlicht,
Sie schlich an der Türe des Pförtners vorbei,
Den Klopfer hob sie nicht.

Es klomm die Stufen zum Glockenturm
Empor die schöne Sophie,
Wohl atmete droben der Frühlingssturm,
Viel stürmischer atmete sie.

Und um den Klöppel der Glocke schlang
Sie die runden Arme fest,
Und hielt den schwankenden Glockenstrang
Zwischen ihre Schenkel gepreßt. –

Es zog der Mönch zur Mette das Seil,
Die Glocke war heut tot, –
Er riß zum zweiten am Glockenseil,
Da ward es blutig rot.

Anschlug er den Klöppel zum drittenmal,
Da klang ein Schrei so schrill,
Ein Schrei voll wild verzweifelnder Qual,
Dann ward es totenstill.

Und nur die große Glocke hallt
Von Hadamar-Abtei
Zitternd über den Westerwald
Ihren letzten Sterbeschrei.

Und als er klang in Walmarod,
Ins Knie sank der Baron:
»Erbarm dich, Herr, um meinen Tod
Durch Christum deinen Sohn!«

Ballade vom Brennesselbusch

Liebe fragte Liebe: »Was ist noch nicht mein?«
Sprach zur Liebe Liebe: »Alles, alles dein!«
Liebe küßte Liebe: »Liebe, liebst du mich?«
Küßte Liebe Liebe: »Ewig, ewiglich!« – –

Hand in Hand hernieder stieg er mit Maleen
Von dem Heidehügel, wo die Nesseln stehn,
Eine Nessel brach er, gab er ihrer Hand,
Zu der Liebsten sprach er: »Uns brennt heißrer Brand!

Lippe glomm auf Lippe, bis die Lust zum Schmerz,
Bis der Atem stockte, brannte Herz an Herz,
Darum, wo nur Nesseln stehn am Straßenrand,
Wolln wir daran denken, was uns heute band!« –

Spricht von Treu die Liebe, sagt sie ›ewig‹ nur, –
Ach, die Treu am Mittag gilt nur bis zwölf Uhr,
Treue gilt am Abend, bis die Nacht begann, –
Und doch weiß ich Herzen, die verbluten dran.

Krieg verschlug das Mädchen, wie ein Blatt verweht,
Das im Wind die Wege fremder Koppeln geht,
Und ihr lieber Liebster stieg zum Königsthron,
Eine Königstochter nahm der Königssohn.

Sieben Jahre gingen, und die Nessel stand
Sieben Jahr an jedem deutschen Straßenrand,
Wer hat Treu gehalten? Gott alleine weiß,
Ob nicht wunde Treue brennet doppelt heiß!

Bei der Jagd im Walde stand mit schwerem Sinn,
Stand am Knick der König bei der Königin,
Nesselblatt zum Munde hob er wie gebannt,
Und die Lippe brannte, wie sie einst gebrannt:

»Brennettelbusch,
Brennettelbusch so kleene,
Wat steihst du so alleene!
Brennettelbusch,
Wo is myn Tyd eblewen,
Un wo is myn Maleen?«

»Sprichst mit fremder Zunge?« frug die Königin,
»So sang ich als Junge«, sprach er vor sich hin.
Heim sie ritten schweigend, Abend hing im Land, –
Seine Lippen brannten, wie sie einst gebrannt!

Durch den Garten streifte still die Königin,
Zu der Magd am Flusse trat sie heimlich hin,
Welche Wäsche spülte noch im Sternenlicht,
Tränen sahn die Sterne auf der Magd Gesicht:

»Brennettelbusch,
Brennettelbusch so kleene,
Wat steihst du so alleene!

Brennettelbusch,
Ik hev de Tyd eweten,
Dar was ik nich alleen!«

Sprach die Dame leise: »Sah ich dein Gesicht
Unter dem Gesinde? Nein, ich sah es nicht!«
Sprach das Mädchen leiser: »Konntest es nicht sehn,
Gestern bin ich kommen, und ich heiß Maleen!« –

Viele Wellen wallen weit ins graue Meer,
Eilig sind die Wellen, ihre Hände leer,
Eine schleicht so langsam mit den Schwestern hin,
Trägt in nassen Armen eine Königin. – –

Liebe fragte Liebe: »Sag, weshalb du weinst?«
Raunte Lieb zur Liebe: »Heut ist nicht mehr einst!«
Liebe klagte Liebe: »Ists nicht wie vorher?«
Sprach zur Liebe Liebe: »Nimmer – nimmermehr.«

Jekaterinas Bestechung

Noch einmal von dem öden Sande
Der Gegenwart entführ ich euch
In die verlornen bunten Lande
Voll Märchen-Blumen und Gesträuch.
Hört, was bei Huschi mir der Hirte
Aus Kaiser Peters Zeit erzählt,
Als er den Zweig der grauen Myrte
Zum Schäferstecken abgeschält:

Der Trommelruf des großen Zaren,
Durchs ewge Rußland rauschend, rief

Zum Türkenkriege die Bojaren, –
Wie dröhnten seine Trommeln tief!
Und aus den unermeßnen Weiten
Drängt sichs in Horden zur Gefahr,
Und Asiens heiße Völker reiten
Stromgleich zusammen, Schar um Schar.

Da poltern der Tungusen Hufe,
Grauüberstaubt vom Marsche längst,
Da treibt mit quäkend gellem Rufe
Der Kamtschadale seinen Hengst,
Da strafft der Finne die Gamasche,
Fischhautgenäht, am Schenkel auf,
Da schaukelt die Melonenflasche
An des Kirgisen Sattelknauf!

Da flattert von des Orotschonen
Durchnähter Wange buntes Garn,
Und der Kasak streift die Patronen,
Daß sie an seinem Kittel schnarrn,
Und da: Bei schneidenden Fanfaren
Wiegt im Galopp den schlanken Leib,
Sattel an Sattel mit dem Zaren,
Des Weißen Zaren blondes Weib!

Das Weib trug prunkend her der Brüste
Ganz wundervollen Überfluß,
Die weiße Rose, die sie küßte,
Ward rot vor Scham bei ihrem Kuß.
Sie griff nach ihres Schimmels Schweife
Und riß ihn toll und lachte viel,
Vom Riemen taumelte die Pfeife
Auf ihrer Schenkel Sehnenspiel. –

Am Pruth hinlagert, ungeheuer
Breit ausgeschwellt, die fremde Pracht,
Zehntausend grelle Lagerfeuer
Ängstigen die Karpathen-Nacht.
Und doch: Wie viele auch der Sporen
Blutübertropfte Spur vereint, –
Schon morgen sind sie all verloren,
Denn sechsfach stärker ist der Feind. –
– – – –

O Weibes-Schönheit, süße Flamme,
Die Leben spendet und zerstört,
Die, gleich dem Meer und Meeres-Schlamme,
In Reinheit und in Schmutz verkehrt,
Du süße Milch, die alle saugen,
Und die aus blanken Hügeln fließt,
Darüber aus dem Quell der Augen
Die bittre Träne sich ergießt!
– – – –

Im Zelte hockt der Sultan auf dem Kissen
Und denkt der reifen Frucht, die morgen fällt,
Da bauscht der Vorhang und wird aufgerissen,
Des Zaren schöne Liebste tritt ins Zelt:
»Ich weiß, du duckst mein ganzes Volk zu Grabe,
Wenn du es willst, mit deiner Fäuste Druck.
Drum bring ich alles, was ich an mir habe,
Denn ich weiß auch: Der Groß-Herr liebt den Schmuck!«

Der Haare Spangen löst sie ab als Spenden,
Da stürzt herab die blondverwirrte Flut
Und schäumt kaskadengleich an schmale Lenden, –
Wie sie das Perlen-Mieder von sich tut,
Da trägt sie wundervoll die starren Brüste,
Als ob des Zaren mächtigster Bojar

Die goldnen Äpfel beider Reiche müßte
Im Krönungszuge tragen zum Altar.

Sie schlüpft aus den türkisbesetzten Schuhen
Und steht auf weichen Sohlen zögernd da, –
Wie köstlich ihre rosigen Zehen ruhen
Tiefeingesenkt im blauen Bochara!
Dann rauschen des Gewands Smaragden nieder,
Und aus den Falten steigt sie, blond und bloß,
Dehnt seidenblank den Samt der jungen Glieder:
»Gibst du für das, was ich dir gab, uns los?«

Die Worte tropfen einzeln in die Stille,
In die sich kurz ein heisrer Atem flicht, –
Faßt denn des Auges durstige Pupille
So weißer Schönheit ungebrochnes Licht!
Wenn sie aus blanken Hügeln selig fließt,
Darein doch aus der Großen Mutter Augen
Ach, Weibes-Schönheit, süß wie Milch zu saugen,
Die salzge Träne ewig sich ergießt! –

Von seines Kissens rotem Saffiane
Tastet der Sultan, zitternd, fieberhaft,
Und des Propheten grüne Seidenfahne
Kreischt abgerissen vom entweihten Schaft:
»Da, nimm! Und in die heilige Standarte
Hülle das Heilige, das ich geschaut!
Du setztest so viel auf die eine Karte,
Daß mir vor – mir und deiner Kühnheit graut!

Geh heim und rühm dich mit dem grünen Kleide!
Den Groß-Herrn selbst bestachst du heute nacht,
Denn wisse: Ohne diese Fahnen-Seide
Geht nie ein Moslem in die Russenschlacht!« –

Jekaterina ging. Als die Gewehre
Tau-Perlen tropften, morgenlichtumgraut,
Da lösten voneinander sich die Heere,
Lautlos wie Eis, das auseinandertaut.

AGNES MIEGEL

Rembrandt

Am schiefen kleinen Fenster eines schmalen,
Engbrüstigen Hauses in der Prinzengracht
Malt Rembrandt bei des Winterabends Strahlen,
Der draußen Mast und Segel rot entfacht,
Mit welker Hand, die leise von des Weines
Verrat bebt, im zerfetzten Pelz, bestaubt
Und grau wie sein verwirrtes Haar, an eines
Weißblonden Engels zartem Kinderhaupt.
Und prüfend blickt im letzten Abendlicht
Er auf das Bild und lehnt sich an die Wand.
Ein Lächeln im verwitterten Gesicht
Ruft er, zum dunklen Zimmer halb gewandt:
»Titus! Hendrikje!«
Eine Türe klappt,
Ein Lichtschein kommt, der Schrank und Krüge streift,
Die Scheuerbürste reibt, ein Lappen flappt
Klatschend und wuchtig auf die feuchten roten
Ziegel im Flur, und eine Stimme keift:
»Du Narr, was schreist du wieder nach den Toten!«
Und laut und frech, wie man ein Schimpfwort gellt
Am Hafen, wird die Türe zugeschlagen.
Ganz reglos steht der Greis. Die Dämmrung fällt.
Er senkt das Haupt. In plötzlichem Verzagen
Schiebt kindisch er die Unterlippe vor,
Ein Zittern geht durch die erschlafften Wangen – –
Doch jählings richtet er sich rasch empor
Und starrt hinaus zum Fenster.
Von dem langen,

Geteerten Vorbau an dem Nachbarhaus,
Wo wochentags Lewy Aschkenas
Hängt Bilder und verschlißnen Trödel aus, –
Dort schimmert durch die Dämmrung, klar und blaß,
Der Sabbatkerzen feierliches Licht.
Wie eine goldne Brücke geht ihr Leuchten
Bis zu dem Bollwerk, wo der Glanz sich bricht;
Er spiegelt sich wie Gold auf einem feuchten,
Vermorschten Pfahl, und einer Kogge Bug
Glüht wie ein Kupferschild.
Weit vorgebückt
Sieht Rembrandt auf des Lichtes Märchentrug.
Sein Antlitz leuchtet kindlich, jäh entzückt,
Er fühlt verjüngt die greisen Adern klopfen.
Er atmet auf, dehnt die erschlafften Glieder
Und pfeift.
Aus den verschwollnen Augen tropfen
Langsam und heiß zwei große Tränen nieder.

Die Frauen von Nidden

Die Frauen von Nidden standen am Strand
Über spähenden Augen die braune Hand,
Und die Boote nahten in wilder Hast,
Schwarze Wimpel flogen züngelnd am Mast.

Die Männer banden die Kähne fest
Und schrieen: »Drüben wütet die Pest!
In der Niedrung von Heydekrug bis Schaaken
Gehn die Leute im Trauerlaken!«

Da sprachen die Frauen: »Es hat nicht Not. –
Vor unsrer Türe lauert der Tod,
Jeden Tag, den uns Gott gegeben,
Müssen wir ringen um unser Leben.

Die wandernde Düne ist Leides genug,
Gott wird uns verschonen, der uns schlug!«
Doch die Pest ist des Nachts gekommen
Mit den Elchen über das Haff geschwommen.

Drei Tage lang, drei Nächte lang,
Wimmernd im Kirchstuhl die Glocke klang.
Am vierten Morgen, schrill und jach,
Ihre Stimme in Leide brach.

Und in dem Dorf, aus Kate und Haus,
Sieben Frauen schritten heraus.
Sie schritten barfuß und tiefgebückt,
In schwarzen Kleidern, buntgestickt.

Sie klommen die steile Düne hinan,
Schuh und Strümpfe legten sie an
Und sie sprachen: »Düne, wir sieben
Sind allein noch übrig geblieben.

Kein Tischler lebt, der den Sarg uns schreint,
Nicht Sohn noch Enkel, der uns beweint,
Kein Pfarrer mehr, uns den Kelch zu geben,
Nicht Knecht noch Magd ist mehr unten am Leben, –

Nun, weiße Düne, gib wohl acht:
Tür und Tor ist Dir aufgemacht,
In unsre Stuben wirst Du gehn
Herd und Hof und Schober verwehn, –

Gott vergaß uns, er ließ uns verderben.
Sein verödetes Haus sollst Du erben,
Kreuz und Bibel zum Spielzeug haben, –
Nur, Mütterchen, komm uns zu begraben!

Schlage uns still ins Leichentuch,
Du unser Segen, – einst unser Fluch.
Sieh, wir liegen und warten ganz mit Ruh«, –

Und die Düne kam und deckte sie zu.

Schöne Agnete

Als Herrn Ulrichs Wittib in der Kirche gekniet,
Da klang vom Kirchhof herüber ein Lied,
Die Orgel droben hörte auf zu gehn,
Die Priester und Knaben, alle blieben stehn,
Es horchte die Gemeinde, Greis, Kind und Braut,
Die Stimme draußen sang wie die Nachtigall so laut:

»Liebste Mutter in der Kirche, wo des Mesners Glöcklein klingt,
Liebe Mutter, hör, wie draußen deine Tochter singt.
Denn ich kann ja nicht zu dir in die Kirche hinein,
Denn ich kann ja nicht mehr knieen vor Mariens Schrein,
Denn ich hab ja verloren die ewige Seligkeit,
Denn ich hab ja den schlammschwarzen Wassermann gefreit.

Meine Kinder spielen mit den Fischen im See,
Meine Kinder haben Flossen zwischen Finger und Zeh,
Keine Sonne trocknet ihrer Perlenkleidchen Saum,
Meiner Kinder Augen schließt nicht Tod noch Traum – –

Liebste Mutter, ach ich bitte dich,
Liebste Mutter, ach ich bitte dich flehentlich,
Wolle beten mit deinem Ingesind
Für meine grünhaarigen Nixenkind,
Wolle beten zu den Heiligen und zu Unsrer Lieben Frau
Vor jeder Kirche und vor jedem Kreuz in Feld und Au!
Liebste Mutter, ach ich bitte dich sehr,
Alle sieben Jahre einmal darf ich Arme nur hierher.

Sage du dem Priester nun
Er soll weit auf die Kirchentüre tun,
Daß ich sehen kann der Kerzen Glanz,
Daß ich sehen kann die güldene Monstranz,
Daß ich sagen kann meinen Kinderlein,
Wie so sonnengolden strahlt des Kelches Schein!«

Und die Stimme schwieg.
Da hub die Orgel an,
Da ward die Türe weit aufgetan, –
Und das ganze heilige Hochamt lang
Ein weißes weißes Wasser vor der Kirchentüre sprang.

Die Nibelungen

In der dunkelnden Halle saßen sie,
Sie saßen geschart um die Flammen,
Hagen Tronje zur Linken, sein Schwert auf dem Knie,
Die Könige saßen zusammen.

Schön Kriemhild kauerte nah der Glut.
Von ihren schmalen Händen
Zuckte der Schein wie Gold und Blut
Und sprang hinauf an den Wänden.

König Gunter sprach: »Mein Herz geht schwer,
Hör ich den Ostwind klagen!
Spielmann, lang deine Fiedel her,
Sing uns von frohen Tagen!«

Aufflog ein jubelnder Bogenstrich
Und flatterte an den Balken,
Herr Volker sang: »Einst zähmte ich
Einen edelen Falken ...«

Die blonde Kriemhild blickte auf
Und sprach mit Tränen und leise:
»Spielmann, hör mit dem Liede auf,
Sing eine andre Weise!«

Die braune Fiedel raunte alsbald
Träumend und ganz versonnen,
Herr Volker sang: »Im Odenwald
Da fließt ein kühler Bronnen ...«

Die blonde Kriemhild wandte sich
Und sprach mit Tränen und bange:
»Mein Herz schlägt laut und fürchtet sich
Und bebt bei deinem Sange ...«

Anhub die Fiedel zum drittenmal
Aufweinend in Gram und Leide,
Herrn Volkers Stimme sang im Saal,
Wie ein Vogel auf nächtiger Heide:

> »Es glimmt empor aus ewiger Nacht
> Heißer als alle Feuersglut,
> Gelb wie das Aug der Zwergenbrut,
> Das gierig seinen Glanz bewacht, –
> O weh der Lust, die mich gezeugt!

Wie Brunft nach Brunft im Forste schreit,
Wie nach der Lohe lechzt die Glut,
So treibt die Gier nach Menschenblut
Ans Licht den Hort der Dunkelheit, –
O weh dem Schoß, der mich gebar!

Es ruft den Neid, es weckt den Mord,
Stört auf die Drachen Trug und List,
Hetzt Rachsucht, die die Rache frißt, –
Und immer röter glüht der Hort, –
O weh der Brust, die mich gesäugt!

Es treibt und schwimmt im Purpurquell,
Es trinkt den Quell und lechzt nach mehr,
Es braust und schäumt, die Flut steigt schnell,
Breit wie die Donau strömt es her, –
O weh der Lieb, die lieb mir war!

Es schäumt und braust, atmet und steigt,
Schon brandets draußen an die Tür,
Es klopft und pocht, der Riegel weicht,
Nun flutets heiß und rot herfür, –
Weh über mich, weh über euch!«

Jäh bei dem letzten Bogenstrich
Sprangen die Saiten und schrieen,
Hagen von Tronje neigte sich
Und wiegte sein Schwert auf den Knieen.

Die Könige saßen bleich und verstört,
Doch die schöne Kriemhild lachte,
Sie sprach: »Nie hab ich ein Lied gehört,
Das mich lustiger machte!«

Sie kniete nieder und schürte die Glut.
Von ihren schmalen Händen
Zuckte der Schein wie Gold und Blut
Und sprang hinauf an den Wänden.

Die Mär vom Ritter Manuel

Das ist die Mär vom Ritter Manuel,
Der auf des fremden Magiers Geheiß
Sein Haupt in eine Zauberschale bog.
Und als ers wieder aus dem Wasser zog,
Da seufzte er und sprach: »Mein Haar ist weiß,
Gebrochen meine Kraft. O allzulange
Qualvolle Wanderschaft!« Die Höflingsschar,
Die ringsum stand, rief: »Dunkel ist dein Haar,
Frage den König!«
Staunend sprach und bange
Da der Verzauberte: »O Herr, die Zeit
Ist hold und spurlos dir vorbeigeglitten!
Als ich vor zwanzig Jahren fortgeritten,
Warst du wie heut. An dem gestickten Kleid
Trugst du den Gürtel mit den Pantherschließen
Und an der Hand den gleichen Amethyst.«
»Erzähle«, sprach der Fürst und sprachs voll List,
»Was dir begegnet, seit wir uns verließen!«

Der Arme sann, und seine Augen waren
Wie Kinderaugen, noch vom Traum befangen.
»König, ich bin so weit von euch gegangen,
So vieles sah ich! Und in späten Jahren,
An dunklen Wintertagen und in schwülen
Hochsommernächten will ich dir erzählen

Von allem. Und vor deinen stillen Sälen
Soll meines bunten Lebens Brandung spülen.
Nur jetzt noch laß mich schweigen.
Denn ein Gram
Durchrüttelt mich, den nie ein Mensch gekannt.
Sieh, ich verließ mein Weib in jenem Land,
Und weiß es nicht mehr, welchen Weg ich kam,
Und weiß den Namen jenes Landes nicht,
Wo sie im Fenster kauernd, kinderschmal,
Aus dem Kastell hinabspäht in das Tal,
Bis jäh die Felsen glühn im Abendlicht
Und jäh erbleichen.
Durch das samtne Dunkel
Der Nacht strahlt freundlich einer Ampel Schein,
Um Führer meiner Wanderschaft zu sein,
Und purpurn glänzt wie ein Rubingefunkel
In ihrem Licht des Bergstroms dunkle Flut.
Sein Name nur? Sehr seltsam klang er, wie
Der Felsen Name, uralt auch wie sie.
Und jene Frau, die mir im Arm geruht, –
Weh, meine Liebe kann sie nicht mehr rufen,
Der süße Laut entglitt mir, wie im Tann
Dem Schlafenden entglitt der Talisman,
Den sie mir umhing auf des Schlosses Stufen!« – –

Dann schrie er auf und hielt des Königs Knie
Wie ein um Hilfe Flehender umklammert.
Der sprach, – und er war bleich und ernst – : »Mich jammert
Der Qual des armen Narrn, die zu mir schrie.
Magier, tritt vor, zerbrich des Zaubers Bann!«
Der König wartete. Die Diener liefen
In allen Gängen hin und her und riefen,
Die Ritter sahn sich groß, verwundert an.
Denn keiner fand den Magier. Ein'ge schwuren,
Sie hätten an dem Springbrunn ihn gesehn

Murmelnd die goldne Zauberschale drehn, –
Doch in dem Sande sah man keine Spuren.

Und wie die Stürme auf dem hohen Meer
Das längstverlaßne Wrack des Seglers jagen,
So trieb durch Jahre voller Sorg und Fragen
Erinnerungsqual den Grübelnden umher,
Bis ihn beim Jagen einst ein fremd Geschoß,
Vielleicht aus Mitleid, in die Schläfe traf.
Still wie ein Kind sank er ins Moos zum Schlaf
Und stammelte, eh er die Augen schloß:
»Tamara!« Und er starb.
Die Zeit verrann.
Doch einmal abends klang im Hof Geklirr
Von vielen Waffen, und ein bunt Geschwirr
Landfremder Sprachen. Und ein brauner Mann,
Sehr alt und fürstlich, dessen welke Hand
Auf seidnem Kissen trug der Herrschaft Zeichen,
Trat vor den König wie vor seinesgleichen
Und rief: »Wo ist, nach dem wir ausgesandt,
Mein König Manuel, Tamaras Gatte,
Den sie in ihrem Felsenschloß beweint?
Westwärts ging ich, soweit die Sonne scheint,
Bis ich zu deinem Reich gefunden hatte.
Hier, sprach der sternenkundige Magier, werde
Ich meinen Herren finden. – Weise mich,
Daß ich ihn krönen kann!«
Da neigte sich
Der König still, griff eine Handvoll Erde
Aus einer Schale, drin die Rosen blühten,
Und wies sie stumm dem Suchenden.
Der stand
Ganz lange still. Dann schlug er sein Gewand
Weit um den Kronreif, dessen Steine sprühten,
So schritt er aus dem Saal.

Ein Klaggesang
Kam langgezogen, trostlos durch die Nacht.
Dann ein Geklirr und Hufgetrappel, sacht
Und langsam, – bis auch das im Sturm verklang.

In jener Nacht, bei seiner Kerzen Qualmen
Saß lang der König auf. Sein Page schlief
Und schrak empor, denn eine Stimme rief:
»Sieh, keine Antwort find ich in den Psalmen!
Erbarmer aller Welt, sprich: was ist Schein?« – –
Und lange vor dem Kruzifixe stand
Der König starr, mit ausgestreckter Hand. –

So sagt der Page. Doch er ist noch klein,
Furchtsam, und hat den Kopf voll Märchenflausen –

ERNST LISSAUER

Scene von 1812

Windwürfe schütten ans Fenster Hagel und Eis,
Im Ofenloch brodeln Kieferreiser,
Im Bett liegt General Dumas fieberheiß,
Er blieb in Memel, von Typhus gepackt,
In die russische Steppe zog vor Monden der Kaiser.
Durch sein dumpfmüdes Haupt trommelts im Takt:
Der Kaiser
Wo ist der Kaiser – ?
Wo ist die Armee? –
Das Wandgebälk knackt;
In der schwankenden Stube schwankt auf der Kerze der Docht,
Wenn das Wetter schweigt, tropft durch die Stille die Uhr.
Schlürfen Schritte im Flur?
Es pocht.

Eintritt ein Soldat, wie gebacken aus Schnee und Ruß,
Der Spenser zerlumpt, Schaffell geschnürt um den Fuß.
Die Stube kreist,
Der Kranke, durch einen dickschwälenden Schein,
Schlägt aus nach dem Geist,
Trifft Fleisch und Bein,
Weit aus dem rotdünstigen Licht
Eine Stimme spricht:
»Mich dünkt, Ihr kennt mich nicht mehr? –
Ich komme aus Rußland her.
Ich bin Marschall Ney.
Ich bin die Nachhut der großen Armee.«

Aus dem großen Bauernkrieg. Die Vorzeichen

Hell in Schloß Helfenstein strahlt der dunkelgebälkige Saal,
Lang ist die Tafel bestellt mit Schale, Krug und Pokal,
Die Tücher glänzen gestickt mit Säumen und Borten,
Forelle prangt und Kapaun, bunt glitzern Konfekte und Torten,
Laub grünt über den Tisch, schwer blauen hispanische Trauben,
Langhin sitzen die Herrn in damastenen Wämsern und Schauben.
Wie um den Korb rauscht ein Volk Immen,
Sirren und summen wirr durcheinander die Stimmen.
Verquer über Tisch anklingen Krüge und Gläser,
Hanstein und Rotenhan schwanken wie windgewehte Schilfgräser.
Von gesalzener Speise ist Zunge und Hirn gebeizt,

Und die Antlitze glühn, von Weinen und Bieren geheizt.

Da wird sacht
Vor dem mittaghellen Fenster gelbe Nacht.
In weißen Wänden
Stehn Wetter auf und verblenden.
Doch sie achten nicht
Das zuckende Licht,
Da rollen die Diener ein neues Faß Wein daher,
Und des Stühlingers Zunge lallt schwer:
»Ich wollt, daß das rumplige Faß ein bäuchiger Bauer wär,
Der würde mir zu Kurzweil und Fest
Ausgekeltert und ausgepreßt,
Seine Adern sollten laufen,
Das wär mir ein weidliches Saufen.«
Und stößt an das Faß mit dem Fuß:
»Gott zum Gruß,
Heda, du hölzerner Bauer, dein Blut ist dein Wein,
Auch du sollst mir leibeigen sein!«
Aufstiebt Gejauchz und Gejohl:

»Stühlingen, Bruder, – dein Wohl!«
Und während der Weiler vor Lust mit der Faust einen Wirbel
klirrt auf den eichenen Tisch,
Daß drauf einen Hopser tanzt das Fleisch mit dem Obst und der
Wein mit dem Fisch,
Haun sie, von stampfender Wut gepackt,
Auf den hölzernen Leib mit den eisernen Schuhn einen
hämmernden Takt, –
Da bricht aus der Faßwand ein Stück.
Wein träuft
Und trieft und läuft, –
Die rings fahren zurück.
Aber der Stühlinger lacht laut auf und schwingt
Sein Glas: »So schenk ich mir ein aus der Wunde
Und mache nun wahr mein Wort!«
Füllt, führt zum Munde
Und trinkt.
Aber fort,
Im Bogen weit,
Wirft er das Glas, speit
Wieder den Trunk und schlottert und schreit:
»Im Faß ist Blut!«
Da geschieht draußen ein Schlag,
Daß die Scheiben rasselnd zersplittern,
Und die Luft ist weiß von Gewittertag
Und weiß die Häupter den weinroten Rittern.
Strahl auf Strahl
Schnellt tief in die Halle und spiegelt sich scheinend auf Krug
und Pokal,
Und sieh, da hat sich schon einer mit langen
Feuern hoch im Gebälk verfangen,
Und sieh, er versprüht nicht, er schwebt, er flammt,
Und wieder einer, und aber, und noch einmal,

Schlag auf Schlag brennt herab und glüht eingerammt,
Grauen
Schreit aus dem Türeck, wo die Ritter sich stauen, –

Blitze, die Sicheln Gottes, prangen
Entlang die Decke, funkelnd und fahl,
Bauernsicheln vom Himmel hangen
Drohend herab, herein in den Saal.

MAX MELL

Die Schönwetterhexe

Irgendwo im Lauf hat sie gelacht,
Und es glänzt von ihren blanken Augen!
Und der Jüngling läßt sein schönes Liebchen,
Hat sich nach der Hexe aufgemacht.

Und ihm dünkt, daß er die Fährte fand;
Hier im Wald dies ist ihr goldner Fußtritt,
Dort die Blume trägt die Zauberbotschaft,
Denn durchleuchtet ist des Kelches Wand!

Schleicht er vor, so gängelt ihn ein Falter,
Morgenfrisch wie er noch keinen sah,
Sonnendisteln nisten längs des Weges,
Eine jede ist ein strahlend Ja!

Fort! Ihr nach! Da jauchzt er hingerissen:
Eine Felsenbühne öffnet ihm
Ihre prangenden Kulissen,
Und er geht durch sie mit Ungestüm.

Rieseln einmal Steinchen durch die Stille,
Ihre flinke Sohle hats getan!
Dort im Winkel ihre schneegewobne Hülle!
Und die Hexe schritt ihm nackt voran!

Und ihm tobt das Herz. Ich faß dich droben!
Doch beklommen tritt er und allein

In ein Blau, das furchtbar ferngehoben,
Und nur Moos umdorrt den Gipfelstein.

Schmelz von Wangen, Schmelz der schönsten Glieder
An die ungeheure Welt verteilt –
Wohin jetzt? Und bange späht er nieder,
Ahnend, daß ihm nichts die Sehnsucht heilt.

Starrt, wie blendend von den Gipfelgrenzen
Bis zum tiefen See der Abend quillt,
Und er weiß nicht, flog sie in sein Glänzen
Oder sank sie in sein Spiegelbild.

GEORG TRAKL

Die junge Magd

Ludwig von Ficker zugeeignet

Oft am Brunnen, wenn es dämmert,
Sieht man sie verzaubert stehen
Wasser schöpfen, wenn es dämmert.
Eimer auf und nieder gehen.

In den Buchen Dohlen flattern
Und sie gleichet einem Schatten.
Ihre gelben Haare flattern
Und im Hofe schrein die Ratten.

Und umschmeichelt von Verfalle
Senkt sie die entzundenen Lider.
Dürres Gras neigt im Verfalle
Sich zu ihren Füßen nieder.

*

Stille schafft sie in der Kammer
Und der Hof liegt längst verödet.
Im Holunder vor der Kammer
Kläglich eine Amsel flötet.

Silbern schaut ihr Bild im Spiegel
Fremd sie an im Zwielichtscheine
Und verdämmert fahl im Spiegel
Und ihr graut vor seiner Reine.

Traumhaft singt ein Knecht im Dunkel
Und sie starrt von Schmerz geschüttelt.
Röte träufelt durch das Dunkel.
Jäh am Tor der Südwind rüttelt.

*

Nächtens übern kahlen Anger
Gaukelt sie in Fieberträumen.
Mürrisch greint der Wind im Anger
Und der Mond lauscht aus den Bäumen.

Balde rings die Sterne bleichen
Und ermattet von Beschwerde
Wächsern ihre Wangen bleichen.
Fäulnis wittert aus der Erde.

Traurig rauscht das Rohr im Tümpel
Und sie friert in sich gekauert.
Fern ein Hahn kräht. Übern Tümpel
Hart und grau der Morgen schauert.

*

In der Schmiede dröhnt der Hammer
Und sie huscht am Tor vorüber.
Glührot schwingt der Knecht den Hammer
Und sie schaut wie tot hinüber.

Wie im Traum trifft sie ein Lachen;
Und sie taumelt in die Schmiede,
Scheu geduckt vor seinem Lachen,
Wie der Hammer hart und rüde.

Hell versprühn im Raum die Funken
Und mit hilfloser Gebärde
Hascht sie nach den wilden Funken
Und sie stürzt betäubt zur Erde.

*

Schmächtig hingestreckt im Bette
Wacht sie auf voll süßem Bangen
Und sie sieht ihr schmutzig Bette
Ganz von goldnem Licht verhangen,

Die Reseden dort am Fenster
Und den bläulich hellen Himmel.
Manchmal trägt der Wind ans Fenster
Einer Glocke zag Gebimmel.

Schatten gleiten übers Kissen,
Langsam schlägt die Mittagstunde
Und sie atmet schwer im Kissen
Und ihr Mund gleicht einer Wunde.

*

Abends schweben blutige Linnen,
Wolken über stummen Wäldern,
Die gehüllt in schwarze Linnen.
Spatzen lärmen auf den Feldern.

Und sie liegt ganz weiß im Dunkel.
Unterm Dach verhaucht ein Girren.
Wie ein Aas in Busch und Dunkel
Fliegen ihren Mund umschwirren.

Traumhaft klingt im braunen Weiler
Nach ein Klang von Tanz und Geigen,
Schwebt ihr Antlitz durch den Weiler,
Weht ihr Haar in kahlen Zweigen.

GEORG HEYM

Robespierre

Er meckert vor sich hin. Die Augen starren
Ins Wagenstroh. Der Mund kaut weißen Schleim.
Er zieht ihn schluckend durch die Backen ein.
Sein Fuß hängt nackt heraus durch zwei der Sparren.

Bei jedem Wagenstoß fliegt er nach oben.
Der Arme Ketten rasseln dann wie Schellen.
Man hört der Kinder frohes Lachen gellen,
Die ihre Mütter aus der Menge hoben.

Man kitzelt ihn am Bein, er merkt es nicht.
Da hält der Wagen. Er sieht auf und schaut
Am Straßenende schwarz das Hochgericht.

Die aschengraue Stirn wird schweißbetaut.
Der Mund verzerrt sich furchtbar im Gesicht.
Man harrt des Schreis. Doch hört man keinen Laut.

GEORG VON DER VRING

Der Tanz im Gras

Das Weib des Nachbarn war betrunken.
Sie hat getanzt, sie hat gesungen
Des Morgens früh im grauen Gras,
Die Drossel auf dem Birnbaum saß.

Sie tanzte wegauf, sie tanzte wegab,
Sie tanzte drei Männern den Kopf herab:
Der erste der sang, der zweite der sprang,
Der dritte lag drinnen, das Ohr an der Wand.

Sie haben getrunken – man konnte nichts machen,
Den grauen Weg sie tanzten mit Lachen.
Das Weib drei Männer im Kreise schwang.
Die Drossel hub an den Morgengesang.

Der erste fiel in das nasse Gras.
Der zweite hat den Weg umfaßt.
Der dritte hat sie zur Kammer gebracht,
Die Füßchen gewärmt und Tee gemacht.

GEORG BRITTING

Salome

Salome tanzte vor ihrem Herrn und Gebieter.
Sie trug ein kleines, schwarzes Mieder,
Das hielt ihre hüpfende Brust kaum.
In ihrem Nacken glänzte der Haare Flaum.

Herodes rief: »Tanze, mein Kind, tanze schneller!«
Er beugte sich weit zu der Tanzenden vor,
Es rauschte das Blut in seinem Ohr,
Er warf von goldenem Teller

Ihr Früchte und Blumen zu.
Sie drehte sich wie der Wirbelwind,
Es saß betäubt das Hofgesind,
Und tanzend verlor sie den Schuh.

»Tanze, mein Kind, tanz ohne Schuh,
Tanz, liebliche Judenbraut,
Ich schenke dir wieder andere Schuh,
Schuhe aus Menschenhaut!«

Salome tanzte. Der Wirbel riß
Den König mit. Er streckte die Zehen.
Er entblößte sein gelbes Gebiß
Und erhob sich und konnte kaum stehen

Und schwenkte die Arme und stellte das Bein
Und drehte den fetten Leib.
Die Juden schrien: »König, halt ein,
Setze dich wieder, und bleib!«

Herodes saß auf dem goldenen Thron
Und keuchte und schnaufte laut.
Salome tanzte lächelnd davon,
Sie tanzte schon unter der Türe,
Da rief sie: »Vergiß nicht die Schnüre
Zu den Schuhen aus Menschenhaut!«

Die Juden schwiegen beklommen
Und tranken ohne Genuß.
Zu wem wird das Messer kommen?
Sie krümmten erschrocken den Fuß.

Was hat, Achill ...

Unbehelmt,
Voran der Hundemeute,
Über das kahle Vorgebirge her
Auf ihrem Rappen eine,
Den Köcher an der bleichen Mädchenhüfte.

Ein Falke kreist im blauen, großen,
Unermeßlich blauen,
Großen Himmel.

Er wird niederstoßen,
Die harten Krallen und den krummen Schnabel
Im Blut zu tränken, dem purpurnen Saft,
An dem das Falkenvolk sich wild berauscht.

Die nackte Brust der Reiterin.
Ihr glühend Aug.

Die Tigerhunde.
Der Rappe, goldgezügelt.
Sie hält ihn an.

Mit allem Licht
Tritt aus den Wäldern vor
Der Mann der Männer.
Die Tonnenbrust.
Auf starkem Hals das apfelkleine Haupt.

Er sieht die Reiterin.
Und sie sieht ihn.
So stehn sich zwei Gewitter still
Am Morgen- und am Abendhimmel gegenüber.

Der Falke schwankt betrunken auf der Beute.
Was hat, Achill,
Dein Herz?
Was auch sein Schlag bedeute:
Heb auf den Schild aus Erz!

HANS LEIP

Lied im Schutt

Und als ich über die Brücke kam,
Schutt, nichts als Schutt,
Als ich über die tote Brücke kam,
Da stand mein Vater und drohte mir,
Als wollt er sagen: Das dank ich dir!
Und suchte und suchte, was er nicht fand,
Und hob gegen mich die alte Hand,
Der ich im Wege stand.

Und als ich über die Straße kam,
Schutt, nichts als Schutt,
Als ich über die tote Straße kam,
Da stand meine Mutter und sah mich an
Und huschte und wischte hin und her,
Als wenn's in den alten Stuben wär,
Und weinte sehr.

Und als ich über den Torweg kam,
Schutt, nichts als Schutt,
Als ich über den toten Torweg kam,
Da stand mein Bruder und lachte mich aus
Und war von den Flammen ganz klein und kraus
Und sang von unserer Kindheit ein Lied,
Von der Zeiten Glück und Unterschied
Ein trauriges Lied.

Und als ich über den Garten kam,
Schutt, nichts als Schutt,
Als ich über den toten Garten kam,
Da standen meine Schwestern drei
Und fragten, ob ich es wirklich sei
Oder nur die Vergangenheit,
Und trugen alle ein schwarzes Kleid
Wegen der toten Vergangenheit.

Und als ich über den Schulhof kam,
Schutt, nichts als Schutt,
Als ich über den toten Schulhof kam,
Da stand mein alter Lehrer so grau
Und wußte das Gute und Böse genau
Und wies mit dem Finger nach hier und dort
In der Menschheit Irrsinn und Brand und Mord
Und fand kein Wort.

Und als ich über den Kirchplatz kam,
Schutt, nichts als Schutt,
Als ich über den toten Kirchplatz kam,
Da stand am zerschmetterten Turme gebückt
Meine Liebste und hatte ein Kränzlein gepflückt
Aus verkohltem Gebälk und zerborstenem Stein
Und lächelte selig und lud mich ein,
Ihr Bräutigam zu sein.

Und als ich über das Ufer kam,
Schutt, nichts als Schutt,
Als ich über das tote Ufer kam,
Da sah ich mich selber im Wasser stehn
Und sah mich selber von dannen gehn,
So leicht, so frei, so ohne Beschwer,
Und glaubte es nicht und ging hinterher,
Als ob es im Traume wär.

Und als ich über die Ferne kam,
Schutt, nichts als Schutt,
Als ich über die tote Ferne kam,
Da sah ich die tote Stadt von fern
Und sah sie aufleuchten wie einen Stern
Und sah ihre Not und Trübsal vergehn
Und sah die Erschlagene auferstehn
Schöner, als je ich gesehn.

GERTRUD KOLMAR

Charlotte Corday

> Keine gemeine, schändliche Hand schnitt
> seinen Lebensfaden ab, die Mörderin
> war ein junges Mädchen voll weiblicher
> Tugend ... Um sieben Uhr kam Marie-Anne
> Charlotte Corday zu dem Bürger Marat ...
>
> Restif de la Bretonne

Die in Schleiern schwebend und geweiht,
Eine aschenblonde Kerze, glomm:
Ihre Augen blühten klar und fromm,
Ihre Hände griffen Dunkelheit;

Dunkelheit umschmiegte, was sie barg,
Ihres Mordes streng gewählte Pflicht,
Da sie ohne Flackern ihr Gesicht
Leuchtend hinhob an den nahen Sarg.

In den düstern Käfig stieg sie hell.
Ach, die Treppe war so schwer zu gehn!
Jede Stufe ward ihr zehnmal zehn,
Alle Stufen schwanden viel zu schnell.

Als ihr Mut die Glocke droben zog,
Schrie das Herz, schrie Wehe ob der Hand,
Rief so tönend, daß sie nicht verstand,
Wie ihr Mund die Öffnende belog,

Jenes ernste, ungeschmückte Weib,
Das den Dämon heilig liebte, ihn,

Der von Flammenkronen widerschien ...
Und sie sah das Bad, den Männerleib,

Sah die Schulter nackt, die breite Brust,
Um sein Haupt ein wunderliches Tuch,
Spürte dünnen Arzeneigeruch,
Fand in falbem armutskranken Dust

Linnen, Wanne, Brett und Tintenfaß,
Federkiel, der winkte. Und sie kam,
Warf vom Lid die Röte ihrer Scham,
Riß ums Antlitz blendend ihren Haß.

Saß so stark und zitternd zu Gericht,
Bot den Zettel, den er fiebrig griff,
Wiederholte schweigend dieses: »Triff!«,
Fest sich fassend schon. Sie wußte nicht,

Daß er groß war. Aber sie war rein,
Stahl, der seine Feuerpranke brach.
Sie erglänzte, zuckte auf und stach
Als ein blankes Messer blitzend in ihn ein.

Werkzeug, gleich umklammert und zerschellt;
Heldin, die dem Glauben starb. Er ruht.
Aus der Wunde fließt sein Herz, sein Blut
Über Frankreich strömend in die Welt.

Camille

Das Düster war. Aus gähnend tiefen Spalten
Kroch Gräberhauch, quoll nebelhaft Gebräu.

Die Lampe glänzte tapfer, klein und treu,
Geborgnes Amulett in dunklen Falten.
So arglos ging die Stimme ihres Lichts
Zu dieser Nacht verrätrischer Gespenster
Und sagte sanft den lauernden am Fenster:
Ich weiß doch nichts.

Sie wußte nichts. Er saß und hielt den Scherben,
Der in die Haut ihm bohrte, hielt den Brand,
Die Kohle, glostend in der nackten Hand,
Das schmerzende: »Auch Desmoulins muß sterben.«
Und unerfaßt vor seinem fahlen Lid
Lag eine Kette farbig feiner Schilder,
Auf Elfenbein gemalter leiser Bilder;
Er schaute Glied um Glied:

Die Knabenfreundschaft: süßes, schweres Fließen
Aus goldner Wabe, Träume ohne Ziel,
Ein schönes, kindlich ernstes Römerspiel,
Darin sie Brutus oder Cato hießen.
Dann wies der Schimmer, scheu und schon verblaßt,
Noch Jünglingsstunden übervoller Herzen
Und leerer Hände, flackernd roter Kerzen
Und trug die Last

Der Trennung, trug ein dumpfes Wolkenhäufen,
Bis das Gewitter tönend niedersprang.
Sie ließen selig seinen wilden Sang,
Den blanken Quell, um Brust und Arme träufen,
Doch einer lief in Julistaub und -glut
Zum brodelnd heißen Volk, zu Straßensiegen;
Dort rief Camille, auf einen Tisch gestiegen,
Ein grünes Laub am Hut.

Er blickte still vom Größern zum Geringern.
Doch was da hing und glomm im Lampenschein,
Schlug auf sein Antlitz plötzlich wie auf Stein
Und brach entzwei. Aus seinen dünnen Fingern
Sank, was geglüht, ein müder Aschenhauf.
»Auch Desmoulins.« Im Winkel losch die Gnade.
Er nahm das Aktenstück aus seiner Lade,
Stand langsam auf

Und streifte von sich alle Menschlichkeit,
Wie man die Handschuh abstreift von den Händen,
Griff in das Zifferblatt der Weltenzeit,
Griff wie mit Krallen beide Zeigerenden
Und hielt sie mühevoll und zitternd an;
Er ließ sein Herz statt ihres Uhrwerks klopfen
Und fühlte hart, daß Blut in heißen Tropfen
Von seinen Nägeln rann.

Dantons Ende

Was klirrt, was wirbelt, dampft und braust,
Dies Schrein, dies Keuchen, dieses Lallen,
Das riß er würgend in die Faust,
Das zwang er klumpig um zum Ballen,
Den seine Rechte wütend hob;
Sein wildes Stierhaupt schwoll: Gelichter!
Er warf den Felsen, ein Zyklop,
Ins Antlitz seiner Richter.

Und alles, Säumnis, Schuld, Verrat,
Was ihn in kluger Schrift verdammte,
Das stieß er mitten in die Tat,

Die heiß von seinen Lippen flammte.
Er schlang sein Leben noch, den Rest,
Die spritzende, zerdrückte Traube,
Er hielt die Stunde drängend fest,
Hielt ihre rote Phrygierhaube,

Ihr schwarzes Mähnenhaar gepackt,
Griff ihr den Lappen von der Flanke,
Er fand sie glühend, stark und nackt
Und schmiß sie zuckend vor die Schranke,
Und seine Stimme schnob, ein Meer,
Entstürzte donnernd aus den Dämmen,
Geschworne, Kläger, Volk und Heer
Wie Treibholz wegzuschwemmen ...

Robespierre
Stand klein und fern in seinen Düsternissen
Mit aufmerksamen Augen, unbewegt.
Es sah die Menge wolkig und zerrissen,
Von Stürmen blind geschüttelt und gefegt,

Sah Worte, die gleich Wogen brüllend schäumten,
Ein blutend aus der Brust gerungnes Herz,
Die Fäuste, die sich wuchtig, kantig bäumten,
Doch an den Fäusten: war das Erz?

Ein seltsam, seltsam gelblich heller Schein,
Ein Duft der Prägung, glitzernd und metallen ...
Sie sprangen schlagend, klatschend in das Wallen
Und tauchten auf und waren doch nicht rein,

Von jenem faden Abglanz nicht gewaschen.
Und in des Mundes Dröhnen irrte zahm
Ein dünnes, blankes Klingeln aus den Taschen,
Unüberhörbar fein: »Ich gab ... ich nahm ... ich nahm ...«

Und dieser mit dem Blick wie blasser Stahl
Warf eines Dreiecks Schatten zu den Wänden.
Dann blieb er richtend vor den eignen Händen;
Sie waren unberührt und bleich und schmal.

Und achtlos, ob geschwungne Blöcke drohten,
Mit Wettern und Gebirg der Riese stritt,
Dem Blitze splitternd von der Wimper lohten,
Trat er heran, ein leiser, sanfter Schritt,

Und warf ihn zu den Toten.

Rue Saint-Honoré

Als die Karren durch die Straßen fuhren
In die Rue Saint-Honoré,
Sprangen von den Pflastern tausend Huren,
Schön geputzt und gräßlich wie Lemuren;
Ihre Lächeln taten weh,

Spitze Pfeile aus bemalten Köchern.
Das geschwellte junge Weib
Und die Welke, abgenagt und knöchern,
Bleckten bunt und frech aus Fensterlöchern,
Männerarme um den Leib:

Nackt und glitzernd ritt die Goldne Jugend
Schon ihr geiles, rosig fettes Schwein,
Stand in Gassen, an den Türen lugend,
Zu entehren die erschlagne Tugend,
Auf die sterbende zu spein.

Schaum und Schmähung brach aus vollem Munde
Auf den blutigen Verband,
Auf den Blick, der über seine Wunde
Hart und elend starrte in die Runde,
Doch in Nebeln nur empfand,

Daß Gendarmensäbel auf ihn zeigte,
Daß der Gäule träges Ziehn
Und den Tod Megärenschar umreigte,
Daß ein Haus erbarmend still sich neigte;
Ach, sie fiel nicht über ihn,

Diese Mauer, die sein Turm gewesen –
Und ein Schlächterkübel stand,
Und ein Kind, Gott weiß wo aufgelesen,
Spritzte froh mit eingetauchtem Besen
Einen langen Blutstrahl auf die Wand.

Seine Lider sanken, weiß von Schimmel.
Und er war sehr weit
Aller Erde, aller Hölle, allem Himmel,
Dieser Würmer fressendem Gewimmel,
Und sein Grab lag halb verschneit.

Bretter ... Pfähle ... eine Scharlachjacke.
Fäuste griffen aus dem Knäul,
Fetzten ihm das Linnen von der Backe;
Sein Gesicht zerstürzte, rote Schlacke,
Troff in grausigem Geheul:

Und ein unermeßner Jubel hallte.
Drüben ward das Grab verweht.
Nur in dämmerdüstrer Gassenspalte
Raunte zittrig eine arme Alte
Für dies Sterben ein verrufenes Gebet.

BERTOLT BRECHT

Legende von der Entstehung des Buches Taoteking auf dem Weg des Laotse in die Emigration

Als er Siebzig war und war gebrechlich
Drängte es den Lehrer doch nach Ruh.
Denn die Güte war im Lande wieder einmal schwächlich
Und die Bosheit nahm an Kräften wieder einmal zu.
Und er gürtete den Schuh.

Und er packte ein, was er so brauchte:
Wenig. Doch es wurde dies und das.
So die Pfeife, die er immer abends rauchte
Und das Büchlein, das er immer las.
Weißbrot nach dem Augenmaß.

Freute sich des Tals noch einmal und vergaß es
Als er ins Gebirg den Weg einschlug.
Und sein Ochse freute sich des frischen Grases
Kauend, während er den Alten trug.
Denn dem ging es schnell genug.

Doch am vierten Tag im Felsgesteine
Hat ein Zöllner ihm den Weg verwehrt:
»Kostbarkeiten zu verzollen?« – »Keine.«
Und der Knabe, der den Ochsen führte, sprach: »Er hat gelehrt.«
Und so war auch das erklärt.

Doch der Mann in einer heitren Regung
Fragte noch: »Hat er was rausgekriegt?«

Sprach der Knabe: »Daß das weiche Wasser in Bewegung
Mit der Zeit den mächtigen Stein besiegt.
Du verstehst, das Harte unterliegt.«

Daß er nicht das letzte Tageslicht verlöre
Trieb der Knabe nun den Ochsen an.
Und die drei verschwanden schon um eine schwarze Föhre
Da kam plötzlich Fahrt in unsern Mann
Und er schrie: »He, du! Halt an!

Was ist das mit diesem Wasser, Alter?«
Hielt der Alte: »Interessiert es dich?«
Sprach der Mann: »Ich bin nur Zollverwalter,
Doch wer wen besiegt, das interessiert auch mich.
Wenn dus weißt, dann sprich!

Schreib mirs auf! Diktier es diesem Kinde!
Sowas nimmt man doch nicht mit sich fort.
Da gibts doch Papier bei uns und Tinte.
Und ein Nachtmahl gibt es auch – ich wohne dort.
Nun, ist das ein Wort?«

Über seine Schulter sah der Alte
Auf den Mann: Flickjoppe. Keine Schuh.
Und die Stirne eine einzige Falte.
Ach, kein Sieger trat da auf ihn zu.
Und er murmelte: »Auch du?«

Eine höfliche Bitte abzuschlagen
War der Alte, wie es schien, zu alt.
Denn er sagte laut: »Die etwas fragen,
Die verdienen Antwort.« Sprach der Knabe: »Es wird auch schon kalt.«
»Gut, ein kleiner Aufenthalt.«

Und von seinem Ochsen stieg der Weise.
Sieben Tage schrieben sie zu zweit.
Und der Zöllner brachte Essen (und er fluchte nur noch leise
Mit den Schmugglern in der ganzen Zeit).
Und dann wars so weit.

Und dem Zöllner händigte der Knabe
Eines Morgens einundachtzig Sprüche ein.
Und mit Dank für eine kleine Reisegabe
Bogen sie um jene Föhre ins Gestein.
Sagt jetzt: kann man höflicher sein?

Aber rühmen wir nicht nur den Weisen,
Dessen Name auf dem Buche prangt!
Denn man muß dem Weisen seine Weisheit erst entreißen.
Darum sei der Zöllner auch bedankt:
Er hat sie ihm abverlangt.

Ballade von des Cortez Leuten

Am siebten Tage unter leichten Winden
Wurden die Wiesen heller. Da die Sonne gut war
Gedachten sie zu rasten. Rollen Branntwein
Von den Gefährten, koppeln Ochsen los.
Die schlachten sie gen Abend. Als es kühl ward
Schlug man vom Holz des nachbarlichen Sumpfes
Armdicke Äste, knorrig, gut zu brennen.
Dann schlingen sie gewürztes Fleisch hinunter
Und fangen singend um die neunte Stunde
Mit Trinken an. Die Nacht war kühl und grün.
Mit heisrer Kehle, tüchtig vollgesogen
Mit einem letzten, kühlen Blick nach großen Sternen

Entschliefen sie gen Mitternacht am Feuer.
Sie schlafen schwer, doch mancher wußte morgens
Daß er die Ochsen einmal brüllen hörte.
Erwacht gen Mittag, sind sie schon im Wald.
Mit glasigen Augen, schweren Gliedern, heben
Sie ächzend sich aufs Knie und sehen staunend
Armdicke Äste, knorrig, um sie stehen
Höher als mannshoch, sehr verwirrt, mit Blattwerk
Und kleinen Blüten süßlichen Geruchs.
Es ist sehr schwül schon unter ihrem Dach
Das sich zu dichten scheint. Die heiße Sonne
Ist nicht zu sehen, auch der Himmel nicht.
Der Hauptmann brüllte wie ein Stier nach Äxten.
Die lagen drüben, wo die Ochsen brüllten.
Man sah sie nicht. Mit rauhem Fluchen stolpern
Die Leute im Geviert, ans Astwerk stoßend
Das zwischen ihnen durchgekrochen war.
Mit schlaffen Armen werfen sie sich wild
In die Gewächse, die leicht zitterten
Als ginge leichter Wind von außen durch sie.
Nach Stunden Arbeit pressen sie die Stirnen
Schweißglänzend finster an die fremden Äste.
Die Äste wuchsen und vermehrten langsam
Das schreckliche Gewirr. Später, am Abend
Der dunkler war, weil oben Blattwerk wuchs
Sitzen sie schweigend, angstvoll und wie Affen
In ihren Käfigen, von Hunger matt.
Nachts wuchs das Astwerk. Doch es mußte Mond sein:
Es war noch ziemlich hell, sie sahn sich noch.
Erst gegen Morgen war das Zeug so dick
Daß sie sich nimmer sahen, bis sie starben.
Den nächsten Tag stieg Singen aus dem Wald.
Dumpf und verhallt. Sie sangen sich wohl zu.
Nachts ward es stiller. Auch die Ochsen schwiegen.
Gen Morgen war es, als ob Tiere brüllten

Doch ziemlich weit weg. Später kamen Stunden
Wo es ganz still war. Langsam fraß der Wald
In leichtem Wind, bei guter Sonne, still
Die Wiesen in den nächsten Wochen auf.

Ballade von den Seeräubern

Von Branntwein toll und Finsternissen!
Von unerhörten Güssen naß!
Vom Frost eisweißer Nacht zerrissen!
Im Mastkorb, von Gesichten blaß!
Von Sonne nackt gebrannt und krank!
(Die hatten sie im Winter lieb)
Aus Hunger, Fieber und Gestank
Sang alles, was noch übrig blieb:
  O Himmel, strahlender Azur!
  Enormer Wind, die Segel bläh!
  Laßt Wind und Himmel fahren! Nur
  Laßt uns um Sankt Marie die See!

Kein Weizenfeld mit milden Winden
Selbst keine Schenke mit Musik
Kein Tanz mit Weibern und Absinthen
Kein Kartenspiel hielt sie zurück.
Sie hatten vor dem Knall das Zanken
Vor Mitternacht die Weiber satt:
Sie lieben nur verfaulte Planken
Ihr Schiff, das keine Heimat hat.
  O Himmel, strahlender Azur!
  Enormer Wind, die Segel bläh!
  Laßt Wind und Himmel fahren! Nur
  Laßt uns um Sankt Marie die See!

Mit seinen Ratten, seinen Löchern
Mit seiner Pest, mit Haut und Haar
Sie fluchten wüst darauf beim Bechern
Und liebten es, so wie es war.
Sie knoten sich mit ihren Haaren
Im Sturm in seinem Mastwerk fest:
Sie würden nur zum Himmel fahren
Wenn man dort Schiffe fahren läßt.
  O Himmel, strahlender Azur!
  Enormer Wind, die Segel bläh!
  Laßt Wind und Himmel fahren! Nur
  Laßt uns um Sankt Marie die See!

Sie häufen Seide, schöne Steine
Und Gold in ihr verfaultes Holz
Sie sind auf die geraubten Weine
In ihren wüsten Mägen stolz.
Um dürren Leib riecht toter Dschunken
Seide glühbunt nach Prozession
Doch sie zerstechen sich betrunken
Im Zank um einen Lampion.
  O Himmel, strahlender Azur!
  Enormer Wind, die Segel bläh!
  Laßt Wind und Himmel fahren! Nur
  Laßt uns um Sankt Marie die See!

Sie morden kalt und ohne Hassen
Was ihnen in die Zähne springt
Sie würgen Gurgeln so gelassen
Wie man ein Tau ins Mastwerk schlingt.
Sie trinken Sprit bei Leichenwachen
Nachts torkeln trunken sie in See
Und die, die übrig bleiben, lachen
Und winken mit der kleinen Zeh:
  O Himmel, strahlender Azur!

Enormer Wind, die Segel bläh!
Laßt Wind und Himmel fahren! Nur
Laßt uns um Sankt Marie die See!

Vor violetten Horizonten
Still unter bleichem Mond im Eis
Bei schwarzer Nacht in Frühjahrsmonden
Wo keiner von dem andern weiß
Sie lauern wolfgleich in den Sparren
Und treiben funkeläugig Mord
Und singen um nicht zu erstarren
Wie Kinder, trommelnd im Abort:
O Himmel, strahlender Azur!
Enormer Wind, die Segel bläh!
Laßt Wind und Himmel fahren! Nur
Laßt uns um Sankt Marie die See!

Sie tragen ihren Bauch zum Fressen
Auf fremde Schiffe wie nach Haus
Und strecken selig im Vergessen
Ihn auf die fremden Frauen aus.
Sie leben schön wie noble Tiere
Im weichen Wind, im trunknen Blau!
Und oft besteigen sieben Stiere
Eine geraubte fremde Frau.
O Himmel, strahlender Azur!
Enormer Wind, die Segel bläh!
Laßt Wind und Himmel fahren! Nur
Laßt uns um Sankt Marie die See!

Wenn man viel Tanz in müden Beinen
Und Sprit in satten Bäuchen hat
Mag Mond und zugleich Sonne scheinen:
Man hat Gesang und Messer satt.
Die hellen Sternennächte schaukeln

Sie mit Musik in süße Ruh
Und mit geblähten Segeln gaukeln
Sie unbekannten Meeren zu.
  O Himmel, strahlender Azur!
  Enormer Wind, die Segel bläh!
  Laßt Wind und Himmel fahren! Nur
  Laßt uns um Sankt Marie die See!

Doch eines Abends im Aprile
Der keine Sterne für sie hat
Hat sie das Meer in aller Stille
Auf einmal plötzlich selber satt.
Der große Himmel, den sie lieben
Hüllt still in Rauch die Sternensicht
Und die geliebten Winde schieben
Die Wolken in das milde Licht.
  O Himmel, strahlender Azur!
  Enormer Wind, die Segel bläh!
  Laßt Wind und Himmel fahren! Nur
  Laßt uns um Sankt Marie die See!

Der leichte Wind des Mittags fächelt
Sie anfangs spielend in die Nacht
Und der Azur des Abends lächelt
Noch einmal über schwarzem Schacht.
Sie fühlen noch, wie voll Erbarmen
Das Meer mit ihnen heute wacht
Dann nimmt der Wind sie in die Arme
Und tötet sie vor Mitternacht.
  O Himmel, strahlender Azur!
  Enormer Wind, die Segel bläh!
  Laßt Wind und Himmel fahren! Nur
  Laßt uns um Sankt Marie die See!

Noch einmal schmeißt die letzte Welle
Zum Himmel das verfluchte Schiff
Und da, in ihrer letzten Helle
Erkennen sie das große Riff.
Und ganz zuletzt in höchsten Masten
War es, weil Sturm so gar laut schrie
Als ob sie, die zur Hölle rasten
Noch einmal sangen, laut wie nie:
  O Himmel, strahlender Azur!
  Enormer Wind, die Segel bläh!
  Laßt Wind und Himmel fahren! Nur
  Laßt uns um Sankt Marie die See!

Kinderkreuzzug

In Polen, im Jahr Neununddreißig
War eine blutige Schlacht
Die hatte viele Städte und Dörfer
Zu einer Wildnis gemacht.

Die Schwester verlor den Bruder
Die Frau den Mann im Heer;
Zwischen Feuer und Trümmerstätte
Fand das Kind die Eltern nicht mehr.

Aus Polen ist nichts mehr gekommen
Nicht Brief noch Zeitungsbericht,
Doch in den östlichen Ländern
Läuft eine seltsame Geschicht.

Schnee fiel, als man sichs erzählte
In einer östlichen Stadt

Von einem Kinderkreuzzug
Der in Polen begonnen hat.

Da trippelten Kinder hungernd
In Trüpplein hinab die Chausseen
Und nahmen mit sich andere, die
In zerschossenen Dörfern stehn.

Sie wollten entrinnen den Schlachten
Dem ganzen Nachtmahr
Und eines Tages kommen
In ein Land, wo Frieden war.

Da war ihr kleiner Führer
Das hat sie aufgericht'.
Er hatte eine große Sorge:
Den Weg, den wußt er nicht.

Eine Elfjährige schleppte
Ein Kind von vier Jahr
Hatte alles für eine Mutter
Nur nicht ein Land, wo Frieden war.

Ein kleiner Jude marschierte im Trupp
Mit einem samtenen Kragen
Der war das weißeste Brot gewohnt
Und hat sich gut geschlagen.

Und ging ein dünner Grauer mit
Hielt sich abseits in der Landschaft.
Er trug an einer schrecklichen Schuld:
Er kam aus der Nazigesandtschaft.

Und da war ein Hund
Gefangen zum Schlachten

Mitgenommen als Esser
Weil sie's nicht übers Herz brachten.

Da war eine Schule
Und ein kleiner Lehrer für Kalligraphie.
Und ein Schüler an einer zerschossenen Tankwand
Lernte schreiben bis zu Frie ...

Da war auch eine Liebe.
Sie war zwölf, er war fünfzehn Jahr.
In einem zerschossenen Hofe
Kämmte sie ihm sein Haar.

Die Liebe konnte nicht bestehen
Es kam zu große Kält:
Wie sollen die Bäumchen blühen
Wenn so viel Schnee drauf fällt?

Da war auch ein Begräbnis
Eines Jungen mit samtenem Kragen
Der wurde von zwei Deutschen
Und zwei Polen zu Grab getragen.

Protestant, Katholik und Nazi war da
Ihn der Erde einzuhändigen.
Und zum Schluß sprach ein kleiner Kommunist
Von der Zukunft der Lebendigen.

So gab es Glaube und Hoffnung
Nur nicht Fleisch und Brot.
Und keiner schelt sie mir, wenn sie was stahln
Der ihnen nicht Obdach bot.

Und keiner schelt mir den armen Mann
Der sie nicht zu Tische lud:

Für ein halbes Hundert, da braucht es
Mehl, nicht Opfermut.

Sie zogen vornehmlich nach Süden:
Süden ist, wo die Sonn
Mittags um zwölf steht
Gradaus davon.

Sie fanden zwar einen Soldaten
Verwundet im Tannengries.
Sie pflegten ihn sieben Tage
Damit er den Weg ihnen wies.

Er sagte ihnen: Nach Bilgoray!
Muß stark gefiebert haben
Und starb ihnen weg am achten Tag.
Sie haben auch ihn begraben.

Und da gab es ja Wegweiser
Wenn auch vom Schnee verweht
Nur zeigten sie nicht mehr die Richtung an
Sondern waren umgedreht.

Das war nicht etwa ein schlechter Spaß
Sondern aus militärischen Gründen.
Und als sie suchten nach Bilgoray
Konnten sie es nicht finden.

Sie standen um ihren Führer,
Der sah in die Schneeluft hinein
Und deutete mit der kleinen Hand
Und sagte: es muß dort sein.

Einmal, nachts, sahen sie ein Feuer
Da gingen sie nicht hin.

Einmal rollten drei Tanks vorbei
Da waren Menschen drin.

Einmal kamen sie an eine Stadt
Da machten sie einen Bogen.
Bis sie daran vorüber waren
Sind sie nur nachts weitergezogen.

Wo einst das südöstliche Polen war
Bei starkem Schneewehen
Hat man die fünfundfünfzig
Zuletzt gesehen.

Wenn ich die Augen schließe
Seh ich sie wandern
Von einem zerschossenen Bauerngehöft
Zu einem zerschossenen andern.

Über ihnen, in den Wolken oben
Seh ich andre Züge, neue, große!
Mühsam wandernd gegen kalte Winde
Heimatlose, Richtungslose.

Suchend nach dem Land mit Frieden
Ohne Donner, ohne Feuer
Nicht wie das, aus dem sie kamen
Und der Zug wird ungeheuer.

Und er scheint mir durch den Dämmer
Bald schon gar nicht mehr derselbe:
Andere Gesichtlein seh ich:
Spanische, französische, gelbe!

In Polen, in jenem Januar
Wurde ein Hund gefangen

Der hatte um seinen mageren Hals
Eine Tafel aus Pappe hangen.

Darauf stand: Bitte um Hilfe!
Wir wissen den Weg nicht mehr.
Wir sind fünfundfünfzig
Der Hund führt euch her.

Wenn ihr nicht kommen könnt
Jagt ihn weg.
Schießt nicht auf ihn
Nur er weiß den Fleck.

Die Schrift war eine Kinderhand.
Bauern haben sie gelesen.
Seitdem sind eineinhalb Jahre um.
Der Hund ist verhungert gewesen.

MARIE LUISE KASCHNITZ

Die Ehegatten

Als die Wiese stand im weißen Schaum,
Und der Friedhof drin versunken lag,
Längs der Mauer blühte Baum an Baum,
Gruben sie ein Grab vor Jahr und Tag.
Eine Tote legten sie hinein,
Ließen Raum im Grab und auf dem Stein.

Doch nach Jahresfrist am Grabe stand,
Der sich hier die Ruhestatt erkor,
In der Erde wühlte seine Hand,
An die Erde legte er das Ohr,
Zu der Erde Tiefe schrie sein Mund:
Du, höre ... du ...
Und ein Echo kam vom Mauerrund:
Du ...

Und er sprach: »Der Frühling ging dahin,
Und der Sommer klang im Sturme aus,
Immer lebt ich mit erstorbnem Sinn
Wie ein Toter in dem toten Haus.
Doch die Zeit mich in den Winter trug,
Und aus meiner Brust die Flamme schlug.
Da die Flamme nicht verlöschen mag,
Komme du nun aus der Erde Schoß,
Mir beginnt ein neuer Lebenstag,
Die du mich gebunden, sprich mich los.
Ist vorüber dein und meine Zeit,
Hab die junge Liebste heut gefreit ...«

Da erhob sichs überm Wiesenland
Und wie Nebel sich zusammenballt,
Wallt' es über Weg und Mauerrand,
Sank zu ihm in menschlicher Gestalt.
Und in ihren beiden Händen trug
Seine Frau den blauen Hochzeitskrug.

Und sie sprach: »Ich kam, ich zürne nicht.
Ja, du sollst zu deiner Liebsten gehn,
Gern nur möchte ich dein Angesicht
Noch für eine kleine Weile sehn.
Waren wir doch lange uns vertraut,
Schenke mir nun diese kleine Zeit
Noch zu reden, eh der Morgen graut,
Zu verkürzen mir die Ewigkeit ...«
Und da sie an seiner Seite saß,
Schenkte sie ihm ein das erste Glas.

Lange blickt sie übers Wiesenland,
Sprach: »Wie ist das junge Laub schon dicht,
Unterm steilen Hange liegt der Strand,
Einst sah ich dich dort im Morgenlicht.
Längs der Wellen liefst du, Sprung auf Sprung,
Ach – nun scheinst du mir wie damals jung ...«

Und er lauscht. Mit zauberischer Macht
Führt sie ihn in die vergangne Zeit,
Daß er spürt' den Hauch der Winternacht,
Erntefestes grelle Fröhlichkeit,
Fühlt' der Arbeit Müdigkeit und Schweiß;
Schlang das Essen, sank in schweren Schlaf,
Hört' das Donnerrollen unterm Eis,
Ging den Weg, wo er sie erstmals traf.
Spürt' den ersten Kuß beim Tanz im Krug,
– Und erwachte, als die Turmuhr schlug.

Da erhob er taumelnd sich, verstört.
Doch sie bat: »Ach bleibe, geh noch nicht«,
Und er hat die Stunde nicht gehört
Und noch immer war der Himmel licht.
Wie er zögernd ihr zur Seite sank,
Schenkte sie ihm ein den zweiten Trank.

»Nicht mehr bist du von des Knaben Art«,
Sprach sie und erfaßte seine Hand,
»Doch dem Manne gleich, der auf der Fahrt
Übers Meer an meiner Seite stand.
Da so geisterhaft und riesengroß
Wuchs die fremde Stadt aus fremdem Schoß.«

Und er hörts, da riß es ihn schon fort;
Lärm der Straßen, Schritt um Schritt auf Stein,
Rädersausen, fremder Sprache Wort,
Streit und Eifersucht und Freund und Feind.
Fühlt' in kahlen Zimmern Liebeslust,
Wunder der Geburt in Schrei und Stoß,
Sieht sein Kind an ihrer reichen Brust,
Und das zweite weitet schon den Schoß.
Andre Städte, Geld und nie genug ...
– Fernher kehrt er, als die Turmuhr schlug.

Wieder schreckt er auf: »Die Nacht vergeht,
Laß mich fort nun: denn sie wartet mein.«
Und sie bat: »Du kommst noch nicht zu spät,
Doch ich bin in Ewigkeit allein.«
Ihrer Blicke Trauer hielt ihn fest,
Und sie schenkte ihm des Weines Rest.

Sprach: »Wie nah nun scheint die Stunde mir,
Die wir lang ersehnt und lang entbehrt,
Da ich in des Vaters Haus mit dir

Von der Wanderschaft zurückgekehrt.
Alles sahst du froh und mit Bedacht,
Du zerriebst die Erde mit der Hand,
Führtest noch die Kinder in der Nacht,
In der hellen Nacht hinab zum Strand ...«

Wieder zog es ihn gewaltig hin,
Ging als Sämann, steuerte das Boot,
Wie das alles vorgezeichnet schien,
Langes Leben, Friede, Arbeit, Brot ...
Dann das Feuer. Auszug und Gesang,
Weib und Kind und Haus und Land bedroht,
Er im Graben, monde-, jahrelang,
Lehm und Blut und tausendfacher Tod.
Müde Heimkehr, neue Last ... vorbei ...
Schlag der Uhr vom Turm und Hahnenschrei ...

Doch er saß, als hätt ers nicht gehört,
Sah den reinen Himmel nicht erglüht,
Sah die Erde nicht vom Tau genährt,
War von langer Lebenszeit so müd.
Lächelnd sprach sie: »Geh, ich halt dich nicht ...
Diese Helle ist das Morgenlicht ...«

Spät ist er ins Dorf zurückgekehrt,
Pochte an die Türen alle an,
Niemand hat den Einlaß ihm verwehrt,
Jeder fragt: »Wen suchst du, alter Mann?«

Und es jammert jeden, wie er dann,
Qual und Staunen auf dem Angesicht,
Lange Zeit vergebens sich besann
Und dann stammelte: »Ich weiß es nicht ...«

MARIE LUISE KASCHNITZ

Dreimal

Dreimal ging die Witwe übers Ödland,
Da war kein Frühling, kein Sommer, kein Herbst noch Winter.
Mitten im Ödland saß ihr Mann, ihr Liebster,
Und das erste Mal kniete sie nieder, umfing seinen Schoß,
Sagte, wir haben die Kürbisse eingelegt
Sauer und süß. Wir sammeln die ersten Nüsse.
Die Kinder schreiben das A und das O.
Leb wohl, und der Tote nickte.

Dreimal ging die Witwe übers Ödland.
Da war kein Tag, keine Nacht, kein Morgen noch Abend.
Mitten im Ödland saß ihr Mann, ihr Liebster,
Und das zweitemal legt sie ihm ihre Hand auf die Brust,
Sagte, ein Schnee ist gefallen, die Fenster blühn,
Der Igel hält seinen Winterschlaf,
Die Kinder backen Monde und Sterne.
Leb wohl, und der Tote nickte.

Dreimal ging die Witwe übers Ödland,
Da war kein Wasser, kein Feuer, keine Luft noch Erde.
Mitten im Ödland saß ihr Mann, ihr Liebster,
Und das drittemal sah sie ihn an, berührte ihn nicht.
Sagte, wir haben die Beete abgedeckt,
Die Erde in unserem Garten ist schwarz und fett,
Die Kinder verbrennen den Winter.
Leb wohl, und der Tote nickte.

Zum andernmal ging die Witwe, fand das Ödland nicht mehr.
Hoch stand das Gras, verwachsen starrten die Hecken,
Margeriten blühten und Rosen, die Sichel ging.
Leb wohl, und die Sonne nickte.

PETER HUCHEL

Die Schattenchaussee

Sie spürten mich auf. Der Wind war ihr Hund.
Sie schritten die Schattenchausseen.
Ich lag zwischen Weiden auf moorigem Grund
Im Nebel verschilfter Seen.
Die Nacht nach Rohr und Kalmus roch,
Des Zwielichts bittere Laugen
Erglänzten fahl im Wasserloch.
Da sah ich mit brennenden Augen:

Den Trupp von Toten, im Tod noch versprengt,
Entkommen der Feuersbrunst,
Von aschigem Stroh die Braue versengt,
Geschwärzt vom Pulverdunst,
Sie gingen durch Pfahl und Stacheldraht
Vorbei am glosenden Tank
Und über die ölig verbrannte Saat
Hinunter den lehmigen Hang
Und traten, gebeugt von modernder Last,
Aus wehendem Nebelgebüsch.
Am Wasser suchten sie späte Rast,
Ein Stein war ihr Hungertisch.

Sie standen verloren im Weidengrau
Mit Händen blutig und leer.
Und kalt durchdrang mich der Blätter Tau,
Die Erde hielt mich schwer.
Stumm zogen sie weiter, der Weg war vermint,
Sie glitten wie Schatten dahin.

Sie hatten dem großen Sterben gedient
Und Sterben war ihr Gewinn.
Im Acker lag ein rostiger Pflug,
Sie starrten ihn traurig an ..
Da sah ich mich selber im grauen Zug,
Der langsam im Nebel zerrann.

O schwebende Helle, du kündest den Tag
Und auch die Schädelstätte.
Zerschossen die Straße, zerschossen der Hag,
Zermalmt von des Panzers Kette.
Ich schmeckte im Mund noch Sand und Blut
Und kroch zum See, die Lippen zu feuchten.
Und sah der Sonne steigende Glut
Im nebligen Wasser leuchten.

Dezember 1942

Wie Wintergewitter ein rollender Hall.
Zerschossen die Leinwand von Bethlehems Stall.

Es liegt Maria erschlagen vorm Tor,
Ihr blutig Haar an die Steine fror.

Drei Landser ziehen vermummt vorbei.
Nicht brennt ihr Ohr von des Kindes Schrei.

Im Beutel den letzten Sonnblumenkern,
Sie suchen den Weg und sehn keinen Stern.

Aurum, thus, myrrham offerunt . . .
Um kahles Gehöft streicht Krähe und Hund.

... quia natus est nobis Dominus.
Auf fahlem Gerippe glänzt Öl und Ruß.

Vor Stalingrad verweht die Chaussee.
Sie führt in die Totenkammer aus Schnee.

BERNT VON HEISELER

Der Pfeil

Als Elisa der Prophet erkrankte,
Trat der König Joas in sein Haus,
Daß er ihm sein großes Leben dankte;
All das Höflingsvolk wies er hinaus
Und er weinte dort bei ihm allein:
»Stirb nicht, Vater! Wir bedürfen dein,
Israel hat Not von seinen Feinden!«

Und den Sterbenden, schon fast entflogen,
Traf die Stimme wie ein Schrei von fern –
Und er sprach zum König: »Nimm den Bogen!
Nimm die Pfeile!« Der gehorchte gern,
Da er ihn belebt sah und erweckt.
Und Elisa, mächtig aufgereckt,
Sagte: »Tu das Fenster auf nach Osten!«

Joas tats. – »Nun spann den Bogen kräftig,
Wie ein Krieger in der Schlacht ihn spannt!«
Grauer Pfeil erglänzt, als wär er silberschäftig –
Und Elisa legte sein Hand
Auf des Königs Hand und mahnte: »Schieß!«
Und er schoß, wie der Prophet ihn hieß,
Und der Pfeil flog morgenwärts ins Weite.

Und Elisa schrie: »Ein Siegespfeil,
Der die Syrer trifft! Du wirst sie schlagen,
Zieh hinaus! Du bist von Gottes Heil
Wie der Silbergrauschaft hingetragen!«

Dann entschwieg und starb der Gottesmann.
– Joas zog zu Felde und gewann
Israels verlorne Burgen wieder.

RUDOLF HAGELSTANGE

Bericht des alten Hirten

Weil ihr mich drängt, so will ichs erzählen ...
Ach, es ist eine herbe Geschichte. Früher,
wenn ich sie sagte, tat ich mich wichtig,
schmückte sie aus. – Nun rüst ich zum Sterben.
Hört denn die Wahrheit, die reine und nackte
Wahrheit. Und die verlangt nicht nach Schmucke.
Augen will sie, sehende Augen;
Ohren, die hören; Herzen ...

Hütejunge
war ich, im ersten Winter, der wie eine
gläserne Glocke über dem Land stand,
das klirrte im Frost. Und die Nächte
waren nicht tragbar ohne ein Feuer.
So eine Nacht wars. Ich hatte ein wenig geschlafen,
eng an die anderen Buben gedrückt. Da
weckt uns Elias, einer von uns, der immer umherstrich.

Ich weiß noch, wie er uns weckte, und seh ihn,
bebend in seinem fadenscheinigen Mantel
und bebend vor Mitleid, ans Feuer treten.
»Schlaft nicht!« rief er, vom Zucken der Flammen
jäh überhuscht. Er riß uns am Ärmel,
ungeduldig, fast zornig. »Schlaft nicht! Dahinten
geht es ums Leben!«

Wir mußten
Holz aufnehmen und Käse und Brot,
Milch in den Krug tun. Dazwischen
warf er in Brocken das fremde Begebnis und trieb
uns und die Älteren, die murrten, zur Eile.
Er schürte die Neugier, schürte das Mitleid und war
fast wie der Engel, der nachts den Tobias
auftrieb zur Reise.

Wir kamen
an eine windschiefe Hütte. Ein Stall wars. Da
stand noch ein magerer Ochse. Ein Esel auch lag
traurig im Winkel. Doch trauriger noch
waren die Menschen: Im Heu
lag eine jüngere Frau und wand sich in Wehen.
Rührend, mit frostblauen Händen, Tränen im Bart,
drehte sich hilflos und tappig ein guter
Alter im Kreise fruchtlosen Tuns:
Da rief ihn die Frau an. Da rauchte das Feuer.
Da losch die Lampe im Windzug . . .

Wir kamen –
da ließ er von alldem und kniete
schluchzend zum Weibe. Ihr wißt nicht,
wie viele Hände man hat, wenn das Herz will.
Felle und Decken warfen wir über die beiden,
rieben dem Alten die gichtigen Finger, flößten
Milch in die fiebernde Frau. Wir Jungen
mußten draußen ein Feuer zünden und Wasser
hitzen. Wir waren (versteht sich) im Wege.
Indessen taten die Hirten drinnen, was not war.

Auf einmal war da ein Schrei. Eine Schnuppe –
ich sehs noch! – fuhr durch den Himmel. Wir wußten:
Einer ist mehr auf der Welt. Und gerufen
traten wir dann in den Stall, zuvörderst Elias.
Wir sahen das Kind. Es gehörte den beiden
nicht mehr als uns allen! Und plötzlich war jedes
von grundauf verändert. Der Alte war selig.
Er ging wie ein Tanzbär rund um das Lager
und sah auf die Frau. Die lag auf dem Stroh,
bleich wie der Tod; doch über der Blässe
blühte, wie Krokus im Schnee, ein Lächeln;
das war unbeschreiblich.

Singend
zogen wir heim. Wir versorgten die drei
täglich mit jedem. Nach Tagen
kamen auch fürstliche Herren zu Roß. Sie kamen
sicher aus anderer Welt. Die Hiesigen, fürcht ich,
haben die Straße verfehlt zu unserem Kinde.

Ich aber sah es und gehe in Frieden.

KARL KROLOW

Verrufener Ort

Gerade eben noch
Rann das Wasser
Von den nassen Schindeln.
Eine Gruppe berittener Hirten
Bog um die Ecke
Und hielt die Mützen
Unter den Regen.

Nicht einmal eine Staubwolke
Blieb von ihnen zurück.

Immer noch riecht es hier
Nach kranken Tieren.
Das Echo von Pistolensalven
Schläft wie eine Erscheinung
An den Stallwänden.
Doch überschlägt sich keine Stimme mehr
Im Tode.
Der letzte Hahn
Wurde längst geschlachtet.
Sein kopfloser Schatten
Taumelt noch manchmal
Im Kreise.

JOHANNES BOBROWSKI

Bericht

Bajla Gelblung,
entflohen in Warschau
einem Transport aus dem Ghetto,
das Mädchen
ist gegangen durch Wälder,
bewaffnet, die Partisanin
wurde ergriffen
in Brest-Litowsk,
trug einen Militärmantel (polnisch),
wurde verhört von deutschen
Offizieren, es gibt
ein Foto, die Offiziere sind junge
Leute, tadellos uniformiert,
mit tadellosen Gesichtern,
ihre Haltung
ist einwandfrei.

CHRISTA REINIG

Der Henker

Er hat den kragen freigemacht
und stellt sich selbst auf das gerüst
sein wächter hat ihm schnaps gebracht
weil er sonst nichts zu wünschen wüßt

und der gehilfe legt den strick
dem meister sorgsam um den hals
und knotet ihn mit viel geschick
der meister sagt ihm allenfalls:

sieh zu daß du mich gut vertrittst
und achte – eh du dich entfernt hast
daß mir der knoten richtig sitzt
und zeig was du gelernt hast

Die Ballade vom blutigen Bomme

Hochverehrtes publikum
werft uns nicht die bude um
wenn wir albernes berichten
denn die albernsten geschichten
macht der liebe gott persönlich
ich verbleibe ganz gewöhnlich
wenn ich auf den tod von Bomme
meinem freund zu sprechen komme

möge Ihnen nie geschehn
was Sie hier in bildern sehn

Zur beweisaufnahme hatte
man die blutige krawatte
keine spur mehr von der beute
auf dem flur sogar die leute
horchen was nach außen dringt
denn der angeklagte bringt
das gericht zum männchenmachen
und das publikum zum lachen

seht die herren vom gericht
schätzt man offensichtlich nicht

Eisentür und eisenbett
dicht daneben das klosett
auch der wärter freut sich sehr
kennt den mann von früher her
Bomme fühlt sich gleich zu haus
ruht von seiner arbeit aus
auch ein reicher mann hat ruh
hält den sarg von innen zu

jetzt geht Bomme dieser mann
und sein reichtum nichts mehr an

Sagt der wärter: grüß dich mann
laß dirs gut gehn – denk daran
wärter sieht auch mal vorbei
mach mir keine schererei
essen kriegst du nicht zu knapp
Bomme denn dein kopf muß ab
Bomme ist schon sehr gespannt
und malt männchen an die wand

nein hier hilft kein daumenfalten
Bomme muß den kopf hinhalten

Bomme ist noch nicht bereit
für abendmahl und ewigkeit
kommt der pastor und erzählt
wie sich ein verdammter quält
wie er große tränen weint
und sich wälzet – Bomme meint
Das ist alles intressant
und mir irgendwie bekannt

denn was weiß ein frommer christ
wie dem mann zumute ist

Auf dem hof wird holz gehauen
Bomme hilft das fallbeil bauen
und er läßt sich dabei zeit
schließlich ist es doch soweit
daß es hoch und heilig ragt
Bomme sieht es an und sagt:
Das ist schärfer als faschismus
und probiert den mechanismus

wenn die schwere klinge fällt
spürt er daß sie recht behält

Aufstehn kurz vor morgengrauen
das schlägt Bomme ins verdauen
und da friert er reibt die hände
konzentriert sich auf das ende
möchte gar nicht so sehr beten
lieber schnell aufs klo austreten
doch dann denkt er: einerlei
das geht sowieso vorbei

von zwei peinlichen verfahren
kann er eins am andern sparen

Wäre mutter noch am leben
würde es auch tränen geben
aber so bleibt alles sachlich
Bomme wird ganz amtlich-fachlich
ausgestrichen aus der liste
und gelegt in eine kiste
nur ein sträfling seufzt dazwischen
denn er muß das blut aufwischen

bitte herrschaften verzeiht
solche unanständigkeit

Doch wer meint das stück war gut
legt ein groschen in den hut

SARAH KIRSCH

Legende über Lilja

1

ob sie schön war ist nicht zu verbürgen zumal
die Aussagen der überlebenden Lagerbewohner
sich widersprechen schon die Farbe des Haars
unterschiedlich benannt wird in der Kartei
sich kein Bild fand sie soll
aus Polen geschickt worden sein

2

im Sommer ging Lilja barfuß wie im Winter und schrieb
sieben Briefe

3

sechs drahtdünne Röllchen wandern
durch Häftlingskittel übern Appellplatz kleben
an müder Haut stören den Schlaf erreichen
den man nicht kennt (er kann nicht
Zeuge sein beim Prozeß)

4

das siebente gab einer gegen Brot

5

Lilja in der Schreibstube Lilja unterwegs Lilja im Bunker
Schlag mit der Peitsche den Namen warum sagt sie nichts
    wer weiß das
warum schweigt sie im August wenn die Vögel
singen im Rausch

6

einer mit Uniform Totenkopf am Kragen Liebhaber
alter Theaterstücke (sein Hund mit klassischem Namen) erfand
man sollte ihre Augen reden lassen

7

durch die gefangenen Männer wurde eine Straße gemacht
eine seltsame Allee geplünderter Bäume tat sich da auf
hier sollte sie gehen und einen verraten

8

nun brauch deine Augen Lilja befiehl
den Muskeln dem Blut Sorglosigkeit hier bist du oft gegangen
kennst jeden Stein jeden
Stein

9

ihr Gesicht ging vorbei
sagten die Überlebenden sie
hätten gezittert Lilja wie tot ging ging
bis der Mann dessen Hund Hamlet hieß
brüllte befahl genug

10

seitdem wurde sie nicht mehr gesehen

11

andere Zeugen sagten sie habe auf ihrem Weg
alle angelächelt sich mit den Fingern gekämmt
sei gleich ins Gas gekommen – das war
über zwanzig Jahr her –

12

alle sprachen lange von Lilja

13

die Richter von Frankfurt ließen im Jahr 65 protokollieren
offensichtlich
würden Legenden erzählt dieser Punkt
sei aus der Anklage zu streichen

14

in dem Brief soll gestanden haben wir
werden hier nicht rauskommen wir haben
zu viel gesehn

Ich wollte meinen König töten

Ich wollte meinen König töten
Und wieder frei sein. Das Armband
Das er mir gab, den einen schönen Namen
Legte ich ab und warf die Worte
Weg die ich gemacht hatte: Vergleiche
Für seine Augen die Stimme die Zunge
Ich baute leergetrunkene Flaschen auf
Füllte Explosives ein – das sollte ihn
Für immer verjagen. Damit
Die Rebellion vollständig würde
Verschloß ich die Tür, ging
Unter Menschen, verbrüderte mich
In verschiedenen Häusern – doch
Die Freiheit wollte nicht groß werden
Das Ding Seele dies bourgeoise Stück
Verharrte nicht nur, wurde milder
Tanzte wenn ich den Kopf
An gegen Mauern rannte. Ich ging
Den Gerüchten nach im Land die

Gegen ihn sprachen, sammelte
Drei Bände Verfehlungen eine Mappe
Ungerechtigkeiten, selbst Lügen
Führte ich auf. Ganz zuletzt
Wollte ich ihn einfach verraten
Ich suchte ihn, den Plan zu vollenden
Küßte den andern, daß meinem
König nichts widerführe.

NACHWORT

Über Geschichte und Wesen der deutschen Ballade

Wer das vorliegende Buch durchgeblättert und in ihm gelesen hat, wird – nach dem Wesen der Ballade gefragt – wahrscheinlich um eine bündige Antwort verlegen sein. Denn die Formen, die ihm entgegentraten, die Stoffbereiche und Motive, die er behandelt fand, das Vorherrschen einmal des Lyrischen, zum anderen des Dramatischen im epischen Gang – all dies war so mannigfaltig, daß er bald verzweifeln konnte, von systematischen Merkmalen her die Ballade in ihrer Eigenart zu begreifen.

Um so mehr wird er von einer Betrachtung des geschichtlichen Lebens der Ballade erwarten. Indes, gleich die Etymologie ist geeignet irrezuführen. Auf das lateinische *ballare* = »tanzen« weisend scheint sie in frühe Zeit zu einer Tanz-Dichtung in primitiver Gemeinschaftskultur zurückzuleiten. Dabei ist uns heute sicher, daß allein die nordische Ballade im germanischen Raume getanzt wurde, wie uns der noch heute lebendige Balladen-Tanz auf den färischen Inseln beweist. Die älteste deutsche Ballade dagegen wurde als Wort und Weise vorgetragen; sie war sangbar, aber nicht tanzbar.

Über die Zeit ihres Ursprungs herrscht noch mancherlei Unklarheit. Die einen nennen das 9. Jahrhundert, als aus dem stabreimenden Heldenlied, von dem uns etwa das Hildebrandslied eine Vorstellung gibt, das endreimende wurde und der mit den Klöstern siegreich vordringende Geist des Christentums auch eine innere Wandlung in den Liedern mit sich brachte. Andere nennen das 11. und 12. Jahrhundert, als in das Vortragsgut des Spielmanns, des zwielichtigen Nachfahren des germanischen Heldenliedsängers, aus dem Mittelmeerraume kommende novellistische Erzählschemata einflossen, welche die alte kernige Frucht mit fremdartigem, anreizendem Geschmacke durchsetzten. Wir ziehen es vor, solchen Liedern noch nicht den Balladen-Namen zu geben, sondern diese uns nur erschließbaren Schöpfungen in salischer und frühstaufischer Zeit novellistische Spielmannslieder oder, sofern altes Heldenliedgut in ihnen fortlebt, spielmännische Heldenzeitlieder zu nennen.

Als Balladen wollen wir erst jene Gebilde bezeichnen, in denen der Spielmann als Träger einer nicht an einen Stand und nicht an eine Idee gebundenen Lebensform dem Geiste des langsam heraufziehenden bürgerlichen Zeitalters begegnete, an dem er schließlich zerbrach. Es gab Spielleute, welche die Lieder vortrugen, auch nach der Mitte des 13. Jahrhunderts, aber sie waren als Typus gewandelt, hatten aufgehört, eine eigenwertige Kulturform darzustellen und ein prägender Kulturfaktor zu sein. Das Aufblühen der städtischen Kultur, in Norddeutschland etwa die Verbürgerlichung des Hansekaufmanns, der Anteil singender Gemeinschaften des Volkes am Leben der Lieder, die novellistische Behandlung historischer Persönlichkeiten wie in der »Frau von Weißenburg«, im »Edlen Möringer« und anderen – das erst bezeichnet uns die Schwelle, jenseits der wir die Lieder, auch wenn sie älteren Stoffes sind, Balladen nennen – Volksballaden, als Teil einer größeren Art-Einheit, des Volkslieds.

Wir überschauen, was die Volksballaden des 14. bis 16. Jahrhunderts ererbt haben: das knappe einsträngige Handlungsgefüge, die Herausstellung der dialogisch gebauten Einzel-Szene von dem Heldenlied; das Motiv des von der Dame scheidenden und auf Abenteuer fahrenden Ritters und manches lyrische Detail aus dem Minnesang; das kennzeichnendste indes: die phantastischen Züge, das Fehlen ethischer Vertiefung, der formelhafte, weithin unliterarische Sprachstil, überhaupt jene sehr dünne rittertümelnde Schicht, die ständig in Gefahr ist, unter einem zu derben Schritt in Scherben zu gehen – all dies ist in der spielmännischen Kunstübung beheimatet, die sich auch der kleinen Schwanknovelle annahm.

Den Stoff des Heldenlieds, das in den Völkerwanderungswirren geboren worden war, hat die Volksballade fast ganz aufgegeben. Das »Jüngere Hildebrandslied«, mit dem wir unsere Sammlung eröffneten, gehört zu den wenigen, die noch stofflich an den Vorfahr gebunden sind. Doch welch ein Abstand zum Geist des alten stabreimenden Lieds! Dort tötete der Alte in tragischem Konflikt zweier überpersönlicher Bindungen den Sohn, der Atem unwendbaren Schicksals ging durch die Langzeilen. Hier, in der Volksballade, erkennt man einander noch rechtzeitig, zieht heim zur Mutter Ute und feiert das Wiedererkennen, das ein Ringlein im Glase herbeiführt. Man liebt die innige menschliche Beziehung. Sie ist ins Untragische gewendet. In der Episode schließt das Ende wieder den Ring zur Situation des Anfangs. – Manche Balladen nehmen historische Ereignisse zum Anlaß: so die »Frau von Weißenburg« und der »Herr von Falkenstein«. Doch hat diese Historie ihr Profil verloren, ist eingeschmolzen durch das Formgesetz der Ballade, die das Einmalig-Individuelle auflöst.

Um so unzerstörbarer konnte sich ihre Lebensdauer erweisen, da nicht die Gefahr bestand, daß mit der zeitlichen Entfernung das Interesse an nicht mehr voll erklärbaren geschichtlichen Figuren erlahmte. Das spielmännische Lied, vielerorten zersungen, im Volke heimisch zum Volkslied geworden und durch Zuschüsse des nachreformatorischen Zeitungsliedes bereichert, hat sich durch Stimmung und Innerlichkeit, durch Darstellung herzergreifender Ereignisse noch über den Zeitpunkt lebendig erhalten, zu dem sich Herder und die Romantik seiner annahmen. Der »Herr von Falkenstein« ist eine der zwölf Balladen, die Goethe im Elsaß sammelte und aufzeichnete. Die Niederschrift des mittelalter-begeisterten Straßburger Studenten übernahm Herder 1773 in seine Volksliedsammlung.

In den »Stimmen der Völker in Liedern«, die mit dem »hohen Nord« Grönland und Lappland anheben, haben die englisch-schottischen Volksballaden einen bevorzugten Platz. Sie atmen nicht den milderen Geist verblühenden Spätmittelalters, sondern sind von rauher Ursprünglichkeit der Leidenschaften und heftiger dramatischer Steigerung. Vom Schauer der Geister-Welt durchweht, die unergründbar ein Schicksal walten läßt, bedeuten sie, gleich Shakespeares großen Tragödien, einen Einbruch in das aufklärerische Jahrhundert, dem in seiner Mächtigkeit nachzuspüren heute fast unmöglich ist. Es gilt, sich noch einmal jenes dunkeldrohende Gefühl zu vergegenwärtigen, das uns überkam, als wir zum ersten Male Frage und Antwort zwischen Edward und seiner Mutter gesprochen hörten – in einem Rhythmus, der fessellos dem

Gesetze balladischer Zuspitzung gehorchte. Die »*Reliques of Ancient English Poetry*« (Reste der alten englischen Poesie), die der Bischof von Dromore, Thomas Percy, 1765 herausgab, öffneten auch den Deutschen den reichen Born des europäischen Nordwestens. Nun wird plötzlich in den angerührten Geistern der Wille mächtig, die irrationale außermenschliche Welt, in der die Urgegebenheiten – Tod und Leben, Kraft und Unkraft, Gut und Böse – uneingeschränkter wirken, einander befehden und ineinander übergehen, in Handlung zu gestalten. Das Jahr 1774 ist mit Gottfried August Bürgers »Lenore« das Geburtsjahr der deutschen Kunstballade, einer Kunstform, die sich weit vom Geist der deutschen Volksballade entfernt.

Die »Lenore« besitzt eine außerordentliche Volkstümlichkeit. Trotz den mancherlei Umständlichkeiten der Erzählung reißt uns heute noch der Schwung der klangmalenden Sprache faszinierend mit. Die Moral am Schluß nach Bänkelsängerart (»Mit Gott im Himmel hadre nicht! Des Leibes bist du ledig, Gott sei der Seele gnädig!«) kann uns freilich nicht nur belehren, daß Bänkelsang und Moritat die Geschichte der Kunstballade von ihrem Anfang an bis in die Gegenwart (B. Brecht, Christa Reinig) begleitet haben; sie mag uns auch daran erinnern, wie leise zu gleicher Zeit der Bote in Wandsbek die Mär von Tod und Mädchen verklingen ließ.

»Menschen und Mächte« hat Wilhelm von Scholz als das Thema der deutschen Ballade bezeichnet. In den Volksballaden waren die den Menschen bedrängenden Mächte Naturwesen, der Natur verbündete Geister, im zwielichtigen Zwischenreich daheim. Wir wissen, wie sehr den Straßburger Goethe diese Dinge angerührt haben, jene Shakespearische Welt der Elfen, Trolle und Geister. In Herders Sammlung fand er in der dänischen Ballade die Gestalt des »Erlkönigs« (eigentlich: Elfen-Königs). Doch wurde nun in der eigenen Dichtung das Geschehen zu einer einzigen Begebenheit gerafft, die Stimmung des Schauervollen dadurch verdichtet. Wenn die geheimnisvollen Mächte wirken, ziemen dem Menschen nicht Rührung oder Trauer. So schließt die Ballade nüchtern: »In seinen Armen das Kind war tot«; ebenso im »Fischer«: ». . . und ward nicht mehr gesehn.« – »Der König in Thule«, in dem der Ton volkstümlicher Lyrik wundersam getroffen erscheint, läßt uns gleichwohl in jenem echten ›Balladen-Zustand‹ nachsinnenden Bewußtseins zurück, das in einem Ausschnitt das Ganze, in einem sinnlichen Ding den Weltgeist im Kern bedenkt. Der Becher ist Symbol. Über dem sichtbaren Vorgang vollzieht sich ein anderer. Im geworfenen Becher ist auf ihn verwiesen.

Diesem, daß eine geistige Ordnung sichtbar gemacht werde, dienen dann die großen Balladen, die der Musen-Almanach auf das Jahr 1798 ans Licht bringt. Wohl kennen auch sie, wie es balladischer Stoffwahl überhaupt entspricht, den magischen Zusammenhang mit der Geisterwelt (»Der Zauberlehrling«, »Die Braut von Korinth«); aber das Dämmerlicht der Frankfurter Frühe ist dem hellen Tag Weimarischen Geistes gewichen, der in der Dichtung die Idee aufleuchten läßt. Und damit treten wir aus dem natürlichen in den sittlichen Bereich. In der Ballade »Der Gott und die Bajadere«

»... freut sich die Gottheit der reuigen Sünder,
Unsterbliche heben verlorene Kinder
Mit feurigen Armen zum Himmel empor.«

Mahadöh entführt die zu liebender Menschlichkeit erhöhte Dirne mit den Flammen, jener Stimme gleich, die dem Gretchen des Kerkers ihr »Ist gerettet« von oben entgegensendet. Die Ballade, die sich »Indische Legende« nennt, wird zum christlichen Mysterium charismatischer Erlösung des sündigen Menschen. Nicht Menschlichkeit entsühnt die Bajadere, sondern göttliche Gnade allein. Wir sehen, wie hier die Fäden zu den Schlußszenen des Ersten und Zweiten Faust hinüberlaufen und Balladendichtung zum erstenmal in ihrer Geschichte an den großen Gedanken einer Geistes-Epoche Anteil gewinnt.

Die Balladen des reifen Goethe scheinen auf höherer Stufe wieder zu den Formen und Motiven des Anfangs zurückzukehren. Sie gehen nach der Helle des Tags in eine milde Abenddämmerung über, in der man, froh des Vergangenen, sich heiterem Schweifen überläßt und alte Lieblingspläne zu endlicher Erfüllung bringt. In das »Hochzeitlied« und den »Getreuen Eckart« soll man keinen besonderen Tiefsinn hineinlegen wollen. Es sind Spiele einer phantasiereichen Einbildungskraft, dem Naturmagischen wie dem Volkstümlichen offen, aber nun mit der heiteren Weitsicht des Alternden, der um die Grenzen weiß, im Ernste das Spiel erkennt und die Gesetzhaftigkeit dichterischer Formen erprobt. So spiegelt das »Hochzeitlied« das *theatrum humanum* im Kleinen nur durch den distanzierenden Wachtraum des heimkehrenden Grafen. Es ist die »mildere Hand« des Dichters, die auch »Die Wirkung in die Ferne« gestaltet, die von der künstlichern Strophenform wieder zur einfachen zurückkehrt und schließlich (1823) noch einmal den Stoff eines Percyschen Volksliedes zur »Ballade vom vertriebenen und zurückkehrenden Grafen« formt. Die Anlage verspricht den echten tragischen Konflikt, doch die »conciliante« Natur des Dichters weicht ihm aus und sucht Versöhnung: »Euch künd ich die milden Gesetze ... Es entwickelt sich gut; heut einen sich selige Sterne.« Um so hörbarer freilich wird dann ein Ton, wie er im Mittelstück der »Paria«-Trilogie (1821/22) aufklingt, der den unterirdisch schwelenden Brand des Schauers vor dem Chaos ahnen läßt, den das Abendlicht des heiteren Spiels nicht in jedem Augenblicke zu überstrahlen vermag.

Bei Schiller gibt es kein Ausweichen. Seine Balladen, deren Entstehung sich auf rund acht Jahre zusammendrängt, gestalten den Kampf des Menschen gegen das Schicksal, wie es balladischem Wesen entspricht. Sie sind wie die großen Dramen Früchte der ästhetisch-philosophischen Beschäftigung des Dichters. Hatte Goethe sich durch den Freund zur ideentragenden Ballade führen lassen, so lernte dieser, aus dem konkreten Einzelfall das allgemeine Gesetz abzuleiten, vom Sinnlichen zum Ideellen vorzuschreiten. Im »Ring des Polykrates« und in den »Kranichen des Ibykus« waltet das gleiche eifersüchtige und unerbittliche Fatum, dem auch Wallenstein und die Brüder in der »Braut von Messina« unterworfen sind. Um der Harmonie des Weltgefüges willen ist dieser Triumph notwendig, und menschlicher Widerstand wäre sinnlos. Von der Notwendigkeit (ἀνάγκη) führen »Die Bürgschaft« und »Der Handschuh«

– dieses »artige Nach- und Gegen-Stück zum Taucher« (Goethe) – zur Freiheit, in welcher Damon und Delorges das sittliche Gebot der Freundestreue, Selbstüberwindung und Ehre erfüllen und sich so den äußeren schicksalhaften Gewalten gegenüber behaupten. –

Trotz dem hohen ethischen Gehalt und der dramatischen Handlungsführung können wir heute zu Schillers Meisterwerken nicht mehr jenes nahe Verhältnis aufbringen wie etwa zu denen Goethes. Der Gründe für diese Achtung, die nicht Liebe werden will, gibt es mehrere. Es ist nicht die zeitgebundene Sprache (»Die Szene wird zum Tribunal, und es gestehn die Bösewichter«), nicht die öfters allzu grelle Art der Darstellung und auch im letzten wohl nicht der hie und da weniger anschmiegsame und leiernde Rhythmus, der uns auch einige dünnflüssige Balladen Uhlands unerträglich gemacht hat. Es ist vielmehr dies: die geheimnisvolle Symbolwelt der Ballade ist aufgegeben. Schillers ideale Stilisierung leidet keine Hintergründigkeit, die der Seele des Aufnehmenden einen Raum des Ahnens öffnet. So ist die Gewinnung des Handschuhs eine spannungsreiche Tat, der Abschied von der Dame ein Abgang voller *éclat*, doch ist beides nicht zeichenhaft für ein Höheres wie etwa der Wurf des Bechers im »König in Thule«. Goethe besaß gegenüber Schiller die Kunst des Verschweigen-Könnens, die für die Ballade eine eigentlich wesenhafte ist. Während dieser das Sittliche besang, gelangte Goethe zum Religiösen. In Schillers Balladen sind es Größe und Mut, die den Bereich des Geborgenen verlassen und etwas Gefährliches wagen, oder Menschen, die, schuldig geworden, einem gerechten Fatum erliegen – in Goethes Balladen handelt die Liebe und waltet die Gnade. Es ist nicht zufällig, daß liebende Schonung erst in Schillers letzter Ballade »Der Alpenjäger« durch den »Geist, den Bergesalten«, einen zweiten Getreuen Eckart, Gestalt gewinnt.

Wer so in der Höhenluft der klassischen Ballade lebt, dem kann sich leicht der Blick für die Maße anderer Gipfel, die sich aus verschiedenem Landschaftsbilde erheben, verwirren. Goethe legte einen Gedichtband aus der Hand mit den Worten: »Das Werklein ist an Uhland dediziert und aus der Region, worin dieser waltet, möchte wohl nichts Aufregendes, Tüchtiges, das Menschengeschick Bezwingendes hervorgehen.« –

Der romantischen Generation – in den achtziger und neunziger Jahren geboren – muß balladische Formung, die bewußtes und ausfeilendes Gestalten verlangt, fremd sein. Sie sucht, unter dem Einfluß von Arnims und Brentanos Volksliedersammlung »Des Knaben Wunderhorn«, wieder die Nähe des Volkstümlich-Lyrischen, des Einfältig-Schlichten in Motiv und Form. Die Situation siegt über den Vorgang; die alten Gattungsmerkmale werden beibehalten, neue Richtungen jedoch nicht eingeschlagen.

Eichendorffs Balladen sind zarte Impressionen, in welche epische Handlung gleichsam nur hineingewoben erscheint. Die Menschen haben einen leisen Gang bei Eichendorff. Auch die Geister, von denen die Natur durchstimmt wird, haben das Grelle etwa der Bürgerschen Gespensterwelt verloren. Das Menschenherz, das dem Tode zufällt, schlägt im Rhythmus des Weltganzen in untragischer sehnsüchtiger Traurigkeit. Und in diesem Sinne, daß die Handlung eine über das Menschliche erhobene Zu-Stimmung andeutet, hat Eichendorff echte Balladen geschaffen. Andeutet: denn der Dichter weiß um das Verschweigen in der Ballade. So sind Höhepunkt und Ende im Gedichte von der Hexe Lorelei in ihren knappen Worten beschlossen:

»Du kennst mich wohl – vom hohen Stein
Schaut still mein Schloß tief in den Rhein.
Es ist schon spät, es wird schon kalt,
Kommst nimmermehr aus diesem Wald!«

Es sind reizvolle Gebilde, die so leicht über dem Grenz-Land von Handlung und Stimmung schweben; freilich, sie bedeuten ein *non plus ultra* der Ballade.

Den stärksten epischen Atem besitzen die Vertreter der schwäbischen Spätromantik, Kerner, Schwab, Uhland und Mörike, deren Dichtung schon weit in das Lebensgefühl der Biedermeierzeit hineinragt. Sie sind der Gefahr einer ihnen zudem noch stammeseigenen Gemüthaftigkeit nicht immer entgangen, welche die

Ballade in rührend-sentimentale Verniedlichung abgleiten läßt. In verschiedener Weise haben Uhland und Mörike dem am besten widerstanden. Ludwig Uhland gelangte im Laufe seiner Entwicklung mit zunehmend klarerer Erfassung der historischen Vergangenheit stärker zum Objektiven, ohne doch dabei das Geschehen dramatisch zuzuspitzen. Die sentimental stilisierten Vorzeit-Barden und -Recken im »Blinden König« und in »Des Sängers Fluch« ertragen wir heute ebensowenig wie das überdeutlich allegorisierende »Glück von Edenhall«. In den schwingenden frohen Daktylen des »Graf Eberstein« dagegen und der heiter erzählenden pointierten »Schwäbischen Kunde« ist der Zusammenklang von Inhalt und Form erreicht. »Bertran de Born« vollends hat wieder die der Ballade eigene verschwiegene ›zweite Handlung‹. Während der Worte des provenzalischen Sängers vollzieht sich im Innern des Königs die Wandlung. Das schöne knappe Schlußwort öffnet das Tor vom einmaligen Neuwerden des Herzens zum überindividuellen Bezug.

Dem anderen Schwaben, Eduard Mörike, ist die Dunkelwelt uneinsehbarer, den Menschen bedrohender Mächte nicht als Bildungserlebnis zugekommen. Er trägt sie in sich, und die Balladen lassen sie in visionenartig knappen Bildern vorübergleiten. Eine eigenwillig versponnene Einbildungskraft leiht sich von der Konvention der Dichtart nur die Anstöße. Wenn auch die Märchen- und Sagenwelt die Betroffenheit des Dichters mehr verschweigt als bekennt, so sieht man etwa am »Feuerreiter«, wie weit Menschenwelt die Züge der Geisterwelt annehmen kann. Die Auffassungen dieser Ballade trennen sich schon am Punkte der Zuordnung. Um die Bedrohung zu bestehen, hat Mörike den Gestalten seiner Fantasie allmählich klarere Kontur und Deutung gegeben, hat sie ins Spielerische und Helle gehoben. So ist die dritte Strophe des »Feuerreiters« siebzehn Jahre nach den andern entstanden. An ihr kann die Bestimmung der Feuerreiter-Gestalt ansetzen. Die Notwendigkeit für den Dichter, mit seiner geisterbildenden Bewußtseinswelt zu leben und auszukommen, hat der magischen Ballade eine Fortexistenz durch die romantische Tradition hindurch ermöglicht.

Von Heinrich Heine kennt man gewöhnlich die frühen Balladen (»Die Grenadiere«, »Belsatzar«), welche das Erbe fortführen. Walter Müller-Seidel hat uns die späteren wieder beachten gelehrt, die – dem Dialog- und Erzählgedicht nahe – romantische Balladenmotive parodistisch verarbeiten. So wird das Motiv von der Flucht der beiden Liebenden im einsamen Kahn komisiert, wenn man Geschrei und Flüche des verfolgenden Vaters vernimmt und der Tod in den Wellen vom entlarvenden Reim begleitet wird:

»Es werden steif mir die Füße,
O Herzallerliebster mein!« –
»Geliebter! Der Tod muß süße
In deinen Armen sein.«

Damit beginnt eine Entwicklung der Ballade, die bis zur Gegenwart nicht abgerissen ist; Heine öffnet die Spur, auf der wir in unserer Sammlung so verschiedenartige Geister wie G. Keller (»Im Meer«), B. Brecht und G. v. d. Vring (»Der Tanz im Gras«) folgen sehen. Die komische Pointe soll desillusionieren. Bei beibehaltener Struktur wird die Sinngebung vernichtet, und die Ballade legt ihre eigene Modellbestimmtheit bloß.

Ein Jahrzehnt, nachdem in Heines Balladen Motiv und Ton der romantischen Ballade reflektiert und travestiert wurden, im Jahre 1841 nimmt im südlichsten Schwaben, auf der Meersburg, ein westfälisches Edelfräulein Wohnung und lebt dort in einsamer Zurückhaltung von den Menschen. Es denkt an die nördliche Heimat, die »größeren Heere« der Toten; und den spökenkiekerischen, hell-dunklen, von alten Familien- und Schlössersagen schauervoll bewegten Geist Westfalens vermag auch der heitere südliche Landstrich in der Seele der Annette von Droste-Hülshoff nicht zu bannen. Das nördliche Deutschland, das künftig in der Balladendichtung die Führung übernehmen wird, tritt in ihr zum ersten Male als gestaltender Raum in Erscheinung. In ihrem Bilde ist ein seltsames Doppelspiel wahrzunehmen. Neben der abgründigen geisternden Phantasie und männlich nüchternen, doch feinnervigen Art, Wirklichkeit zu erfassen, wirkt die konventionell hemmende bürgerliche Umwelt. Ihre Dichtungen haben das Gewand der Zeit nicht abgelegt.

Doch zu Unrecht hat man für ihre Kunst das Wort »Impressionismus« gebraucht. Diese Einzelszenen des balladischen Vorgangs, die plötzlich – wie im »Tod des Erzbischofs Engelbert von Köln« – aus dem dunklen Hintergrund hervorspringend von dem getönten Licht ergriffen werden, hie und da sinnlich scharfe Kontur erhalten, während anderes schon wieder im Dämmer verschwindet – sie vermitteln nicht nur ›Eindrücke‹, sondern die angerufene Phantasie erlebt die plastische objektive Gestalt voller Ausdruck und Wesen. Die »Vorgeschichte« verdient sowenig die Bezeichnung Impressionismus wie Rilkes »Panther im Jardin des Plantes«.

Der Vergleich des »Knaben im Moor« mit dem »Erlkönig« zeigt, wie bei Goethe in der naturmagischen Geisterwelt, objektiv gleichsam, Symbole geschaffen werden sollen, bei der Droste aber magische Wirklichkeit einfach ›da‹ ist und die menschliche Existenz bedroht. Der Mensch ist von der Wirklichkeit des Dämonischen bedroht, aber diese ist nicht auf den Menschen bezogen, ist Wirklichkeit in sich selbst. Es gibt nicht die Freiheit, sie anzuerkennen, an sie zu glauben oder nicht. Noch der Hörer der Droste-Balladen erliegt gebannt der Macht dieses Zwischenreichs.

Stärkste Verdichtung entsteht, wenn Wirklichkeit zugleich Wahrheit ist – wie in der »Vergeltung«, die sich hoch über eine billige Moral erhebt. Der Kern der Fabel stimmt mit der »Judenbuche«, der meisterhaften Novelle der Droste, überein. Wenn nicht der Balken »Batavia fünfhundertzehn« die Gerechtigkeit Gottes anzeigte, wäre der Tod des Reisenden Wirklichkeit ohne Hintergrund. So aber – durch den plötzlich durchs Hirn schießenden Sinn-Bezug zu der Erkenntnis gerissen, daß der ewige Gott das Wort des Gerichts gesprochen habe – begegnet der Reisende der Wahrheit. – Die Geister- und Schicksals-Ballade, die noch bei Bürger und im verharmlosenden Biedermeier dann und wann etwas vom Kinderschreck mit sich führte, öffnet bei der Westfälin das Tor zum Numinosen. –

Friedrich Hebbel, dessen psychologische Neigung und grelle

Zeichnung in der Schauerballade durchbrechen, vermag die künstlerische Höhe der Droste nicht zu halten. Bei ihm wird das Schaurige leicht zum Requisit, welches die Handlung hie und da aus der balladischen Stimmung abgleiten läßt. So lenkt der sonst trefflich komponierte »Heideknabe« zum Schluß in die Rührseligkeit des »Wunderhorns« ein. Was Hebbel in seinen Dramen gelingt, versagt sich ihm hier durch das der Ballade eigene Gestaltungsprinzip: den Weltgeist *in nuce*, die großen Wendepunkte der Zeit am Schicksal des Einzelnen darzustellen. Zudem fehlt es ihm leicht an der lyrischen Bewegung des Verses. Auch sie ist der Ballade vonnöten, weil erst aus der Mannigfaltigkeit der Tönungen und Stufen sich der volle Akkord schicksalhafter Handlung verbunden mit menschlichen Werten ergibt.

Dies alles vereinigt ein Märker französischer Herkunft in sich. Fontanes großer Lehrmeister ist noch einmal jener Bischof Percy, der schon dem jungen Goethe Pate gestanden hatte. Eine Reise nach Schottland läßt die Stuart-Landschaft unmittelbar vor des Dichters Auge treten; dadurch verdichtet sich ihm die Stimmungswelt der englisch-schottischen Volksballade. Ein Zyklus, dem auch die beiden Meisterwerke des Jahres 1854 angehören – »Archibald Douglas« und »Das Lied des James Monmouth« –, ist die Frucht solchen Einlebens. Besonders »Archibald Douglas« hat im ersten Teil der sich langsam entwickelnden Handlung Stellen feinster Lyrik, denen dann der atemlose Ritt mit seinem gefügten Dialog und schließlich wieder das liedhaft weiche Ende folgen. Wir spüren, wie weniger ein Novellist als ein Erzähler am Werke ist. In den altpommerschen und altmärkischen Balladen, den Bildern aus der friderizianischen Zeit und den Tagen aufsteigenden Preußentums – ruhig und oft mit dem stillen entschärften Humor des Norddeutschen – reiht der Dichter, dem handlungsgefüllten Stoffe willig nachgebend, die epischen Geschehnisse. Auch dort, wo es straffer hergeht – wie im »Sechsten November« und im »James Monmouth« –, strebt Fontane selten die geschichtete Handlung an. Ihn zieht in den Balladen stärker die Pointe der zeichenhaften Situation als die metaphysische Bezüglichkeit an. Sind die Klassiker wie die Herren ›über den Wassern‹, die Droste gleich dem Menschen, der dem Elemente ausgesetzt um sein Leben ringt, so ist Fontane dem muntern Schwimmer ähnlich, der sich mit den übermenschlichen Kräften ohne Weltangst eingelassen hat.

Einmal jedoch haben den Sechzigjährigen noch die Gewalt des Schicksals und die Unzulänglichkeit des Geschöpflichen angerührt. »Die Brück am Tay«, eine späte Ballade, die uns Heutigen, die wir die Perfektion wie die Dämonie des Technischen erlebt haben, besonders nachgeht, setzt die beiden Bausteine der Ballade unmittelbar zusammen: den »oberen Vorgang«, der in den raunend abgerissenen Gesprächen der drei Hexen deutlich wird, und die Katastrophe selbst, die mitgeprägt wird durch die Herzensteilnahme einfacher, unserer Arbeitswelt angehöriger Menschen. Fontane nahm vielen seiner Helden die pathetische Aufdringlichkeit. Er war kein Revolutionär, aber doch ein stiller Reformator der klassischen Ballade, auch dann, wenn die Nachkommenden den Erfolg der Reform, der an die Sprache der Jahrhundertmitte gebunden bleiben mußte, in Frage stellten.

Doch wir kehren noch einmal nach dem Süden zurück, wo in der Dichtung Conrad Ferdinand Meyers die Ballade klassischer Prägung ihren nachklassischen Gipfel erreicht. Nicht das nebelgraue Schottland, sondern die klare helle Romania – Venedig und Paris – ist das Bildungserlebnis des Zürichers, den die Verbindung von epischer und symbolistischer, ethischer und formästhetischer Anlage für die Ballade geradezu vorzubestimmen scheint. Mit Fontane hat C. F. Meyer die Neigung zur Historie, mit der Droste die seelische Gefährdung gemein, aus der die Dichtung aufsteigt. Keinem wie ihm aber ist es geglückt, in der Geschichte das Geschickte zu zeigen, die Frage, auf die zu antworten Sinn des Menschenlebens ist.

Meyer selbst hat die Unterscheidung in die »Frechen und Frommen« vorgenommen, in solche, die das Schicksal herausfordern, und solche, die seinen Willen erfüllen. »Freche« sind der Ritter Hug in »König Etzels Schwert«, der Mönch von Bonifazio und die Königskinder in »La Blanche Nef«. Es sind Gestalten nach Schillers

Geiste, an denen schließlich die Nemesis ihr Rachewerk vollzieht. Der Hugenott in den »Füßen im Feuer« jedoch, der Fährmann Steffen des weißen Schiffes und Scheherban, der jüngste Sohn Haruns, sind die verstehenden und ergebenen Werkzeuge des Schicksals, die »Frommen«, in denen der Dichter eine Christlichem nahestehende Schicksalsauffassung ausgedrückt hat; und »Die Füße im Feuer« wollen uns deshalb als eine der größten deutschen Balladen erscheinen, weil christliche Selbstüberwindung und Demut, das heißt: eine unsichtbare Aktivität der Seele einen dramatischen Vorgang bei äußerer Passivität ermöglicht. Der Hugenott ist eine Person, die im ›unteren Vorgang‹ statiert, im ›oberen‹ fast ein Monodrama spielt.

Seltsam über »frech und fromm« steht jene Geliebte Petrarcas, Laura, die den Tod überlistet, nicht um zu siegen, sondern um besiegt zu werden. Das Selbstopfer der liebenden Frau fordert heraus und erfüllt. Ethos und Notwendigkeit fallen zusammen. Laura ist der einzige Mensch, der sich dem Schicksal in reiner Form überlegen erweist.

C. F. Meyer ist ein Meister des Schweigens. Er deutet nur an, nicht aus; Symbole sprechen anstatt seiner, leitmotivisch wiederholte Sätze geben den unsichtbaren Vorgang, ihre Verbindung im Geiste des Hörers schafft den ›Sinn‹. Wie viele Novellen sind auch einige Balladen gerahmt. Es ist die in Form umgesetzte Objektivität und im letzten Sinne Ehrfurcht des Menschen vor der höheren Macht, die uns an manche Mittel Goethes erinnert, sich in seinen Gestalten unkenntlich zu machen. Meyers Sprache ist Gewand, doch nicht selten herrliches Gewand, straff und stürzend in schicksalgeballter Handlung, weich und strömend, wenn die Spannung ausschwingt oder die Stille dem Sturm vorhergeht. So in »La Blanche Nef«:

»Gemach verlosch das Abendrot,
Des Tages Gluten schliefen ein,
Ausbreitet über Meer und Boot
Der Mond den bleichen Geisterschein.«

Auf das Dreigestirn der Droste, Fontanes und C. F. Meyers zurückblickend, sehen wir, bei allem Verschleiß der Dichtart durch Massenhervorbringung und -verbrauch, eine Höhe individueller Prägungskraft, wie sie immer wieder nachklassischen Zeitaltern geschenkt sein kann. Das Dreieck Westfalen-Brandenburg-Schweiz umfaßt nicht nur die deutschen Kernlande in seiner Mitte, sondern auch die verschiedenen Möglichkeiten balladischer Gestaltung, deren jede zu Gipfelhöhe aufgetürmt ist. – Der reine Symbolismus und der reine Naturalismus haben kaum Balladen hervorgebracht. Jenem fehlt es am Willen, epische Handlung in ihrer Faktizität sich vollenden zu lassen, diesem am Willen zu zeichengebender Zeitraffung und stilisierender Durchdringung des Vorgangs. Nur im Norden hütet man das Erbe Fontanes. Für Detlev von Liliencron ist er noch ein Lebender. Der Jüngere übernimmt im wesentlichen den Ton. Das niederdeutsche Mittelalter gibt ihm die Stoffe für seine flott erzählten handlungsprallen Balladen. Nur in wenigen jedoch gelingt es, darüber hinauszukommen; bei den meisten bleibts ein waffenrasselndes und mit der Faust auf den Tisch schlagendes Heldentum, dem wir nicht eben mehr gewogen sind.

Auch die Balladen des Freiherrn Börries von Münchhausen sind uns fern gerückt. Die versunken geglaubte Welt der Ritter, Pagen und höfischen Damen, die alle etwas bläßlich und schablonenhaft stolz geraten sind, steht in seinen Balladen wieder auf; aber auch die der großen Leidenschaften. Die Treue derer von Lohe währt Generationen, in der »Ballade vom Brennesselbusch« ists die »wunde Treue«, die verblutet. Die Treue der Frau in der »Glocke von Hadamar«, die sich opfernd am Glockenklöppel den Tod findet, bleibt als visueller Eindruck im Gedächtnis. Münchhausens Kraft liegt in der Fähigkeit, einen treffenden Einzelzug plötzlich sekundenlang aufleuchten zu lassen – wie ein Blitz aus den Wolken zackt; durch lyrische Zeilen plötzlich den epischen Gang zu unterbrechen, daß die Handlung verwundert innezuhalten scheint, und die wortlose Gebärde zu gestalten, bei der das Geschehen unvermutet und erschüttert abreißt. Vieles ist treffliches Kunstgewerbe, doch ist der Ausspruch des jungen, noch nicht Routinier gewordenen Münchhausen nicht ganz ohne Berechtigung: »Die farbensprühende, lebenzitternde starke Ballade ist wieder erwacht, laßt uns Feste feiern!« Seine theoretischen Schriften zur Ballade besitzen ihren literatur- und zeitgeschichtlichen Wert darin, daß sie die klassizistische Ballade als Norm setzen und im Augenblick, als eine große Entwicklung abschließt, eine Wesensbestimmung der Dichtart versuchen.

Zum Kreise der Göttinger Studenten, die Münchhausen fontanebegeistert 1895 um sich schart, gehört auch Lulu von Strauß und Torney, eine Meisterin der »lebenzitternden starken Ballade«, in welcher nicht nur der Edelmann, sondern auch der Bauer, der Knecht und Seefahrer zu Handlungsträgern werden. Die Historie wird lebensvoller als bei Münchhausen, zumal die Landsmännin der Droste ihre Kunst versteht, packend in abgerissenen Sätzen eine Situation voller Gewalt und flackernder Hast aufzubauen. Fast naturalistisch ist mancher einzelne Zug zu nennen, doch nie an Unbedeutendes verloren. Wie wirkungsvoll zu Beginn des »Tambour Leroi:«

»Kasemattengänge. Laternenlicht.
Eine Pritsche und Stroh. Ein junges Gesicht,
Geschlossen die Lider, die Wangen schmal,
Die Brauen gefurcht in dumpfer Qual.
Jetzt trifft das Licht ihn, das zuckt und flirrt,
Steil fährt er hoch, noch vom Schlaf verwirrt,
Taumelt, greift an den feuchten Stein, –
Doch mit schlotternden Knien knickt er ein.«

Und gleicherweise der Schluß, wo in echter Balladenmanier die Pointe belanglos umkleidet wird, um das blinde Spiel des Schicksals zu zeigen, seine fürchterliche Ironie, mit der es über einem Menschenleben steht. Denn die Wissenden, wie der alte Jan Willem – »der mehr als die anderen weiß« – müssen in das Selbstopfer eingehen als das Salz der Erde, das die metaphysische Koinzidenz von Gottes Gerechtigkeit und Gnade in der menschlichen Schicksalsstunde zu menschlichem Austrag bringt. Im »Gottesgnadenschacht«

hat die Dichterin den Sinnbereich der »Füße im Feuer« in der Welt unseres eigenen Daseins zu reiner Gestalt erneuert.

Die Balladen der Lulu von Strauß atmen etwas vom Geist und der Tragik des altisländischen eddischen Heldenlieds. So gemahnt uns im »Wiegenlied« die hassende Liebe von Erk Mannis' Tochter an die Tat der Brynhild, aus der Verwirrung übergroßer Leidenschaften erwachsen. Aus diesem Vergleich erkennen wir aber auch, daß es der Dichterin oft an der Straffung der epischen Fabel mangelt. Neben der Kunst des Schweigens steht in der Ballade die des Weglassens. –

Einen Höhepunkt sehen wir in der Balladenkunst der Agnes Miegel. In mancher Hinsicht möchte man sie mit der Droste vergleichen; denn früh schon entfernt sie sich von der konventionell heldischen Ballade Münchhausens und findet ihre Eigenart in der Gestaltung alter ostpreußischer Sagen und Märchen, die bereits die Phantasie des Kindes beeindrucken.

Auch dort, wo die Dichterin in der Nachfolge steht, überbietet sie. Seit Fontanes preußischen Heerführern und Münchhausens »Kometenjahren« (Newton, Kant, Darwin) und »Einsamen« (Rembrandt, Beethoven, Goethe) gibt es balladenähnliche Porträts, in denen die expressive Kunst der Ballade ihr impressionistisches Gegengewicht sucht. Agnes Miegels »Rembrandt« zeigt, um wievieles näher die nachfühlende, verhaltene Eindruckskunst der Frau der geistigen und künstlerischen Erscheinung Rembrandt kommt als peinlicher Wortreichtum, der hie und da seine Wirkung im Grellen sucht.

Auch mit den »Nibelungen« greift die Dichterin einen häufig behandelten Stoff auf. Hier sind Verkürzung der Linien, Konzentration und ausdrucksvolle Sparsamkeit im Wort besonders vonnöten. Der ganze Inhalt des mittelhochdeutschen Epos ist in eine einzige Szene zusammengepreßt: eine Stunde am Feuer, die vor allem Konflikt beim Liede Volkers brennglasartig alle Unheilsahnungen sammelt und das hellsichtige Wissen des Endes vor den Anfang setzt. Der Gesang Volkers ist einem Akkorde gleich, der sich Ton auf Ton auftürmt, um in plötzlich hereinbrechender

Dissonanz die gewitterschwül lastende Atmosphäre schrill zu zerreißen: »Nie hab ich ein Lied gehört, Das mich lustiger machte!« –

Im »Märchen von der schönen Mete« ist der Ton der Volksballade entnommen, und es bietet einen der anziehendsten Reize Miegelscher Balladendichtung, wie sie mit alten Formen moderne, fein nuancierte Wirkungen zu erzielen weiß. So auch in »Schöne Agnete«, die den Stoff der Ballade »Es freit ein wilder Wassermann« wieder aufnimmt. Volksballadisch sind hier der Zeilenstil, die zwanglose Versfüllung, das einfache Reimschema und die Wiederkehr gleicher Zeilenanfänge. Gerade sie steigern die Erlösungssehnsucht des getauften Menschenkindes, das den »schlammschwarzen Wassermann gefreit« hat, bis zum Schluß, der die Erlösung magisch ausdrückt – aber mit jener feinen Originalität, welche plötzlich das Geschehen aus dem Volksballadischen herausreißt in einem Bilde, das von so faszinierender Seltsamkeit ist, daß wir verwundert innehalten, um das Ganze noch einmal zu überdenken.

Aus der Naturmagie in die Magie der Seele führt die wundersamste Ballade der Agnes Miegel »Die Mär vom Ritter Manuel«. Hier ist etwas in deutscher Balladendichtung Seltenes geglückt: magische Seinsform ist nicht durch pseudomagische Requisiten, Kobolde, Geister verbildlicht, sondern in einer dichterischen Handlung – genauer: in zwei Handlungen – wörtlich geworden. Es geht um die philosophische Frage nach der Wirklichkeit, wie sie die Droste auch hätte stellen können. ›Unsere‹ Welt, der Hof und an seiner Spitze der König, muß für unwirklich halten, was Manuel von langer Irrfahrt und seinem fernen Weibe zu berichten weiß. Da ergibt sich durch die Botschaft des fürstlichen »braunen Mannes«, daß Wirklichkeit hinter dem Berichte stand. Und nun muß sich unerbittlich der Zweifel auf das legen, was hier für wirklich gehalten wird. Der König sucht die Antwort auf die existenzbedrohende Frage vor dem Kruzifix, vor dem Gotte kniend, der den Zeitwiderspruch beim Mönch von Heisterbach als vermeintlichen gedeutet hatte. Wir wissen – schon dadurch, daß der Erzähler die Szene nur indirekt als aus Pagenmund Gehörtes (»Märchenflausen«)

wiedergibt –, daß dem Fragenden keine Antwort zuteil wird. Er wird auf eine furchtbare Weise das Erbe Manuels antreten müssen. Dieser durfte nicht ganz in die geschlossene Welt eines magischen Bewußtseins eingehen; »Erinnerungsqual« ließ ihn zwischen zwei Bewußtseinsebenen umherirren. Ebenso wird der König die Frage bis zum Ende immer neu stellen müssen, einsichtig und gefangen in die Enge unserer Erlebniswelt, die ein Drittes von uns aus nicht zuzulassen scheint.

Als jüngste in der Reihe der großen, Balladen dichtenden Frauen unseres Jahrhundertbeginns wird man künftig Gertrud Kolmar nennen. Ihre zwischen den Weltkriegen entstandenen Zyklen »Napoleon und Marie« und »Robespierre« hat ein schlimmes Schicksal bis vor kurzem verborgen gehalten. Urzelle ihrer Balladen ist nicht wie bei Agnes Miegel Anhauch des Rätselhaften, das in Magie und Sage uns aufgegeben ist, sondern das zeichenhaft geballte, farbentiefe Bild aus der hellen Welt der Geschichte. Die Dämonie ist in dem, was sich vor uns vollzieht, was Menschen vor uns vollziehen. Die Geschehnisse der französischen Revolution, gnadenlos und nicht ohne daß Robespierre, Verkörperung der reinen Idee, wie ein Gott über ihnen erscheint, sind von einem im Grunde alttestamentarischen Geschichtserlebnis geprägt. Es wurde dieser formgebändigteren Schwester der Else Lasker-Schüler zu einem Quellpunkt ihres gesamten Werkes und hat ihrer Sprache eine Genauigkeit, Großheit und Farbstärke geliehen, die ihre balladische Ausdrucksgeste von der Tradition des letzten Jahrhunderts wie vom Neugewinn des Expressionismus gleichermaßen lebensunabhängig macht. Die vom Expressionismus getroffenen, aber nicht mitgerissenen Bilder haben es nicht immer leicht, äußere balladenhafte Bewegung an sich zu nehmen; sie wollen nicht historische Balladen im gewohnten Sinne sein. Handlung, kaum entfaltet, ist aufgesogen in eine pointierte, letzte Gebärde; so Robespierre bei Dantons Hinrichtung:

»Und achtlos, ob geschwungne Blöcke drohten,
Mit Wettern und Gebirg der Riese stritt,

Dem Blitze splitternd von der Wimper lohten,
Trat er heran, ein leiser, sanfter Schritt,
Und warf ihn zu den Toten.«

Gewinnung von Neuland durch Verarbeitung ältester balladischer Formen und Sagweisen kennzeichnet die Dichtung von Bertolt Brecht. Die paradoxe Pointe der Ballade: daß sich in der scheinbaren Banalität plötzlich eine Kluft öffnet, wo die Gleichnishaftigkeit menschlicher Existenz aus der Tiefe heraufleuchtet, kam der Natur Brechts entgegen, die anklagen, aufdecken und aufwecken wollte. Er handhabte die perspektivenreiche Eindringlichkeit der Ballade als pädagogisches Mittel.

Im »Kinderkreuzzug« von 1939 ist die Anklage fast ganz in Handlung umgesetzt. Es ist die eigenwillige Mischung aus Slang, volksliedhafter Einfachheit (»Wie sollen die Bäumchen blühen, Wenn so viel Schnee drauf fällt?«) und chronikalischer Nüchternheit, und es ist der holprige Vers, in dem man den ungleichen, müde schlurfenden Schritt des Kindertrupps hört, was sich in Spannung zu den Bildern setzt, deren apokalyptische Kraft die Einbildung beschäftigt: wie der Junge der frierenden, trabenden Kinderschar mit ausgereckter Hand den Weg in die Schneewüste weist, wie im zerschossenen Hof die Zwölfjährige dem Fünfzehnjährigen das widerspenstige Haar glattkämmt, und zum Schluß der tote Hund im Schnee mit dem einfältig-rührenden Pappschild um den Hals. Es hätte der eingeschalteten Vision des Dichters (»Wenn ich die Augen schließe ...«) nicht mehr bedurft, um diesen Kreuzzug zum Symbol für die unzähligen Flüchtenden werden zu lassen, die zu einem Land im Aufbruch sind, wo Frieden ist.

Die Dichtarten versuchte Brecht mit wechselnder und wenig systematischer Grenzziehung zu scheiden: Legende, Parabel, Bericht, Ballade. Die Zusammenstellung weist schon darauf hin, daß der Dichter, der auch gerne alte volksballadische Stilmittel, die Moritat und den Bilderbogen mit dem Kehrreim, lebendig werden ließ, das Hauptgewicht auf das Epische und nicht auf die zugespitzte Konstellation nach Art des klassischen Dramas legte. Episch berichtend ist das Zeitmaß in der »Legende von der Entstehung des Buches Taoteking«. Die gelassene Weisheit des Lehrers spiegelt sich in der Gemächlichkeit szenischen Ablaufs, und die Bewegung geschieht vor der ins Biblische stilisierten Kulisse, dem Zöllnerhause mit dem Tisch, der Föhre und dem Weg, von dem man nur ahnen kann, daß er sich weit ins Endlose streckt, denn gleich hinter der Föhre biegt er ums Gestein. Die für Brecht typische sprichworthafte Kürze, seine Neigung, epigrammatische Summen zu ziehen, lassen hier den zeichenhaften Charakter des Geschehens hervortreten, und der Ballade nähert sich die parabolische »Legende« dadurch, daß die Weisheit des Lehrers, welche die einfache Vernunft frappiert (»Du verstehst, das Harte unterliegt«), in der von der bündigen Schweigsamkeit Laotses beherrschten Handlung Gestalt wird.

Wir sagten schon: Durch den Rückgriff auf das älteste Erbe, auf Bänkelsang und Moritat, gewinnt Brecht der Ballade Neuland. Dieser Ton hilft das Pathos entlarven und reflektiert das Geschehen gerade durch die Sprachgeste äußerster Naivität. Dieser Ton hat auch die Jüngeren in den Bann geschlagen, und wenn die Zeichen nicht trügen, verdanken wir es zu einem guten Teile Brecht, daß die Gegenwartsdichtung anfängt, sich ein unbefangeneres Verhältnis zu unserer Dichtart zu gewinnen.

Die Ballade mußte von dem unaufhaltsamen, alle Gattungen erfassenden Prozeß sprachlicher und gedanklicher Abstraktion besonders empfindlich getroffen werden. Es muß ihr Untergang sein, wenn statt des Dinges die Sprachgebärde genügt, die auf das Ding verweist, und wenn ein Vorgang durch seine Funktion oder seine Bezüglichkeit ausgesagt ist. Benn hat den »Verfall der Inhalte« theoretisch begründet, Thomas Mann hat im Erzählwerk selbst über ihn nachgedacht. Eine Zeitlang hat man auf die Ballade leicht verzichten zu können geglaubt. Zu sehr schreckte die klassische Tradition, in soldatenfrohen Epochen zum Geschichtsgemälde und zur Heldenfabrik entartet.

Doch unsere Gegenwart ist nicht balladenlos geworden. Es zeigte sich, daß in der Dichtart Elemente steckten, die dem Ausdruckswillen entgegenkamen: das perspektivische Zeitbewußtsein, die Objektivation im Bericht oder, in der Nachfolge Heines, Entlarvung durch Parodie.

Man hat gemeint, das Erzählgedicht, die deutsche Entsprechung des *narrative poem*, sei der legitime Nachfahr der Ballade. Doch ist das Erzählgedicht keine Neuheit. Die Klassik hat das epische Gedicht ebenso gekannt wie das 19. Jahrhundert. Manches Gedicht des jungen Goethe ist episch, ohne balladisch zu sein. Wer Balladen sammelt, wird jeden Fund unter einem Berg epischer Gedichte hervorgraben müssen. Denn die Ballade ist – was wir unten noch näher erläutern werden – eine Unterart des Erzählgedichts. Sie sondert sich durch die Zeitauffassung und den Vorgangsaspekt, sie ist nicht möglich ohne Stilisierung, werde diese auch noch so hinter der ›Natürlichkeit‹ des Ausdrucks oder der Selbstverständlichkeit des motivischen Ablaufs verborgen gehalten. Unter der Vielzahl heutiger Erzählgedichte (wie viele es sind, hat uns erst die schöne Sammlung von Heinz Piontek bewiesen) gibt es einige Balladen. Manche freilich täuschen. Bei ihnen ist nicht die epische, sondern die lyrische Aussage gemeint, und der Dichter hat nur um der perspektivischen Mehrsinnigkeit willen eine Figur erfunden oder deutend verwendet. Ballade aber kann nur heißen, was das Erzählte als Ziel im Auge behält.

Die erlebte Katastrophe, als Zeit-Gegenwart zum ersten Male gültig vom alten Fontane in der »Brück am Tay« gestaltet, hat auch heute ihr Balladen-Recht gewahrt, wenn auch die Bühne meist ohne Helden bleibt. Die Schinderstätten unseres Jahrhunderts – nicht nur Gaskammern, sondern auch Verhörzimmer – werden genau und scheinbar mitleidslos beschrieben, aber die Lemuren ziehen nicht mehr die Gewänder der alten Spukgeister an. Letzte Verknappung herrscht im »Bericht« von Johannes Bobrowski. Es ist eine Ballade; denn die Schlußzeile – »und warf ihn zu den Toten«, hieß es noch bei Gertrud Kolmar –, die fehlende, ist das Mitgedachte, muß, aus dem beladenen Wissen und Gewissen einer Generation, das Mitgedachte sein; und in dem Kontrast des letzten Akkords (»einwandfrei«) mit der folgenden überraschenden Pause liegen balladisches Element und balladische Wirkung.

Wir wissen, daß die Dichtung seit dem Ersten Weltkrieg geneigt ist, durch ihre unerhörten Synthesen Gattungsbestimmungen fragwürdig zu machen. Uns kommt es indes in unserer Sammlung auf die Lebenswege und Metamorphosen einer von solchen Bestimmungen sehr abhängigen Dichtart an. Wir stellen ihr Fortleben auch unter anderen Lebensbedingungen fest und richten dabei unser Augenmerk besonders auf ihre Fähigkeit, sich heute das alte Erbe umdenkend dienstbar zu machen. Wir versuchen, auch der gern geschmähten Tradition ihre historische Gerechtigkeit widerfahren zu lassen. Nur so lassen sich die periferen Spielarten der Ballade überschauen, die heute gegen die Mitte langsam vorrücken und denen gegenüber sich eine Sammlung, welche vom Spätmittelalter an die Gewichte angemessen zu verteilen hat, noch zurückhalten muß.

Wir haben die Geschichte der deutschen Ballade in ihren kennzeichnenden Dichtergestalten betrachtet und kehren zum Ausgang mit der Frage zurück: Was ist eine Ballade? Die Geschichte hat den Artbegriff genauer bestimmt, hat die deutsche Ballade von den Nachbarn ihrer Frühzeit, der französischen *ballade* und der englischen *ballad*-Form, gesondert und in eine nicht mehr ohne weiteres mit anderem vergleichbare Eigenwelt geführt.

Auch die Volksballade müssen wir hier und fortan ausnehmen. Ihre Nähe zum Volkslied ergibt eine große Entfernung von dramatischer Haltung und epischer Objektivität, woraus sich alle maßgeblichen Unterschiede zur modernen Kunstballade in Gehalt und Form ableiten.

Den Ort der deutschen Kunstballade im Rahmen der gestalterischen Möglichkeiten hat Goethe zu bezeichnen versucht: »(Der Balladendichter) bedient sich ... aller drei Grundarten der Poesie, um zunächst auszudrücken, was die Einbildungskraft erregen, den Geist beschäftigen soll; er kann lyrisch, episch, dramatisch beginnen und, nach Belieben die Formen wechselnd, fortfahren, zum Ende hineilen oder es weit hinausschieben. Der Refrain, das Wiederkehren eben desselben Schlußklanges, gibt dieser Dichtart den entschieden lyrischen Charakter ... Übrigens ließe sich an einer Auswahl solcher Gedichte (d. h. der Balladen) die ganze Poetik gar wohl vortragen, weil hier die Elemente noch nicht getrennt, sondern wie in einem lebendigen Ur-Ei zusammen sind, das nur bebrütet werden darf, um als herrlichstes Phänomen auf Goldflügeln in die Lüfte zu steigen.«

Der »entschieden lyrische Charakter«, den Goethe der Ballade hier zuspricht, weist auf seine frühesten Balladenerlebnisse, auf die Eindrücke zurück, die der Straßburger Student von der Volksballade erfuhr. Uns gehören Strophigkeit, Liedhaftigkeit und improvisiertes Formelspiel aus rhapsodischem Erinnern nicht mehr zu den bestimmenden Merkmalen der neueren Ballade. Daß die beiden ›pragmatischen‹ Gattungen, die epische und die dramatische, stärker als die Lyrik in ihr wirksam sind, geht besonders aus dem Verhältnis unserer Dichtart zur dargestellten Wirklichkeit hervor. Zur ›Welt‹ in der Ballade gehört das, was der Held sieht, hört oder empfindet, nicht das, was die umfassendere Einsicht des Balladendichters aufbauen könnte. Die Wirklichkeit ist die der Szene, der Aktion im Bild. Vom Drama ist die Ballade durch die Behandlung der Zeit geschieden. Wie der Film kann sie zurückblenden, Vergangenes zeitlich folgen, es als ein Gegenwärtiges erleben lassen. So schieben sich in den »Füßen im Feuer« die Zeitebenen ineinander. Das Drama folgt anderem Gesetz, obwohl das moderne Bühnenstück die Nichtumkehrbarkeit des zeitlichen Ablaufs im Kunstwerk nicht mehr anzuerkennen bereit ist.

Doch auch vom Epischen im allgemeinen ist die Ballade abgehoben. Einfacher Bericht kann ihr nicht genügen. Ballade kann nicht sein, wo der Chronist spricht oder wo, wie in Goethes »Hermann und Dorothea«, die heimliche Liebe des Dichters sich zu erhabenem epischen Gleichmut bändigt. Geschehen muß sich in Bildern ausdrücken, die untereinander durch ein sprunghaft gerafftes, eigenwillig gespanntes Zeitbewußtsein verbunden sind.

Der nächste Nachbar ist die Novelle, mit der unsere Dichtart vor allem die große Raumtiefe, die perspektivische Sicht gemein hat. Beide lieben nicht das Zergliedern. Sie verlegen gern das

Seelische in eine äußere objektivierte Realität, und ihre höchste Feinheit ist erreicht, wenn das innere Geschehen zwischen Vieldeutig und Eindeutig geheimnisvoll die Waage hält. Wie zur Novelle gehört zur Ballade die »sich ereignete unerhörte Begebenheit«, die Goethe im Gespräch mit Eckermann erwähnte. Die gleiche Spanne, die dort zwischen Erzählung und Novelle waltet, trennt hier das episch erzählende Gedicht von der Ballade. So will eine Ballade nach ihren inneren Merkmalen gewogen, nicht nach äußeren Kennzeichen erkannt sein. Rilkes »Sonette an Orpheus« bleiben Sonette, auch wenn sie die inneren Arteigenschaften kaum, die äußeren nur zum Teil erfüllen. Der Streifen aber zwischen Ballade und epischem Gedicht ist für Grenzgänger offen. Es ist die Art und Weise, wie ein Stück Bewegung in einem Stück Welt herausgehoben und aufgefaßt wird, die über die Zugehörigkeit zu dieser oder jener Art entscheidet.

Eine Definition dessen, was eine Ballade ist, muß wegen der Eigengesetzlichkeit der Unterarten sehr karg ausfallen; denn was eine Ballade Fontanes bejaht, verwirft eine solche C. F. Meyers, und Schiller hätte wohl den Balladen Eichendorffs diesen Namen vollends vorenthalten. Auch die Bestimmung durch den Dichter selbst ist kein zureichendes Kriterium. Seine Bezeichnung kann, bewußt oder unbewußt, übertragenen Charakter besitzen, auf einen einzigen Wesenszug deuten, während die Haltung des Dichters, die das Ganze entscheidet, in andere Richtung weist. Als Beispiele sind zu nennen H. v. Hofmannsthals »Ballade des äußeren Lebens«, Werfels »Balladen« und R. A. Schröders »Ballade vom Wandersmann«.

Gemeinsam ist allen Balladen, daß sie epische Gedichte sind, die eine Handlung zum Gegenstand haben, welche sich bis auf eine Situation zusammenziehen kann. Die ›Körperlichkeit‹ des Vorgangs muß durchgehalten und darf nicht so bald aufgelöst werden, daß der Eindruck entsteht, als sei das Geschehen ein zitiertes Beispiel für eine Idee oder einen Gedanken. Die Handlung muß in sich gerundet sein, das meint: sie darf ihre Sinngebung nur aus dem entwickeln, was in ihr sich ausdrückt. Dieses gehaltlich in sich

Geschlossene muß in der Form seine Entsprechung finden, wodurch man die Ballade stets an dem bewußt und mit Kunstverstand gefeilten und geformten Stil erkennen wird. Da Handlung die Grundlage ist, wird nicht gemalt, sondern durch Taten und Reden charakterisiert. Die direkte Rede ist ältester Bestandteil. Sie darf nicht weitschweifig sein, sondern knapp, bedeutungsschwer und anschaulich, nicht ausdeutend, sondern andeutend. Die Ballade meidet Gedankliches ebensosehr wie komplizierte Strophen- und Versformen. Die Form darf in ihr, die dem Gehalt den ersten Platz zuerkennt, keine von diesem gelöste Eigengeltung beanspruchen. Sie ist Diener und hat dem Geschehen Stimmung, Straffung und Stufung zu verleihen. Darüber hinaus läßt sich einiges sagen über das, was vielen Balladen klassischer Prägung gemein ist. In ihnen ist der Vorgang geschichtet. Wir erinnern uns an »Bertran de Born«, »Die Vergeltung«, »Die Füße im Feuer«, den »Gottesgnadenschacht« und schließlich »Die Mär vom Ritter Manuel«. Einem ›wirklichen‹ Vorgang entspricht ein anderer, der meist unsichtbar bleibt und sich im Innern der Menschen abspielt. Beide Vorgänge können durch ein Ding verknüpft werden, das Symbolträger ist.

Durch die ›obere‹ Handlung bekommt die Ballade ihren metaphysischen Charakter. In ihm offenbaren sich die Schicksalsmächte, deren Wirken menschliches Tun ausgesetzt ist. Wie dieses Schicksal beschaffen sei, ob fernes, hartes Gesetz oder gnädige, menschlich nahe Vorsehung, ist von minderem Belang. Denn die Ballade feiert den Zusammenhang von Menschen und Mächten. Um dieses größeren Raumes willen ist das eindrücklichste Merkmal des Geschehens die Gefährdung. Der Held ist Kräften ausgesetzt, die er weder kennt noch abmißt. Der gefährdete Raum ist oft die Historie. Göttliches Walten trifft in Form von Schicksal auf den Menschen, und es entsteht in uns ein Bewußtsein von Zeit, das jenem transzendierenden Raumgefühl entspricht: Vergangenheit und Gegenwart bilden eine geheimnisvolle Einheit; im Augenblick spüren wir die Dauer. Und hier fügt sich die klassische Ideenballade ein, die ein unveränderliches Ethos in der veränderlichen Zeit zu versinnbilden strebt.

Poesie lebt nicht im Gedanken, sondern im Bilde. Der poetische Geist schafft sich Gestalten, welche die außer- und übermenschlichen Kräfte – oder auch, wie der Tiefenpsychologe will, die in ein Außen übertragenen Mächte der Seele – wesenhaft darstellen. Gespenster, Dämonen und Naturgeister beleben die Ballade, um – ähnlich wie im Märchen – einen magischen Zusammenhang der durch unser Bewußtsein heute gespaltenen Seinsbereiche in unserer Phantasie heraufzurufen. Im »Erlkönig« haben wir beides nebeneinander: das Kind lebt gefährdet im magischen Bereiche, der Vater vertritt den ›aufgeklärten‹ Standpunkt des Bewußtseinsmenschen. Er ist in der scheinbaren Sicherheit.

Das Stichwort des Märchens mag uns noch einen Schritt weiterführen und uns verstehen helfen, warum die geschichtete Ballade eine so eigentümliche Faszination auf den modernen Menschen auszuüben vermag, warum ihm der unheimliche Vorgang im »Belsatzar« nicht weniger wahr erscheint als der im »Gottesgnadenschacht«, der seiner eigenen Denkform und Lebensumwelt entstammt.

Nicht nur im Märchen, von dem wir wissen, daß in ihm ältere Bewußtseinsschichten und tiefere Inhalte bewahrt sind, sondern auch in der Ballade ist die Vielfalt ineinanderwirkender Lebensströme zurückgeführt auf den einfachen Vorgang. Er ist nicht bedeutungslos, sondern wir spüren in ihm exemplarisches Geschehen, ein Vorgangsmodell, in dem Wahrheit aufleuchtet. Ballade und Märchen, die nicht nach Grund und Folge fragen, machen in Symbolen Ursituationen sichtbar, in denen ein universeller Seinszusammenhang gelebt wird, wie man ihn in Mythen aufgehoben findet.

Einerseits haben wir Balladen, die seelische Urerfahrungen symbolisch ausdrücken, welche einen der Menschheit gemeinsamen Besitz darstellten, ehe das Bewußtsein den Menschen auf die Pfade der Isolierung führte. Goethes »Erlkönig« und verschiedene Balladen der Droste rufen solche Erfahrungen herauf.

Andererseits kann die geschichtete Ballade eine Rückerinnerung des Dichters an den Mythus darstellen. In deutlichem Vollzug dort, wo der Mythus unverstellt und im vollen Bewußtsein dichterischer Souveränität in Erscheinung tritt, wie in Goethes Mahadöh-Legende die Herabkunft des Gottes zu den Menschen mit erlösender Heiltat; verhüllter etwa in der Manuel-Ballade der Agnes Miegel, wo die Unfähigkeit des Menschen, Schein und Sein, Oben und Unten zu unterscheiden, auf ein mythisches Weltverständnis weist, wie es sich zum Beispiel in der babylonischen Kosmologie erhalten hat; oder in C. F. Meyers »Laura«, wo der Mythus von der Unheil abwendenden und erlösenden Kraft des freiwilligen Selbstopfers mit historischen Personen verbunden und damit auf einen ihm ungemäßen Zeitbegriff bezogen ist.

Seit Goethe hat die Ballade, so viele Unterarten sie auch aus sich entwickelt hat, ihre metaphysische Tendenz immer erneut durchgesetzt. Gründe dafür lassen sich vermuten. Vielleicht treibt im Zeitalter der großen Apostasie den Dichter zur numinosen Ballade die Sehnsucht nach dem Kleistischen »Paradies«, welches das scheidende Bewußtsein uns verriegelt hat. Vielleicht führt den Dichter zu unserer Dichtart ein tieferes Wissen, daß die Handlungen, in welchen der Mensch den überweltlichen Kräften begegnet, sinnvoll werden als repräsentierender Nach-Vollzug einer die Ordnung setzenden göttlichen Ur-Handlung. Der Hörer einer solchen Ballade erfährt, wie die Macht der Dichtung in der Macht ihrer aufschließenden Symbole ruht, die ihn den Weg sinngebenden Sich-Erinnerns führen. Es liegt für uns die eigentümliche Anziehungskraft der Ballade wie des Märchens darin, daß im Sinnbild uns ersteht, was im Urbild uns entfiel.

LITERATUR ZUR DEUTSCHEN BALLADE

Balladensammlungen

Balladen (Volksballaden). Hrsg. v. J. Meier. 1935. 1936. (Deutsche Literatur in Entwicklungsreihen. 10, 1.2.)

Deutsche Volkslieder mit ihren Melodien. Hrsg. v. Deutschen Volksliedarchiv. Bd. 1.2. 1935. 1955.

J. G. v. Herder: Volkslieder. T. 1.2. 1778. 1779. – Unter dem Titel: Stimmen der Völker in Liedern neu hrsg. v. J. v. Müller. 1807.

Des Knaben Wunderhorn. Hrsg. v. A. v. Arnim und C. Brentano. T. 1–3. 1806–1808. – Neuaufl. hrsg. v. H.-G. Thalheim 1966.

Alte hoch- und niederdeutsche Volkslieder. Hrsg. v. L. Uhland. Bd. 1–4. 1844–1845. 3. Aufl. besorgt v. H. Fischer 1894.

Deutsche Balladen. Von Bürger bis zur Gegenwart. Ausgew. u. eingel. v. E. Lissauer. 1923.

Die deutsche Ballade. Hrsg. v. H. Benzmann. 1925.

Die Ballade. Hrsg. v. W. v. Scholz. 1942.

Unvergängliche deutsche Balladen. Hrsg. v. W. Elsner. 1955.

Balladenbuch. Hrsg. v. F. Avenarius, erneuert v. H. u. Hedwig Böhm. (Neuaufl.) 1966.

Neue deutsche Erzählgedichte. Gesammelt v. H. Piontek. 1964.

Deutsche Balladen. (Auswahl u. Nachwort v. K. Nußbächer.) 1967. (Reclams Universal-Bibliothek. 8501–8507.)

Balladen. Mit einem Nachwort v. W. Müller-Seidel. 1967.

Das große deutsche Balladenbuch. Hrsg. v. Beate Pinkerneil. 1978.

Aufsätze und Interpretationen in Sammelbänden

R. Hirschenauer – A. Weber (Hrsg.): Wege zum Gedicht. Bd. 2: Interpretation von Balladen. 1963. (2. Aufl. 1968)

K. Bräutigam (Hrsg.): Die deutsche Ballade. 1963. (5. Aufl. 1971.)

W. Hinck (Hrsg.): Geschichte im Gedicht. Texte und Interpretationen. Protestlied, Bänkelsang, Ballade, Chronik. 1979.

W. Müller-Seidel (Hrsg.): Balladenforschung. 1980.

Schriften zur Ballade

W. Kayser: Geschichte der deutschen Ballade. 1936.
B. v. Münchhausen: Meisterballaden. (14.–17. Tsd.) 1958.
S. Steffensen: Den tyske ballade. København 1960.
W. Müller-Seidel: Die deutsche Ballade. Umrisse ihrer Geschichte. In: Hirschenauer-Weber (s. o.)
W. Hinck: Die deutsche Ballade von Bürger bis Brecht. Kritik und Versuch einer Neuorientierung. 1968.
W. Hinck: Volksballade – Kunstballade – Bänkelsang. In: A. Schaefer (Hrsg.): Weltliteratur und Volksliteratur. 1972. (Wiederabdr. in: Müller-Seidel [s. o.] 1980)
H. Rosenfeld: Heldenballade. In: Handbuch des Volksliedes. Bd. 1 (1973).
H. Fromm: Das Heldenzeitlied des deutschen Hochmittelalters. In: Neuphilologische Mitteilungen 62 (1961). (Wiederabdr. in: Müller-Seidel [s. o.] 1980)
H. Schneider: Ursprung und Alter der deutschen Volksballade. In: Vom Werden des deutschen Geistes. Festschrift für G. Ehrismann. 1925.
A. Heusler: Über die Balladendichtung des Spätmittelalters, namentlich im skandinavischen Norden. In: Germanisch-romanische Monatsschrift 10 (1922).
R. Brinkmann: Zur Frage des »Zersingens« bei der spätmittelalterlichen Volksballade. In: Zeitschrift für deutsche Philologie 76 (1957).
E. Seemann: Bänkelsang. In: Reallexikon der deutschen Literaturgeschichte (2. Aufl.) 1 (1958).
J. Meier: Drei alte deutsche Balladen. (Das jüngere Hildebrandlied. Das Lied von Ermenrichs Tod. Das Brembergerlied.) In: Jahrbuch für Volksliedforschung 4 (1934).
H. Laufhütte: Die deutsche Kunstballade. Grundlegung einer Gattungsgeschichte. 1972.

S. Steffensen: Die Kunstballade als episch-lyrische Kurzform. In: Probleme des Erzählens in der Weltliteratur. Festschr. f. Käte Hamburger. 1971.

P. L. Kämpchen: Die numinose Ballade. Versuch einer Typologie der Ballade. 1930.

W. Falk: Die Anfänge der deutschen Kunstballade. In: Deutsche Vierteljahrsschrift für Literaturwissenschaft u. Geistesgeschichte 44 (1970).

Ulrike Trumpke: Balladendichtung um 1770. Ihre soziale und religiöse Thematik. 1975.

G. Fricke: Göttinger Hain und Göttinger Ballade. 1937.

W. Schmidt-Hidding: »Edward, Edward« in der Balladenwelt. In: Festschrift f. Th. Spira. 1961.

E. Schmidt: Bürgers »Lenore«. In: Schmidt: Charakteristiken. Bd. 1. 1902.

A. Schöne: Bürgers »Lenore«. In: Deutsche Vierteljahrsschrift für Literaturwissenschaft und Geistesgeschichte 28 (1954).

M. Kommerell: Goethes Balladen. In: Kommerell: Gedanken über Gedichte. 1943.

E. Trunz: Goethes Balladen. In: Goethe: Werke (Hamburger Ausgabe). Bd. 1. 1948. (9. Aufl. 1969)

H. Fromm: Goethes Balladen. In: Goethe: Balladen. 1949.

A. Leitzmann: Die Quellen von Schillers und Goethes Balladen. (2. Aufl.) 1923.

W. Ross: J. W. v. Goethe, Es war ein König in Thule. In: Hirschenauer-Weber (s. o.)

F. Neumann: Goethes Ballade »Der Fischer«. Ein Beitrag zum mythischen Empfinden Goethes. In: Zeitschrift für Deutschkunde 54 (1940).

W. Hinck: Goethes Ballade Der untreue Knabe. Zur Geschichte der siebenzeiligen Strophe in mittelalterlicher und neuerer deutscher Lyrik. In: Euphorion 56 (1962).

W. Müller-Seidel: Goethe, Die Braut von Korinth. In: Hinck (s. o.) 1979.

K. Berger: Die Balladen Schillers im Zusammenhang seiner lyrischen Dichtung. 1939.

H. C. Seeba: Das wirkende Wort in Schillers Balladen. In: Jahrbuch der Schiller-Gesellschaft 14 (1970).

B. v. Wiese: Die Kraniche des Ibykus. In: B. v. Wiese: Die deutsche Lyrik. Bd. 1. 1957.

H. Politzer: Szene und Tribunal. Zur Dramaturgie einer Schiller-Ballade. In: Die Neue Rundschau 78 (1967).

F. Piedmont: Ironie in Schillers Ballade Der Handschuh. In: Wirkendes Wort 16 (1966).

E. Beutler: Der König in Thule und die Dichtungen von der Lorelay. 1947.

K.-D. Krabiel: Die beiden Fassungen von Brentanos »Lureley«. In: Literaturwissenschaftliches Jahrbuch der Görres-Gesellschaft NF 6 (1965).

R. Minder: La Loreley et le bâteau à vapeur. Revue d'Allemagne 9 (1977).

P. Eichholtz: Quellenstudien zu Uhlands Balladen. 1879.

R. Haller: Eichendorffs Balladenwerk. 1962.

G. Rodger: Eichendorff's conception of the supernatural world of the ballad. In: German Life and Letters 13 (1959/60).

H.-P. Bayerdörfer: »Politische Ballade«. Zu den »Historien« in Heines »Romanzero«. In: Deutsche Vierteljahrsschrift für Literaturwissenschaft und Geistesgeschichte 46 (1972).

K. Bräutigam: H. Heine, Belsazar. In: Bräutigam (s. o.).

W. Weber: Heine, Die Grenadiere. In: Hirschenauer-Weber (s. o).

H. Cämmerer: Zu den Balladen der Droste. In: Dichtung und Volkstum 36 (1935).

B. v. Wiese: Die Balladen der Annette von Droste. In: Jahrbuch der Droste-Gesellschaft 1 (1947).

R. Pohl: Zur Textgeschichte von Mörikes »Feuerreiter«. In: Zeitschrift für deutsche Philologie 85 (1966).

K. Hampe: Hebbels Balladen. 1937.

E. Kohler: Die Balladendichtung im Berliner »Tunnel über der Spree«. 1940.

H.-G. Richert: Zu Fontanes Gorm Grymme. In: Euphorion 60 (1966).

F. Martini: Fontane, Die Brück' am Tay. In: Hirschenauer-Weber (s. o.).
N. Hansen: Die Ballade C. F. Meyers. Ein Beitrag zur Ästhetik der Ballade. Diss. Leipzig 1926.
M. Bodmer: Meyers frühe Balladen. 1922.
W. Kayser: Stilprobleme der Ballade. Bei Gelegenheit von C. F. Meyers »Füße im Feuer«. In: Zeitschrift für deutsche Bildung 8 (1932).
W. Freund: Wedekind, Brigitte B. In: Freund: Die deutsche Ballade. 1978.
W. Kayser: Die Erneuerung der Ballade um 1900. In: Die neue Literatur 40 (1939).
B. Frhr. v. Münchhausen: Autophilologie. In: H. O. Burger (Hrsg.): Gedicht und Gedanke. 1942.
L. Böer: Agnes Miegel und ihre Balladen. Diss. Breslau 1929.
E. Sitte: Wasser und Erde. Versuch einer Symbolinterpretation von Balladen Agnes Miegels. In: Der Deutschunterricht 8,4 (1956).
J. Wetzel: Zu Agnes Miegels »Nibelungen«. In: Zeitschrift für Deutschkunde 54 (1940).
U. Gollwitzer: Die Mär vom Ritter Manuel. In: Hirschenauer-Weber (s. o).
W. Kayser: Vom Wesen der gegenwärtigen Balladendichtung. In: Klingsor 15 (1938).
K. L. Schneider: Georg Heyms Gedichte »Bastille« und »Robespierre«. In: Hinck (s. o.) 1979.
W. Wiesinger: Gertrud Kolmar, Rue St-Honoré und G. Heym, Robespierre. In: Hirschenauer-Weber (s. o.).
W. Benjamin: Kommentare zu Gedichten von Brecht. In: Benjamin: Schriften. Bd. 2. 1955.
G. Schmidt-Henkel: J. Bobrowski, Bericht. In: Hinck (s. o.) 1979.
H. Fromm: Die Ballade als Art und die zeitgenössische Ballade. Erörterungen an R. Hagelstanges »Ballade vom verschütteten Leben«. In: Der Deutschunterricht 8,4 (1956).
F. Pratz: Moderne Balladen. 1965.

K. Riha: Moritat, Song, Bänkelsang. Zur Geschichte der modernen Ballade. 1965.

K. Riha: Moritat, Bänkelsang, Protestballade. Zur Geschichte des engagierten Liedes in Deutschland. 1975.

W. Welzig: Der Typus der deutschen Balladenanthologie. 1977.

*

Den Volksballaden ist der Sprachstand belassen worden, in dem sie aufgezeichnet wurden. Die Texte folgen den beiden Ausgaben von John Meier. Bei der Ballade von den zwei Königskindern die schöne niederdeutsche Fassung der Droste zugunsten einer leichter lesbaren aufzugeben, konnte ich mich nicht entschließen. Dagegen schien es bei der »Frau von Weißenburg« ratsam, eine moderne Rekonstruktion zu wählen, da neben der sprachlich allzu fernen niederländischen Fassung des Antwerpener Liederbuches nur deutsche stehen, welche die ursprüngliche Gestalt der Ballade stark verändert haben. Die einzigartige Bedeutung der Percy'schen »Reliques« und der skandinavischen (besonders dänischen) *folkeviser* für die Geschichte der deutschen Ballade sollen die beiden Stücke »Edward« und »Erlkönigs Tochter« dartun, die in Übertretung des abgesteckten Feldes der Sammlung eingefügt wurden. Die Texte der Kunstballaden des 18. und 19. Jahrhunderts sind jeweils nach den maßgebenden Ausgaben gedruckt.

Die Balladen des zwanzigsten Jahrhunderts sind folgenden Büchern entnommen: Johannes Bobrowski: Schattenland Ströme, Stuttgart, Deutsche Verlagsanstalt 1962; Bertolt Brecht: Hauspostille, Berlin, Propyläen Verlag 1927, und Kalendergeschichten, Berlin, Gebrüder Weiß 1949; Georg Britting: Gedichte, München, Nymphenburger Verlagshandlung 1957; Richard Dehmel: Gesammelte Werke, Berlin, S. Fischer Verlag 1906/07; Rudolf Hagelstange: Lied der Jahre, Gesammelte Gedichte, Frankfurt am Main, Insel 1961; Bernt von Heiseler: Gedichte, Gütersloh, C. Bertelsmann 1957; Georg Heym: Dichtungen und Schriften, Hamburg, München, Ellermann 1964; Arno Holz: Das Werk, Band I,

Berlin, J. H. W. Dietz 1924; Ricarda Huch: Gedichte, Leipzig, Insel Verlag 1908; Peter Huchel: Gedichte, Berlin, Aufbau-Verlag 1948; ders.: Chausseen, Chausseen, Frankfurt am Main, S. Fischer 1963; Marie Luise Kaschnitz: Gedichte, Hamburg, Claassen und Goverts 1947; dies.: Überallnie, Düsseldorf, Claassen 1965; Sarah Kirsch: Landaufenthalte, Zaubersprüche, Ebenhausen, Langewiesche-Brandt, 1974, 1977; Gertrud Kolmar: Das lyrische Werk, München, Kösel 1960; Karl Krolow: Gesammelte Gedichte, Frankfurt/M., Suhrkamp 1965; Hans Leip: Die Hafenorgel, Hamburg, Die Brigantine 1973; Ernst Lissauer: Der Strom, Stuttgart, Deutsche Verlagsanstalt 1921; Max Mell: Gedichte, Wiesbaden, Insel-Verlag 1952; Agnes Miegel: Gesammelte Balladen, Düsseldorf, Diederichs 1953; Börries Freiherr von Münchhausen: Die Balladen und ritterlichen Lieder, Stuttgart, Deutsche Verlagsanstalt 1926; Christa Reinig: Gedichte, Frankfurt/Main, S. Fischer 1962; Carl Spitteler: Gesammelte Werke, Band III, Zürich, Artemis 1955; Lulu von Strauß und Torney: Reif steht die Saat, Jena, Diederichs 1935; Georg Trakl: Die Dichtungen, Salzburg, Otto Müller 1948; Georg von der Vring: Die Lieder 1906–1956, München, Langen-Müller 1956; Frank Wedekind: Prosa Dramen Verse, München, Langen-Müller 1960. Von den Fassungen von Brechts »Kinderkreuzzug« wurde die kürzeste als die dichterisch stärkste gewählt.

ALPHABETISCHES VERZEICHNIS DER BALLADENÜBERSCHRIFTEN UND -ANFÄNGE

[Die Balladenüberschriften sind *kursiv* gesetzt]

INHALTSVERZEICHNIS

INHALTSVERZEICHNIS

INHALTSVERZEICHNIS